खेल पोषण तथा
भार प्रबन्धन

(Sports Nutrition and Weight Management)

खेल पोषण तथा भार प्रबन्धन

(Sports Nutrition and Weight Management)

डॉ॰ कैलास कौतिकराव पवार

बी॰पी॰ई॰, बी॰पी॰एड॰, एम॰पी॰एड॰, पी॰एच॰डी॰, नेट
निर्देशक (शारीरिक शिक्षा)
जनता कला-वाणिज्य महाविद्यालय,
मलकापुर, जिला- बुलढाणा - 443101 (महाराष्ट्र)

स्पोर्ट्स पब्लिकेशन्स

7/26, ग्राउण्ड फ्लोर, अंसारी रोड़, दरिया गंज,
नई दिल्ली-110002. दूरभाष: 65749511, 23240261
(मोबाइल) 9868028838, (निवास) 27562163
ई-मेल: lakshaythani@hotmail.com

प्रकाशन द्वारा:
स्पोर्ट्स पब्लिकेशन्स
7/26, ग्राउण्ड फ्लोर, अंसारी रोड, दरियागंज, नई दिल्ली-110002
दूरभाष: (ऑफिस) 65749511 (फैक्स) 011-23240261
(निवास) 27562163 (मोबाईल) 9868028838
ई-मेल : lakshaythani@hotmail.com

प्रथम संस्करण : 2016

अ0मा0पु0सं0 - 978-81-7879-919-3

भारत में प्रकाशित 2016

लेज़र टाइपसेटिंग द्वारा :
जैन मीडिया ग्राफिक्स, C-8/77-B, केशव पुरम्, (लारेन्स रोड़),
दिल्ली-110035

मुद्रक:
ओम साई प्रिंट्र्स एण्ड बाइंड्र्स
दिल्ली

मूल्य : 250/-

विषय-सूची

SYLLABUS

SPORTS NUTRITION AND WEIGHT MANAGEMENT

UNIT 1: INTRODUCTION TO SPORTS NUTRITION

o Meaning and Definition of Sports Nutrition

o Basic Nutrition Guidelines

o Role of Nutrition in Sports

o Factor to Consider for Developing Nutrition Plan

UNIT 2: NUTRIENTS: INGESTION TO ENERGY METABOLISM

o Carbohydrates, Protein, Fat — Meaning, Classification and its Function

o Role of Carbohydrates, Fat and Protein During Exercise

o Vitamins, Minerals, Water — Meaning, Classification and Its Function

o Role of Hydration During Exercise, Water Balance, Nutrition — Daily Caloric Requirement and Expenditure.

UNIT 3: NUTRITION AND WEIGHT MANAGEMENT

o Meaning of Weight Management Concept of Weight Management in Modern Era Factor Affecting Weight Management and Values of Weight Management

o Concept of BMI (Body Mass Index), Obesity and Its Hazard, Myth of Spot Reduction, Dieting Versus

Exercise for Weight Control, Common Myths about Weight Loss

o   Obesity – Definition, Meaning and Types of Obesity,

o   Health Risks Associated with Obesity, Obesity – Causes and Solutions for Overcoming Obesity.

Unit 4: Steps of Planning of Weight Management

o   Nutrition – Daily Calorie Intake and Expenditure, Determination of Desirable Body Weight

o   Balanced Diet for Indian School Children, Maintaining a Healthy Lifestyle

o   Weight Management Program for Sporty Child, Role of Diet and Exercise in Weight Management, Design Diet Plan and Exercise Schedule for Weight Gain and Loss

इकाई-1

खेल पोषण का परिचय

(Introduction to
Sports Nutrition)

1

खेल पोषण का अर्थ
तथा परिभाषा
(Meaning and Definition
of Sports Nutrition)

पोषण (Nutrition)

पोषण मनुष्य को शारीरिक विकास तथा वृद्धि प्रदान करने हेतु अति महत्वपूर्ण माना जाता है। यह देखा जाता है कि भोजन के आधार पर ही व्यक्ति के द्वारा विशेष रूप से अपने शरीर में विभिन्न पोषण तत्वों को समाहित किया जाता है। जिनके आधार पर वह पूर्णता की ओर विकसित हो सकता है। पोषण में शारीरिक अंगों के द्वारा अपने-अपने महत्वपूर्ण कार्यों को क्रियान्वित किया जाता है। यह देखा जाता है कि विभिन्न अंगों के द्वारा किए जाने वाले विभिन्न कार्यों के परिणामस्वरूप ही शरीर में वृद्धि एवं विकास को बनाए रखा जा सकता है। जिससे शरीर के द्वारा विभिन्न प्रकार की क्रियाओं को क्रियान्वित करने की शक्ति की प्राप्ति भी भली भांति की जा सकती है।

मनुष्य के शरीर को मशीन से तुलना किया जाना लाभदायक होगा। जिस प्रकार एक मशीन को कार्य करने हेतु नियमित रूप से ईंधन की आवश्यकता होती है। इसके अभाव में मशीन के द्वारा भली भांति कार्य नहीं किया जाता है। उसी प्रकार मनुष्य को भी नियमित रूप से कार्य करने हेतु ऊर्जा की आवश्यकता रहती है। इसके अभाव में व्यक्ति के द्वारा भली भांति कार्य की ओर अग्रसित नहीं हुआ जा सकता है। इसलिए आज इस ओर विशेष रूप से बल दिया जा रहा है कि मनुष्य के द्वारा नियमित रूप से पोषक तत्वों का सेवन किया जाए। ऐसा करकेही वह पूर्णता की ओर अग्रसित हो सकता है तथा विभिन्न प्रकार की समस्याओं का सामना भी उसके द्वारा आसानी से किया जा सकता है।

मनुष्य के शरीर में भोजन को अपविष्ट करने हेतु प्रक्रिया का भी भोजन को पचाने तथा उसमें निहित पोषण तत्वों को प्राप्त करने में बहुत ही महत्वपूर्ण योगदान प्रदान किया जाता है। यह देखा जाता है कि भोजन में लार ग्रंथियों के द्वारा ही भोजन को आसानी से पाचन योग्य बनाया जाता है। इस प्रकार यह कहा जा सकता है कि भोजन को पचाने की प्रक्रिया मनुष्य के शरीर में स्वयं ही निहित होती है। शरीर के द्वारा ही भोजन में निहित व्यर्थ पदार्थों को आसानी से बाहर निकालने की शक्ति निहित होती है। इसके साथ ही साथ व्यक्ति के शरीर में ही विशेष रूप से भोजन में निहित विभिन्न प्रकार के पोषक तत्वों का उपयोग करने की शक्ति भी निहित होती है।

विश्व स्वास्थ्य संगठन (WHO) के द्वारा भी मनुष्य के शारीरिक तथा मानसिक विकास हेतु पोषक तत्वों का सेवन करने हेतु विशेष रूप से बल दिया जा रहा है। जिसके आधार पर व्यक्ति के द्वारा पूर्ण रूप से अपना सर्वांगीण विकास किया जा सकता है। इसके आधार पर ही व्यक्ति के द्वारा विभिन्न प्रकार की समस्याओं का निराकरण भी आसानी से किया जा सकता है। इसलिए आज इस ओर विशेष रूप से बल दिया जा रहा है।

यह देखा जाता है कि कठिन परिश्रम के पश्चात् व्यक्ति को नियमित रूप से भोजन की प्राप्ति होनी चाहिए। परिश्रम करते समय उसके द्वारा अपने शरीर में से अत्यधिक मात्रा में ऊर्जा को व्यय किया जाता है। उसकी पूर्ति केवल पोषक तत्वों के आधार पर की जानी ही आवश्यक होती है।

खेल पोषण

(Sports Nutrition)

खेल पोषण, पोषण आहार का अध्ययन और अभ्यास होने के कारण एथलेटिक्स प्रदर्शन से सम्बन्धित होता है। खेल पोषण एक एथलीट द्वारा लिये गये तरल पदार्थ तथा भोजन की मात्रा से सम्बन्धित है तथा यह पोषक तत्त्वों जैसे – विटामिन, खनिज पदार्थों, कार्बनिक पदार्थ जैसे– कार्बोहाइड्रेट, प्रोटीन तथा वसा इत्यादि से सम्बन्धित होता है। यद्यपि खेल पोषण (Sports Nutrition) कई खेल प्रशिक्षण में सुझाए गए आहार व पोषक तत्त्वों आदि

का एक महत्वपूर्ण भाग है, तथापि यह सामान्यत: और अधिकतर शक्ति प्रदर्शन (Strength Sports) के खेलों जैसे - भारोत्तोलन एवं शरीर सौष्ठव (Body Building) तथा क्षमता-परीक्षण (Endurance) वाले खेलों जैसे- साइक्लिंग, रनिंग तथा तैराकी आदि में सफलतापूर्वक आहार विशेषज्ञों (Dieticians) तथा खेल प्रशिक्षकों द्वारा सुझाया किया जाता है।

पोषण की आवश्यकता

यह देखा जाता है कि प्राचीन काल से ही भारत में लोगों के द्वारा भोजन की ओर अत्यधिक बल दिया जाता रहा है। यही कारण है कि आज भारत में विभिन्न प्रकार के व्यंजनों का अस्तित्व पाया जाता है। संतुलित भोजन का अर्थ उस भोजन से माना जाता है। जिनके आधार पर मनुष्य के द्वारा भली भांति अपने शरीर में अत्यधिक ऊर्जा को उत्पन्न किया जाता है तथा जिसके आधार पर व्यक्ति के द्वारा पोषक तत्वों को प्राप्त किया जाता है। बढ़ती उम्र के साथ-साथ यौवनावस्था में व्यक्ति के द्वारा इन पोषक तत्वों की अत्यधिक मांग की जा सकती है। इसके पीछे कारण बढ़ते हुए हार्मोनों के परिणामस्वरूप शरीर में होने वाले विभिन्न प्रकार के परिवर्तनों को माना जाता है।

पोषण सामान्यत: सभी लोगों के लिए एक समान ही आवश्यक माना जाता है। परन्तु पोषण की मात्रा सभी लोगों के लिए एक समान निर्धारित नहीं की जा सकती। यह सभी के लिए भिन्न-भिन्न होती है। प्रत्येक व्यक्ति के लिए पोषण की आवश्यकता को उसकी आयु, लिंग, वजन आदि के आधार पर विभाजित किया जा सकता है। इसके साथ ही साथ उसके द्वारा किया जाने वाला कार्य भी इसी श्रेणी में गिना जाता है।

इस प्रकार यह कहा जा सकता है कि व्यक्ति के द्वारा किए जाने वाले कार्य पर भी यह निर्भर होता है कि उसके द्वारा किस मात्रा में पोषक तत्वों का सेवन किया जाता है। यह देखा जाता है कि कठिन शारीरिक परिश्रम करने वाले लोगों के द्वारा विशेष रूप से अत्यधिक पोषक तत्वों की मांग की जाती है। इसके साथ ही साथ ऐसे लोगों के द्वारा जो मानसिक रूप से ही कार्य करते हैं अपेक्षाकृत कम मांग की जाती है। परन्तु शारीरिक

डील-डौल को इसमें सम्मिलित नहीं किया जा सकता।

मनुष्य को एक सामाजिक प्राणी कहा जाता है। समाज में रहकर ही उसके द्वारा भली भांति अपने व्यक्तित्व का विकास किया जाता है। यह देखा जाता है कि जिस समाज में मनुष्य के द्वारा सहायता प्राप्त की जाती है तथा अपने व्यक्तित्व का विकास किया जाता है। उस समाज में रहकर उसके द्वारा विभिन्न प्रकार के कर्त्तव्यों को अपनाया जाता है। जिनका पालन करने के पश्चात् ही उसके द्वारा पूर्ण रूप से अपने व्यक्तित्व का विकास किया जा सकता है। जब तक उसके द्वारा समाज के प्रति अपने कर्त्तव्यों का पालन नहीं किया जाता है। तब तक उसके द्वारा पूर्णता की ओर अग्रसित नहीं हुआ जा सकता। इसलिए आज इस ओर विशेष रूप से बल दिया जा रहा है कि व्यक्ति के द्वारा विशेष रूप से विभिन्न सामाजिक कार्यों का क्रियान्वयन किया जाए। इसके लिए शारीरिक पुष्टता की आवश्यकता रहती है। जिसकी प्राप्ति व्यक्ति के द्वारा केवल पोषक तत्वों की सहायता से ही की जा सकती है। यही कारण है कि व्यक्ति के लिए पोषक तत्वों को विशेष रूप से लाभदायक माना जाता है। जिनके आधार पर वह पूर्ण रूप से अपने व्यक्तित्व का विकास कर पाता है तथा अपने सभी प्रकार के कार्यों को उसके द्वारा आसानी से सम्पन्न किया जा सकता है।

यह देखा जाता है कि आज सरकार के द्वारा विशेष रूप से कुपोषण को रोकने हेतु विभिन्न प्रकार के कार्यक्रमों का आयोजन समय-समय पर किया जा रहा है। जिसके परिणामस्वरूप बच्चों को विशेष रूप से पोषण की ओर अग्रसित करने की ओर बल दिया जा रहा है। यह देखा जाता है कि जिस समय बच्चों के द्वारा पूर्ण रूप से पोषक तत्वों का सेवन किया जाता है। उसी समय उनके द्वारा भली भांति अपना शारीरिक तथा मानसिक विकास किया जाता है। इसके अभाव में बालकों का सर्वांगीण विकास किया जाना मात्र एक कल्पना ही माना जाता है। इसलिए आज इस ओर विशेष रूप से बल दिया जा रहा है कि व्यक्ति के द्वारा विशेष रूप से अपने व्यक्तित्व का विकास करने के लिए पोषक तत्वों सेवन किया जाए।

यह देखा जाता है कि कुपोषण के परिणामस्वरूप बालकों का विकास

रूक जाता है। उनमें शारीरिक तथा मानसिक रूप से कमजोरी को स्पष्ट रूप से देखा जा सकता है। जिसके परिणामस्वरूप उनके द्वारा भली भांति उन्नति की ओर अग्रसित नहीं हुआ जा सकता। नवजात शिशुओं के लिए पोषण का ध्यान रखा जाना अत्यन्त ही लाभदायक माना जाता है। जिसके आधार पर बालकों के द्वारा पूर्णता की ओर अग्रसित हुआ जा सकता है।

यह देखा जाता है कि वृद्ध लोगों में भी कुपोषणता का समावेश असमर्थता तथा अकेलेपन के परिणामस्वरूप उत्पन्न हो जाता है। जिसके आधार पर उनके द्वारा पूर्ण रूप से अपने व्यक्तित्व का विकास नहीं किया जाता है। यह उनके शारीरिक तथा मानसिक विकास पर बहुत गहरा प्रभाव डालता है। इसलिए यह अति आवश्यक माना जाता है कि ऐसी अवस्था में वृद्ध व्यक्तियों के द्वारा पोषक तत्वों का सेवन करने की ओर विशेष रूप से बल दिया जाना चाहिए। ऐसा करके ही वह पूर्ण रूप से पोषण की ओर अग्रसित हो सकते हैं।

इस प्रकार उपरोक्त विवेचन के आधार पर यह कहा जा सकता है कि पोषण के आधार पर ही व्यक्ति के द्वारा पूर्ण रूप से अपने व्यक्तित्व का विकास किया जा सकता है। जब तक उसके द्वारा उचित रूप से पोषक तत्वों का सेवन नहीं किया जाता है। तब तक उसके द्वारा पूर्णता की ओर अग्रसित नहीं हुआ जा सकता। इसलिए आज इस ओर विशेष रूप से बल दिया जा रहा है कि व्यक्ति के द्वारा विशेष रूप से पोषक तत्वों का सेवन करने की ओर बल दिया जाए। जिससे वह कुपोषण जैसी समस्या का शिकार नहीं होता है।

परन्तु भारत में यदि देखा जाए तो यह कहा जा सकता है कि आज विभिन्न लोगों के द्वारा कुपोषणता का शिकार हुआ जा रहा है। हालांकि भारतीय सरकार के द्वारा कुपोषण की रोकथाम करने के लिए विभिन्न प्रकार के कार्यक्रमों का आयोजन करने की ओर अग्रसित हुआ जा रहा है। परन्तु अनेक ग्रामीण क्षेत्रों में इस ओर अपेक्षाकृत लाभ प्राप्त नहीं किया जा सका है। इसलिए आज इस ओर विशेष रूप से बल दिया जाना लाभदायक होगा कि सरकार के द्वारा ग्रामीण क्षेत्रों में निवास करने वाले लोगों को पूर्ण

रूप से स्वास्थ्य प्रदान करने हेतु उन्हें विशेष रूप से पोषक तत्वों का सेवन करने की ओर अग्रसित किया जाए। जिससे उनके द्वारा भली भांति उन्नति की ओर अग्रसित हुआ जा सकता है तथा अपने समक्ष उपस्थित होने वाली विभिन्न प्रकार की समस्याओं का निराकरण भी इसके आधार पर आसानी से किया जा सकता है।

वर्तमान में भारत में विभिन्न प्रकार की बीमारियों का अस्तित्व पोषण की कमी के परिणामस्वरूप पाया जाता है। यह देखा जाता है कि आज लोगों के द्वारा नियमित रूप से पोषक तत्वों का सेवन न कर पाने के परिणामस्वरूप पूर्ण रूप से उन्नति की ओर अग्रसित नहीं हुआ जा रहा है। इसका प्रभाव उनके शारीरिक और मानसिक विकास देखा जाता है। शरीर में पुष्टता को उत्पन्न करने के लिए नियमित रूप से संतुलित आहार का सेवन किया जाना तथा शारीरिक व्यायाम किया जाना अत्यन्त ही लाभदायक माना जाता है।

यह देखा जाता है कि जिन लोगों के द्वारा नियमित रूप से व्यायाम की ओर अग्रसित हुआ जाता है। उन व्यक्तियों के द्वारा पूर्ण रूप से अपने व्यक्तित्व का विकास किया जा सकता है। इसके साथ ही साथ उन लोगों के द्वारा कम बीमारियों को अपने अन्दर विकसित किया जाता है। इसलिए यह अति आवश्यक माना जाता है कि व्यक्ति के द्वारा विशेष रूप से विभिन्न प्रकार की बीमारियों को दूर करने हेतु नियमित रूप से व्यायामों की ओर अग्रसित हुआ जाए। ऐसा करके ही वह सर्वांगीण विकास की ओर अग्रसित हो सकते हैं।

इस कहावत को नकारा नहीं जा सकता है, "जैसा खाए अन्न, वैसा होए मन"। इसके परिणामस्वरूप यह कहा जा सकता है कि मनुष्य के द्वारा लिए जाने वाले भोजन के द्वारा न केवल उसके शारीरिक विकास की ओर ही सहायता प्रदान की जाती है बल्कि मानसिक विकास में भी भोजन तत्वों के द्वारा ही साथ दिया जाता है। यदि मनुष्य के द्वारा बेहतर स्वास्थ्य की कल्पना की जाती है तो निश्चय ही इसके लिए यह अति आवश्यक माना जाता है कि उसके द्वारा बेहतर भोजन की ओर अग्रसित हुआ जाए। ऐसा

करके ही वह पूर्ण रूप से अपने व्यक्तित्व का विकास कर पाता है। इस प्रकार स्वास्थ्य की दृष्टि से भी व्यक्ति के द्वारा अपने खान-पान का ध्यान रखा जाना अति आवश्यक माना जाता है।

कृत्रिम पोषण

वर्तमान युग को विज्ञान का युग कहा जाता है। इसका कारण विज्ञान के द्वारा की जाने वाली प्रगति को माना जाता है। यह देखा जाता है कि आज प्रत्येक क्षेत्र में विज्ञान के द्वारा इतनी अधिक प्रगति की गई है कि इसके द्वारा सभी क्षेत्रों को प्रभावित किया जा रहा है। इसके आधार पर कठिन से कठिन कार्यों को प्रभावशाली ढंग से कम समय में सम्पन्न किया जा सकता है। जिससे अधिक लाभ की प्राप्ति होती है।

कृत्रिम पोषण प्रक्रिया को भी आधुनिक विज्ञान की देन माना जा सकता है। यह देखा जाता है कि विभिन्न कारणों के परिणामस्वरूप जिस समय व्यक्ति के द्वारा अपने मुंह का प्रयोग करके भली भांति पोषक पदार्थों को शरीर में सम्मिलित नहीं किया जाता है। उस समय कृत्रिम युक्तियों के माध्यम से ऐसा किया जाता है। इन सभी तकनीकों के आधार पर मनुष्य के मुंह से खाद्य पदार्थों को अवशोषण करने की असमर्थता को दूर किया जाता है तथा मनुज्य को पोषण प्रदान किया जाता है।

इस प्रकार यह कहा जा सकता है कि वर्तमान में कृत्रिम पोषण प्रक्रिया के आधार पर व्यक्ति को पोषण प्रदान करने में सहायता प्राप्त की जाती है। जिसके आधार पर व्यक्ति के द्वारा भली भांहित अपने व्यक्तित्व का विकास किया जाता है। इसके इसके आधार पर अक्षम व्यक्तियों को पोषक तत्व प्रदान करने में सहायता प्राप्त की जाती है।

मनुष्य द्वारा स्वास्थ्य को सही रखने के लिए लिया जाने वाला संतुलित भोजन पोषण कहलाता है जो उसे विभिन्न प्रकार के हानिकारक रोगों से बचाए रखता है। इसमें विपरीत असंतुलित भोजन कुपोषण का कारण बनता है जिसके आज कई लोग शिकार बन रहे है जिसका मुख्य कारण है, मनुष्य द्वारा लिया गया–आहार में पौष्टिक तत्वों की कमी। प्रत्येक व्यक्ति को पोषण और कुपोषण के बारे में जानकारी प्राप्त करना परम आवश्यक है।

शब्द पोषक अथवा आहार घटक विशिष्ट रासायनिक यौगिकों जैसे–विटामिन, खनिज और ॲमीनो एसिड के लिए प्रयुक्त होता है। आहार विज्ञान पोषण के सिद्धान्तों का व्यावहारिक प्रयोग है। इसमें स्वस्थ और रोगी के लिए भोजन का नियोजन सम्मिलित है।

आदर्श पोषण

आदर्श पोषण उस आहार को कहा जाता है जिसमें माना जाता है क्योंकि इसमें भोजन के समस्त पौष्टिक तत्त्व जैसे–प्रोटीन, विटामिन, कार्बोहाइड्रेट वसा खनिज लवण और जल विद्यमान रहते हैं। प्रत्येक व्यक्ति की उम्र, लिंग, शारीरिक क्रियाशीलता के अनुसार उसके लिये आदर्श पोषण हेतु भोजन की माँग भिन्न-भिन्न होती है। उत्तम पोषण वह स्थिति है जहाँ कोई भी मनुष्य भोजन द्वारा अपने शरीर की आवश्यकतानुसार भोजन के समस्त पौष्टिक तत्व प्राप्त करता है। जो मनुष्य के शरीर में जाकर अपने कार्यों को पूरा करता है, मनुष्य को ऊर्जा देता है, शरीर का निर्माण करता है तथा सुरक्षा प्रदान करता है।

वह व्यक्ति जिसे उत्तम पोषण प्राप्त हो रहा है, वह स्वस्थ रहता है क्योंकि उसके शरीर में बीमारियों से लड़ने की क्षमता होती है। उसकी हड्डियाँ, मांसपेशियाँ, शारीरिक रचना अर्थात् शरीर की ऊँचाई, लम्बाई, चौड़ाई उसकी उम्र के अनुसार समानुपातिक होती है, क्योंकि उसके भोजन में वृद्धिकारक शरीर निर्माणक भोजन तत्त्व उचित मात्रा में होते हैं। उस व्यक्ति में कार्य करने का उत्साह, एकाग्रता बनी रहती है। उसमें शक्ति की कमी न होने के कारण स्वभाव में खुशमिज़ाजी तथा प्रसन्नता रहती है। त्वचा में श्लेष्मिक झिल्ली स्वस्थ रहती है। शरीर में पर्याप्त वसा की पर्त होती है, क्योंकि भोजन में वसा तथा कार्बोज पर्याप्त मात्रा में होता है। भोजन में खनिज लवणों की उपयुक्त मात्रा होने के कारण अस्थियाँ, दाँत तथा बाल स्वस्थ रहते हैं। इन सबका प्रभाव यह होता है कि उस व्यक्ति को भूख सही लगती है तथा पाचन क्रिया ठीक तथा सुचारु रहती है।

मनुष्य पर आदर्श पोषण का प्रभाव

मनुष्य पर आदर्श पोषण का अग्रलिखित प्रभाव देखने को मिलता हैं–

1. उत्तम पोषण मिलने पर शरीर का गठन शारीरिक रचना का अनुपात सही रहता है। इस प्रकार शरीर का आसन भी सही स्वस्थ तथा उचित होता है। उदाहरण के लिए आदर्श पोषित आहार प्राप्त करने वाले का खड़े होने का आसन सही होगा अर्थात् यह व्यक्ति सही सीधा दोनों टाँगों पर बराबर वज़न डालकर खड़ा होगा पर जिसे उचित पोषण प्राप्त नहीं होगा वह शारीरिक रूप से कमजोर होगा, वह झुककर एक टाँग पर वजन डालकर खड़ा होगा। उचित पोषण प्राप्त करने वाले व्यक्ति की बाजू, टाँगें सीधी, कन्धे खिंचे हुए तथा छाती उठी, पेट अन्दर की ओर होगा।

2. उत्तम पोषण प्राप्त करने वाले की उम्र के अनुसार उसके शरीर की लम्बाई, भार, शारीरिक रचना तथा अंगों का अनुपात होता है।

3. शरीर में अवरोधक क्षमता होगी।

4. शरीर स्वस्थ रहने पर अधिक शारीरिक श्रम कर पायेगा जिससे भूख लगेगी, पाचन-क्रिया सही रहेगी।

5. एकाग्रता की क्षमता रहेगी।

6. शारीरिक स्वास्थ्य के साथ-साथ मानसिक स्वास्थ्य भी ठीक रहेगा जिससे स्वभाव में प्रसन्नता, जिन्दादिली रहेगी।

7. शरीर में वसा की सामान्य परत होती है जिससे त्वचा चिकनी स्वस्थ दिखेगी। श्लेष्मिक झिल्ली भी स्वस्थ गुलाबी रंग लिये होगी।

8. उत्तम पोषित व्यक्ति की मांसपेशियाँ स्वस्थ एवं मजबूत होती हैं।

9. बाल लम्बे, चिकने, चमकीले, घने होंगे।

10. दाँत, मसूड़े स्वस्थ होंगे।

11. नेत्र दृष्टि सही, स्वस्थ नेत्र होंगे।

12. हड्डियाँ मजबूत होंगी।

पोषण स्तर

व्यक्ति के स्वास्थ्य की उस स्थिति को पोषण स्तर कहते हैं, जो खाद्य तत्त्वों की उपयोगिता से प्रभावित हुई है। इसे इस तरह से भी परिभाषित किया जा सकता है—पोषण स्तर शरीर के ऊतकों तथा शरीर के कार्यों की

अवस्था का योग है, जो खाद्य पदार्थों के उपयोग करने तथा उनका चयापचय होने से उत्पन्न तथा प्रभावित होती है।

पोषण स्तर ज्ञात करने के उद्देश्य

पोषण स्तर से सम्बन्धित ज्ञान प्राप्त करने के कुछ महत्वपूर्ण उद्देश्य निम्नलिखित हैं–

1. बालकों की मृत्यु–दर कम करना।

2. पोषक तत्वों द्वारा/खाद्य पदार्थों द्वारा पोषण स्तर को उँचा उठाने के कार्यक्रम की योजना बनाना तथा उनका मूल्यांकन करना।

3. कुपोषण की स्थिति से बचने के लिए राष्ट्रीय कार्यक्रम में योगदान देना।

4. स्वास्थ्य को पोषण द्वारा सहायता प्रदान करना।

पोषण स्तर ज्ञान प्राप्त करने की महत्वपूर्ण प्रणालियाँ

पोषण स्तर ज्ञात करने के लक्ष्य के निर्माण पर एक या एक से अधिक पद्धतियों का उपयोग किया जाता है जो इस प्रकार है:–

(1) लक्षण परीक्षण विधि

यह पोषण स्तर ज्ञात करने की सबसे महत्वपूर्ण जाँच पद्धति है। इस पद्धति के द्वारा भोजन का स्वास्थ्य पर प्रभाव ज्ञात किया जाता है।

भोजन में पाये जाने वाले संपूर्ण चयापचित खाद्य पदार्थों की बहुलता एवं कमी का नतीजा व्यक्ति के शरीर पर देखा जा सकता है। इन नतीजों को उचित प्रकार से वर्गीकृत करके व्यक्ति/बालक/समूह का पोषण स्तर निश्चित किया जा सकता है।

यह विधि आसान तथा कम खर्चीली हैं इसमें सिर्फ योग्य प्रशिक्षित सर्वेक्षणकर्ताओं एवं उचित प्रारूप की आवश्यकता होती है। नैसर्गिक तथा प्राकृतिक कारणों से कई संभागों में खाद्य तत्वों की कमी या अधिकता से सामान्य स्वस्थ लक्षणों में कुछ परिवर्तन प्रतीत होता है। आनुवांशिकता तथा सीमित भोज्य पदार्थों का सेवन खाद्य तत्वों की कमी अथवा अधिकता के लक्षण पैदा करते हैं। एक या एक से ज्यादा एवं सभी छह खाद्य तत्वों

एक साथ थोड़ी/ज्यादा कमी के प्रभाव सभी बच्चों में कुछ अलग लक्षण हो सकते हैं।

लक्षण परीक्षण पद्धति से पोषण-स्तर अनुभव करने के लिए एक प्रारूप बना लिया जाये जिसमें एक निश्चित तिथि एवं समय में व्यक्ति/बालकों का परीक्षण कर प्रारूप में सिर्फ सही का चिन्ह (सही) लगाया जाता है।

प्रारूप की जरूरी संख्या में प्रतिलिपियाँ कर ली जायें। सामने खड़ा कर प्रारूप क्रम के अनुसार प्रत्येक बालक के प्रत्येक लक्षण की जाँचकर लक्षण के सामने उसी समय लिख लिया जाये। एक प्रारूप की प्रति में सिर्फ एक ही बालक के लक्षण का परीक्षण किया जाता है।

व्याख्या

कई तरह के खाद्य पदार्थ एवं खाद्य पदार्थों की कमी का संबंध स्थापित करना इस पद्धति में संभव नहीं होता जिसके संभावित कारण इस तरह हैं–

1. लक्षण-परीक्षणों के व्यक्तिगत विचार एवं जानकारी का प्रभाव सर्वेक्षण के प्रारूप में अंकित हो सकता है।

2. लक्षण-परीक्षण के लिए आये बालक/व्यक्ति का विचार प्रारूप में अंकित करने का प्रभावित करता है।

3. खाद्य तत्व की कमी के अतिरिक्त अन्य किसी कारण से लक्षण दिख रहा है तो उसे खाद्य पदार्थ की कमी या अधिकता की श्रेणी में रखना सही नहीं होगा। उदाहरण :

यदि किसी बालक/व्यक्ति/बालिका ने अपने बालों को कृत्रिम रंग से काला किया हो तो परीक्षणकर्ता असल रंग के स्थान पर कृत्रिम रंग की पोषण-स्तर प्रारूप में अंकित करेगा तथा इसका अर्थ खाद्य पदार्थों की कमी के स्थान पर पर्याप्तता से होगा। जिससे अन्य लक्षणों द्वारा खाद्य तत्व की कमी का संबंध तीव्र स्वरूप का रहने पर भी सामान्य प्रतीत होगा।

4. कई खाद्य तत्त्वों की कमी से मिलते-जुलते लक्षण परिलक्षित हैं ससे वास्तविक खाद्य तत्त्व जगह पर अन्य खाद्य तत्त्व को कारण माना जा

सकता है।

विटामिन 'बी2' एवं नॉयसीन की कमी से ग्लॉसायटीस के लक्षण परिलक्षित हैं। इस प्रकार लक्षण परीक्षण में ग्लॉसायटीस का पाया जाना दोनों खाद्य पदार्थों की कमी सूची में रहना चाहिये किसी एक में नहीं।

(2) जैवरासायनिक या प्रयोगशाला परीक्षण

अलग-अलग खाद्य तत्त्वों का भोजन के जरिए विभिन्न मात्रा में लिया जाना, इन खाद्य तत्वों की रक्त, ऊतकों तथा मूत्र और मल में मात्रा तथा इन खाद्य तत्त्वों के चयापचय में आधार तत्त्व की मात्रा को प्रभावित करता है।

रक्त में विटामिनों की मात्रा उस समय कम हो जाती है जब भोजन में उन विटामिनों की मात्रा कम होती है। इस प्रकार रक्त की विटामिनों की मात्रा को मापने से आहार में विटामिनों की कमी अनुभव हो जाती है। साथ ही इन विटामिनों की कमी से प्रारम्भिक लक्षण उत्पन्न होने की संभावना का पता चल जाता है।

उद्देश्य

जैव रासायनिक जाँच के प्रमुख उद्देश्य इस प्रकार हैं

1. रासायनिक परीक्षण खाद्य पदार्थ की कमी से उत्पन्न लक्षण के निष्कर्ष को तय करते हैं।

2. रासायनिक परीक्षण से खाद्य तत्त्व की आहार में मात्रा, अभिशोषण की परिस्थिति, शरीर में परिवहन की क्षमता एवं असामान्य उपयोगिता का पता चलता है।

3. रासायनिक परीक्षणों से खाद्य तत्त्व की कमी के लक्षण शरीर पर दृष्टिगोचर होने के पूर्व कमी की पहचान होती है।

(3) आहार सर्वेक्षण

व्यक्ति/परिवार/ समाज/समूह विशिष्ट द्वारा ग्रहण की गई खाद्य पदार्थों की मात्रा का पोषण स्तर ज्ञात करने की पत्तियों में अनुमान लगाया जा सकता है चूँकि खाद्य पदार्थों की धारण की जाने वाली मात्रा पर सामाजिक,

आर्थिक, क्षेत्रीय रीति-रिवाजों का प्रभाव पड़ता है।

उद्देश्य: आहार सर्वेक्षण के प्रमुख उद्देश्य अग्रलिखित हैं:

1. आहार सर्वेक्षण के जरिए व्यक्ति तथा परिवार की आर्थिक, सामाजिक तथा क्षेत्रीय वातावरण संबंधी निम्न जानकारी प्राप्त होने पर आहार संबंधी सुधार/सुझाव आयोजित करना सुलभ हो जाता है, उदाहरणार्थ—

(अ) परिवार/व्यक्ति/समाज आदि द्वारा प्रयोग में लाई गई तथा थाली/प्लेट में छोड़ दी गई खाद्य पदार्थ की मात्रा।

(ब) भोजन संबंधी आदतें, घर में प्रयुक्त सभी खाद्य पदार्थ तथा उनकी कीमत।

(स) प्रति व्यक्ति/प्रति परिवार द्वारा प्रतिदिन प्रयोग में लाई गई खाद्य तत्वों की औसत मात्रा।

2. आहार सर्वेक्षण से प्राप्त खाद्य पदार्थ एवं खाद्य तत्त्वों की प्रचुरता संबंधी जानकारी के आधार पर उचित और योग्य आहार विषयक सुझाव अनुशंसित करना जिससे भविष्य में खाद्य तत्त्वों की कमी न हो पाएं।

3. व्यक्ति/परिवार/समाज/समूह विशेष द्वारा उपयोग में लाये गये भोज्य पदार्थ के संबंध में भिन्न-भिन्न प्रकार की जानकारी प्राप्त करना तथा भोज्य पदार्थ/भोज्य तत्त्वों की प्रचुरता को जानना।

4. साधारण एवं विपरीत परिस्थितियों में खाद्य पदार्थ के वितरण, परिवहन कार्यक्रमों में सहयोग करना। विशेष रूप से बाढ़, सूखा, युद्ध में जब कृषि उत्पादन एवं वितरण तथा परिवहन बुरी तरह से प्रभावित हो।

5. तत्त्वों की ग्रहण की गई मात्रा में कमी या अधिकता अनुभव कर राष्ट्रीय योजनाओं में सहयोग देना (कृषि, स्वास्थ्य, शिक्षा योजना)।

6. खास अवसरों तथा बीमारियों के समय आहार का आयोजन।

7. संगृहित रखने, खाद्य पदार्थ प्राप्त करने, बनाने तथा परोसने के संबंध में स्वच्छ, साफ तथा स्वस्थ पद्धतियाँ।

8. पूर्व में किये गये आहार सर्वेक्षण के संबंध में अपेक्षाकृत जानकारी।

9. स्थानीय व्यंजन, खाने तथा परोसने की विधियाँ।

10. अलग-अलग ऋतु में खाद्य पदार्थों की खरीदी गई औसत मात्रा।

11. खाद्य पदार्थ को संग्रहित रखने तथा वितरण की विधियाँ।

12. खाद्य पदार्थों की सहयोग/उपयोग में आने वाली मात्रा के अनुभव होने से भोजन बनवाने हेतु कम-से-कम मजदूरी एवं बड़े समूह हेतु भोजन प्रबंध कार्यक्रम आयोजित करने में सहायता मिलती है।

13. आहार आयोजन तथा प्रति व्यक्ति हर रोज खाद्य पदार्थ की निर्धारित मात्रा से अपेक्षा।

आहार सर्वेक्षण का वर्गीकरण

आहार सर्वेक्षण को निम्नलिखित भागों में वर्गीकृत किया जा सकता है–

(1) मात्रात्मक जाँचः इस प्रकार के जाँच में खाद्य पदार्थ विशेष की खायी गई मात्रा से संबंधित जानकारी जमा की जाती है।

मात्रात्मक सर्वेक्षण के प्रकार में प्रयोग में लाये गये खाद्य पदार्थ की हर रोज की मात्रा ग्राम या मिलीलीटर में अनुभव करने की कोशिश की जाती है। खाद्य पदार्थ की मात्राओं के निर्माण पर खाद्य तत्वों की गणना की जाती है। खाद्य पदार्थ की मात्रा की प्रतिदिन की खाद्य तत्वों की अपेक्षा की जाती है। फलस्वरूप सर्वेक्षण के आधार पर ग्रहण की गई खाद्य तत्वों की/खाद्य पदार्थों की मात्रा तय मात्रा से कितनी कम या अधिक इसका प्रतिशत ज्ञात कर सुधार करने का प्रयास किया जाता है।

(2) गुणात्मक जाँचः इस तरह के सर्वेक्षण में खाद्य पदार्थ के नाम, व्यंजनों के नाम, अवसर जिसमें विशेष व्यंजन बनाये जाते हों, से संबंधित जानकारी प्राप्त की जाती है।

गुणात्मक जाँच में विशिष्ट रूप से खाने/भोजन में प्रयुक्त खाद्य पदार्थों के प्रकार, उनकी बारंबारता, व्यक्तियों के खाद्य पदार्थ खाने संबंधी विचार एवं प्रवृत्ति के बारे में जानकारी मिलती है। स्वास्थ्य एवं रोग में उपयोग में लाये जाने वाले व्यंजन तथा आहार की प्रथाएँ इकट्ठी की जाती हैं। गर्भावस्था, धत्रीवस्था, शिशु जैसी विशेष अवस्थाओं में प्रचलित भोजन

व्यवस्था के बाबत प्रथाएँ ज्ञात की जाती हैं।

आहार सर्वेक्षण की महत्वपूर्ण पद्धतियाँ

आहार सर्वेक्षण वर्तमान में कई विधियों द्वारा किया जा सकता है। भोजन जाँच के उद्देश्यों के अनुसार उनमें से किसी एक का चुनाव किया जाता है। आहार सर्वेक्षण व्यक्ति/परिवार/समूह का किया जाता है। सर्वेक्षण के लिए उपलब्ध कर्मचारी, समय, उपकरण तथा परिवहन आदि की सुविधानुसार यह फैसला लिया जाता है कि सर्वेक्षण कितने लोगों का करना है तथा कितनी अवधि में होना चाहिये। आहार सर्वेक्षण की कई पद्धतियाँ हैं–

1. इनवेन्ट्री पद्धति

2. भोजन सन्तुलन लेखा पद्धति

3. भोज्य पदार्थों पर व्यय के स्वरूप द्वारा

4. भोज्य पदार्थों के वजन द्वारा

5. प्रमुख भोज्य पदार्थ की डुप्लीकेट सेम्पल पद्धति।

6. आहार की पूर्वस्थिति

7. मौखिक प्रश्नावली

आहार सर्वेक्षण द्वारा पोषणस्तर जानना–पोषण स्तर ज्ञात करने की यह पद्धति एकदम सही है। इस पद्धति के प्रयोग करने में उपकरण, प्रयोगशाला व्यय, रसायन, प्रशिक्षित सर्वेक्षणकर्त्ता की जरूरत होने के कारण इसका उपयोग मात्र प्रयोगिक होता है। चयनित व्यक्तियों की संख्या बहुत कम रहती है। सबसे अधिक होने के कारण इस पद्धति का चलन मात्र प्रायोगिक तौर पर ही होता है।

सावधानियाँ–अग्रलिखित बिन्दुओं को ध्यान में रखकर ही भोजन जाँच पद्धति को उपयोग में लाया जा सकता है–

1. किसी भोजन के समय घर के किसी सदस्य के घर में अनुपस्थित रहने को नोट करें।

2. भोजन के दौरान परिवार में मेहमानों के आने पर उन्हें परोसे गये खाद्य पदार्थों का विवरण पृथक से रखा जाये।

3. त्यौहार, उपवास, विशेष रोग की अवस्था एवं विशेष अवसरों पर आयोजित खाद्य व्यवस्था को सर्वेक्षण में सम्मिलित करने पर विचार करें।

4. शिशु एवं छोटे बच्चों के लिए पकाये जाने वाले खाद्य तत्त्वों का विवरण पृथक् रखें।

5. खाद्य पदार्थ की वह मात्रा जो परिवार/ संस्था के अतिरिक्त अन्य स्थान पर उपयोग में आयी हो उसे भी अलग से लिखें, जैसे-मित्र, पड़ोसी, अतिथि, संबंधी, नौकर, जानवर, आदि।

6. घर में अथवा घर के बाहर भोजन के अतिरिक्त खाये गये खाद्य पदार्थों का विवरण रखें।

(4) मानवनिर्मित सर्वेक्षण

यद्यपि आनुवांशिकता पर शरीर की वृद्धि तथा विकास निर्भर करता है बल्कि वह पोषण, आहार तथा संक्रमण तथा रोग की स्थिति शरीर की वृद्धि को अवरुद्ध करती है। शारीरिक वृद्धि एवं विकास अवरुद्ध होने की अवस्था का प्रतिशत, प्रकार एवं देश के काफी ज्यादा कुपोषण वाले स्थान को जानने हेतु शरीर की वृद्धि के आधार पर पोषण-स्तर अनुभव किया जाता है जिसे मानवनिर्मित परीक्षण कहा जाता है।

मानवनिर्मित जाँच मनुष्य शरीर के भिन्न-भिन्न आयु एवं विकास-सिर पर लिए गये नाप हैं, जो पोषण-स्तर को दर्शाते हैं। मानवनिर्मित परीक्षण इस विचारधारा के तहत किया जाता है कि पोषक पदार्थों के प्रभाव से शारीरिक बदलाव होते हैं जिसमें शरीर के ऊतकों के आकार/ प्रकार में परिवर्तन से शारीरिक माप में बदलाव आता है।

मानवनिर्मित सर्वेक्षण के उद्देश्य

मानवनिर्मित जाँच के प्रमुख उद्देश्य इस प्रकार हैं–

1. स्वास्थ्य सुधार कार्यक्रम के लिए कुपोषण से प्रभावित समुदाय का चुनाव

2. पोषण-स्तर सुधार कार्यक्रम का मूल्यांकन।

3. पोषक पदार्थों की कमी से प्रभावित समूह को पहचानना।

4. कुपोषण के स्तर का अवलोकन करते रहना, जिसमें पोषक तत्त्वों के उपचार से स्वास्थ्य प्रभावित होना।

मानवनिर्मित परीक्षण में शरीर के वजन, ऊँचाई तथा अन्य माप लेकर सामान्य स्तर से तुलना की जाती है। सामान्य स्तर से कम अथवा ज्यादा माप के लिए उत्तरदायी खाद्य तत्त्वों से संबंधित कर पोषण-स्तर जाना जाता है।

मानवनिर्मित सर्वेक्षण की विभिन्न पद्धतियाँ

पोषण-स्तर के लिए प्रयुक्त विधि मानवर्निमिति परीक्षण के लिए उपयोग में लाये जाने वाले शरीर के प्रमुख माप हैं : व्यक्ति/बालक का–

1. सीने का घेरा।
2. बाँह का घेरा।
3. त्वचा का रोग।
4. वजन।
5. ऊँचाई।
6. सिर का घेरा।

उपर्युक्त समस्त शरीर के भिन्न-भिन्न अंगों के माप में वजन तथा ऊँचाई प्रमुख माप है। अन्य मापों का उपयोग विशेष उद्देश्य से किया जाता है।

मानवनिर्मित सर्वेक्षण के प्रमुख

इसके कुछ महत्वपूर्ण लाभ इस प्रकार है:–

1. पोषण स्तर ज्ञात करने के अन्य माध्यम के साथ जानकारी इकट्ठा कर भविष्य में अपेक्षा हेतु उपयोग में लाया जा सकता है।

2. प्रदेश में उत्पादित खाद्य पदार्थों की संपूर्ण मात्रा से वितरण योग्य मात्रा की गणना में आधार एवं मूल्यांकन उपयोगी है।

3. इस प्रकार समुदाय में मानव-र्निमिति परीक्षण द्वारा अपर्याप्त या कुपोषण द्वारा समुदाय में अपर्याप्त या कुपोषण के प्रकार या स्वरूप या

तीव्रता के संबंध में विस्तृत जानकारी इकट्ठा हो जाती है।

4. मानवर्निमिति परीक्षण जनसमुदाय के नाजुक/अस्वस्थ्य कर समूह का कुपोषण/अपर्याप्त पोषण के स्तर को निर्धारण करता है।

5. इससे बच्चों के विकास की अवस्थायें अवरुद्धता ज्ञात हो जाती है जिससे तुरन्त उपचार संभव हो पाता है।

6. अपर्याप्त पोषण की श्रेणी के बालकों को पहचान कर पोषण सुधार कार्यक्रम में सम्मिलित करने में सहयोग मिलती है।

7. पोषण कार्यक्रम के मूल्यांकन के लिए मानवर्निमिति परीक्षण उपयोगी हैं।

2

बुनियादी पोषण दिशानिर्देश
(Basic Nutrition Guidelines)

जीवन का आधा संघर्ष भोजन को प्राप्त करने के लिए किया जाता है। मनुष्य जीवित रहने के लिए खाता है और वह जो भी खाता है, वह उसके जीवित रहने, कार्य करने, प्रसन्न रहने और लम्बे समय -समय तक जीवित रहने की क्षमता को प्रभावित करेगा। भोजन को तीन श्रेणियों में बाँटा जा सकता है:-

1. शरीर के मजबूत बनाने वाले - प्रोटीन।
2. ऊर्जा प्रदान करने वाले - कार्बोहाइड्रेट और वसा।
3. सुरक्षात्मक भोजन खनिज और विटामिन।

प्रोटीन

यह जटिल संरचना है और मांसाहारी और शाकाहारी दोनों प्रकार के भोजनों में पाये जाते हैं। पानी से अलग, प्रोटीन मांसपेशियों और जैवीय तरल जैसे रक्त के एक महत्वपूर्ण संघटक है और इसके मुख्य कार्य निम्नलिखित हैं:

- मांसपेशियों की टूटफूट और वृद्धि के लिए सामग्री मुहैया कराते हैं।
- ऊर्जा मुहैया करते हैं और चयापचय को उद्दीप्त करते हैं।
- यह कार्बोहाइड्रेट में रूपान्तरित हो सकते हैं। जो निश्चित स्थितियों में वसा के लिए संश्लेषित हो सकता है।
- यह पाचन में महत्व रखने वाले निश्चित एन्जाइमस और किव्वणों का स्त्रोत है।
- प्रतिकारक जो संक्रमण के विरूद्ध शरीर की प्रतिज्ञा है, प्रकृति में प्रोटीन होते हैं।

सभी वनस्पति प्रोटीन समान मूल्य के नहीं होते हैं। इनका मूल्य इसमें निहित एमीनो एसिड पर निर्भर करता है, जो शरीर के प्रोटीन के संश्लेषण में प्रवेश कर जाते हैं, और इसलिए 'सुपीरियर प्रोटीन' कहलाते हैं, जोइन्फेरियर प्रोटीन के विपरीत होते हैं और पशु प्रोटीन का पूर्णतया स्थान ग्रहण नहीं कर सकते हैं। क्योंकि इनमें प्रोटीन के लिए आवश्यक कुछ एमीनोएसिडस जैसे लाइसिन, सिस्टिन, वेलिन, आर्जिनिन का अभाव होता है। इसलिए इन्हें निम्न जैविक मॅलय के प्रोटीन या द्वितीय श्रेणी के प्रोटीन कहा जाता है। इसलिए शरीर की आवश्यकता का लगभग 1/3 भाग मुख्य रूप से पशु स्रोत से प्राप्त किया जाना चाहिए। क्योंकि प्रोटीन शरीर में वसा और कार्बोहाइड्रेट की भान्ति संग्रहित नहीं हो सकते हैं, इसलिए यह अनिवार्य है कि प्रोटीन की निहितता वाले भोज्य पदार्थ दुग्ध और दुग्ध पदार्थ, अण्डे, यकृत, वृक्क, मांस, मछली और खाद्य वनस्पति के ताजा अंकुर है। आटा, बिना पालिश किये चावल, फलियां, सभी प्रकार की गिरियां, फल और रही पत्तेदार सब्जियों को छोड़कर सभी प्रकार की सब्जियां वह भोज्य पदार्थ हैं जिनमें उपयुक्त प्रोटीन कम मात्रा में निहित होता है। अनुपयुक्त प्रोटीन की निहितता वाले भोज्य पदार्थ मक्की और पालिश किये हुए चावल का आटा है। पशु और वनस्पति वसा, तेलों और शर्करा में किसी प्रकार के कोई प्रोटीन नहीं होते हैं। 1 ग्राम प्रोटीन से 4.1 कैलोरी मिलती है।

वसा

वसा प्रोटीन के चयापचय को घटाती है और इसलिए प्रोटीन को पचाने वाला भोजन भी कहा जाता है। यदि मांस को अकेले दिया जाये तो पोषण और अपिवष्ट के परस्पर सन्तुलन बनाये रखने के क्रम में लम्बी चौड़ी मात्रा में आवश्यकता होती है, परन्तु यदि इसमें वसा जोड़ दी जाये तो मांस के लिए मांग कम हो जाती है। वसा शरीर में ऊर्जा और उष्मा के उत्पादन और शारीरिक कार्य और शारीरिक तापमान के लिए भी प्रयोग होती है। 1 ग्राम वसा से 9.4 कैलोरी मिलती है।

वसा अपने उच्च कैलोरी सम्बन्धी मूल्य के कारण लिए गये भोजन की

मात्रा में कमी कर देती है। यह विटामिन 'ए' और 'डी' की भी एक महत्वपूर्ण स्रोत है। कुछ निश्चित खाद्य तेलों में विटामिन 'ई' और के भी निहित होते हैं। भोजन से पाप्त होने वाली कैलोरी 15 प्रतिशत भाग से अधिक मुहैया करने वाली वसा के विभिन्न स्तरों में उपभोग से रक्त में कोलेस्टेराल के स्तर में वृद्धि हो सकती है। वसा की मात्रा से अलग भोजन में उपयोग की गयी वसा की गुणवत्ता की रक्त में कोलेस्टेराल के स्तर को निर्धारित करती है। कुछ वसाएं जैसे मूंगफली का तेल, सरसों का तेल या सूरजमुखी का तेल, जिनमें असंतृप्त वसीय अम्ल उच्च मात्रा में निहित होते हैं, लम्बी चौड़ी मात्रा में उपभोग किये जाते जाने पर भी रक्त में कोलेस्टेरोल के स्तर में वृद्धि नहीं करती है, दूसरी ओर, निश्चित वसाएं जैसे घी, मक्खन, नारियल और हाइड्रोजेनेटेड वसा जैसे वनस्पति में संतृप्त वसीय अम्ल उच्च मात्रा में निहित होते हैं, जिनके बारे में प्रमाणित हुआ है कि लम्बी चौड़ी मात्रा में लिए जाने पर रक्त में कोलेस्टेराल के स्तर में पर्याप्त वृद्धि कर देती है।

कार्बोहाइड्रेट

ग्लुकोस, दूध, शर्करा, स्टार्च के समेत कार्बोहाइड्रेट शरीर के लिए ऊर्जा का मुख्य स्रोत है। अधिकांश स्टार्च, केन सुगर (ईख गुड) और ग्लुकोस से बने हुए खाद्यान 100 प्रति और कार्बोहाइड्रेट होते हैं। यह ऊर्जा के उपलब्ध सबसे सस्ते स्त्रोत हैं। यद्यपि आसानी से पचने योग्य होने परभी कुछ कार्बोहाइड्रेटस में सेलुलोस से बने हुए फाइबर या सक्षांश निहित हो सकते हैं, जो क्रमानुकचन में सहायता करते हैं। 1 ग्राम प्रोटीन से 4.1 कैलोरी मिलती है।

आपेक्षित भोजन की मात्रा इन पर आधारित होती है:-

– **आयु और लिंग** – बच्चों और वयस्कों को बिल्डिंग मेटेरियल, फ्यूल और मसल फूड की अधिक आवश्यकता होती है क्योंकि उन्हें इनकी आवश्यकता अपने ऊतकों में वृद्धि के अतिरिक्त इनकी मरम्मत करने के लिए भी होती है। कार्य की प्रकृति के कारण गर्भावस्था के दौरान और स्थान के अतिरिक्त स्त्रियों को पुरूषों की तुलना में अपेक्षाकृत कम भोजन

की आवश्यकता होती है।

- **शरीर की बनावट और कद**- लिए जाने वाले भोजन की मात्रा शारीरिक भार और शरीर के बाहरी हिस्से के फैलाव के अनुसार अलग-अलग होती है। एक मोटे व्यक्ति को अधिक भोजन की आवश्यकता होती है। क्योंकि शरीर की सतह से फैला हुआ होने के कारण अधिक उष्मा की खपत होती है और परिणामस्वरूप अधिक फ्यूल की आवश्यकता होती है।

- **कार्य और विश्राम** - भोजन की मात्रा पेशीय कार्यकलाप पर अधिक निर्भर करती है क्योंकि शारीरिक परिश्रम का अधिक निष्पादन भोजन में कार्बोहाइड्रेट और प्रोटीन की अतिरिक्त मांग करती है। पूर्णतया शारीरिक विश्राम जैसे बीमारी के दौरान सम्भावित ऊर्जा की मात्रा 2000 के. काल. कैलोरी तक घट सकती है।

- **जलवायु** - उष्मा की अधिक खपत के कारण उष्णकाटिबन्धीय जलवायु की अपेक्षा शीतोष्ण जलवायु और शीतोषण जलवायु की अपेक्षा ठण्डी जलवायु में भोजन की अधिक आवश्यकता होती है। ठण्डी जलवायु और शीत ऋतु में वसा से भरपूर, उष्मा प्रदान करने वाले भोजन में वृद्धि कर देनी चाहिए।

आसानी से पचा हुआ भोजन पूर्णतया अवशोषित नहीं होता है और इसके विपरीत कार्बोहाइड्रेट और वसा प्रोटीन की अपेक्षा सुगमतापूर्वक आवशोषित हो जाते है और पशु प्रोटीन वनस्पति प्रोटीन की अपेक्षा जल्दी अवशोषित होता है और पशु प्रोटीन वनस्पति प्रोटीन की अपेक्षा जल्दी अवशोषित होता है।

- **भोजन ग्रहण करने का समय**- भोजन दिन में तीन बार लिया जाना चाहिए। औसत भारतीय भोजन को पचने में 7 से 8 घण्टे तक लग जाते हैं। युवावस्था के दौरान, जब पाचन क्रिया तुलनात्मक रूपसे अधिक सक्रिय होती है, दो बार खाने के बीच में अन्तराल थोड़ा होना चाहिए। सुबह का नाश्ता आवश्यकता है और रात के खाने और सोने में पर्याप्त अन्तराल होना चाहिए। भोजन ग्रहण करने के समय में नियमितता आवश्यक है और यदि निश्चित समय पर भोजन ग्रहण नहीं किया जाता है तो भूख गायब हो

जाती है।

भोजन पकाने के प्रभाव – पकाने से भोजन को नया स्वाद मिलता है और अधिक स्वादिष्ट और रूचिकर हो जाता है। निश्चित रोगजनक जीवाणु जिनमें भोजन संक्रमित हो सकता है। भोजन पकाने की स्थिति में समाप्त हो सकते हैं। अनाज में उपस्थित स्टार्च कठोर सेलुलोस की भित्तियों से घिरा होता है, जो मात्र पसीने से नहीं टूटती है और मात्र उबालने से ही सम्भव है। दालें, सोयाबीन, चने, बतख के अण्डे में कुछ पदार्थ निहित होते है।, जो पाचन के दौरान ट्रिप्सिन की क्रिया को अवरूद्ध कर देते है। उबालने से यह पदार्थ समाप्त हो जाते हैं।

पकाने की विभिन्न क्रियाओं में उबालना भाप देने और सिझाने की अपेक्षा कम विध्वंसक है। तलना अधिक विध्वंसक है। पकाने की धीमी प्रक्रिया (कम आंच पर लम्बे समय तक पकाना) उबालने की अपेक्षा अधिक विध्वंसक है। तेज गति से पकाने पर मात्र 15 प्रतिशत विटामिन 'सी' की हानि हो सकती है। इसलिए यह आवश्यकता है कि दैनिक आहार में सलाद आदि के रूप में कुछ कच्चे अनपके फलों और पत्तेदार सब्जियों को शामिल किया जाता है, प्रोटीन वसा और कार्बोहाइड्रेट का क्षय होता है। पकाने और घने पानी में सोडियम पोटाशियम, बिज आदि निहित होते है। इसलिए इस पानी का उपयोग तरी (ग्रेवी) या सूप में करना चाहिए।

कन्दीय सब्जियों का छिलका अभेद्द होता है। इसलिए आमतौर पर छिलके सहित उबालने पर खनिजों का क्षय नहीं होता है। फिर भी यह सलाह दी जाती है कि इस्तेमाल करने से लम्बे समय पूर्व सब्जियों को छिल और काटकर नहीं रखा जाये ताकि प्रदूषण और खनिजों के क्षय से बचा जा सके।

धोने के आरम्भिक उपचार के दौरान भी, जो गृहणियों का पकाने से पहले पहला कार्य होता है। 40 प्रतिशत तक खनिजों, थियामिन और निकोटिन अम्ल का क्षय हो जाता है। यदि पकाने में सोडे का इस्तेमाल होता है तो विटामिन बी 1 50 प्रतिशत तक समाप्त हो जाता है। पकाने के परिणामस्वरूप पानी में घुलनशील विटामिन अधिक समाप्त होते हैं। जबकि

वसा में घुलनशील विटामिन -ए तलने के दौरान समाप्त हो जाता है। इसलिए विटामिनों की मात्रा को पूरा करने के लिए एक ही समय में दोनों तरह की सब्जियां तली हुई और रसेदार लेनी चाहिए। विटामिन सी पानी मे घुलनशील हैं और आसानी से ऑक्सीडाइज हो जाता है और पकाने के लम्बे समय में समाप्त हो जाता है, इसलिए मात्र खाने के दौरान तुरन्त ही दाल में नींबू का रस मिला लेना चाहिए।

भोजन का ईंधन मूल्य

K कैलोरी उष्मा की मात्रा है जो 1 कि.ग्रा. पानी के तापमान को 1 डिग्री सेल्सियस के लिए आवश्यक है। यह सिद्ध हो चुका है कि 1 ग्राम प्रोटीन और 1 ग्राम काबोहाइड्रेट दोनों 4.1 से 9.3 के कैलोरी मिलती है, परन्तु पाचन की क्रिया के दौरान प्रत्येक खाद्य पदार्थ में ऊर्जा का कुछ क्षय हो जाता है। इसलिए वास्तविक ऊर्जा जो भोजन प्रदान करेगा, कम होती है। गणना करने में, सदैव 10 प्रतिशत को नष्ट माना जाता है। इसके आधार पर गणना करने पर 100 ग्राम प्रोटीन और 100 ग्राम वसा और 500 ग्राम काबोहाइड्रेट से बने भोजन का उष्मा मूल्य होगा :-

कुल कैलोरी और आवश्यकता

बिस्तर में 8 घण्टे - 460 कैलोरी

कार्य के 8 घण्टे - 100 कैलोरी

हल्के फुल्के कार्य के लिए 8 घण्टे - 120 कैलोरी

2680 कैलोरी

भारी कार्य के 8 घण्टे   2280 कैलोरी

यानी एक दिन के लिए आवश्यक कुल कैलोरी - 3880 कैलोरी।

स्त्रियों को अपेक्षाकृत कम कैलोरी की आवश्यकता होती है।

सन्तुलित भोजन

सन्तुलित भोजन वह भोजन है, जिसमें विभिन्न प्रकार के भोज्य पदार्थ इस अनुपात में होते हैं कि कैलोरी, खनिज, विटामिन और अन्य पोषक

पदार्थ पर्याप्त रूप से मिलते हैं।

खाद्यपदार्थों के पोषक मूल्य

अनाज मात्र छोटे से ढेर में संबंधित पोषक पदार्थों की लम्बी चौड़ी मात्रा ही नहीं है, बल्कि खनिज पदार्थों का एक पर्याप्त मात्रा में अनुपात भी है, जिनमें सर्वाधिक महत्वपूर्ण कैल्शियम, मैग्नीशियम पोटाश के फॉस्फेट और थोड़ी मात्रा में लौह पदार्थ है।

गेहूं में 12 प्रतिशत प्रोटीन और 1.5 प्रतिशत वसा होती है। इससे अन्य अनाजों की अपेक्षा अधिक प्रोटीन होता है, परन्तु लाइसिन में प्रोटीन अल्प होता है। अधिकतर पोषक पदार्थ गेहूं के कण के बाहरी हिस्से में स्थित होते हैं। रोटी में कुल 6 से 7 प्रतिशत प्रोटीन 10 प्रतिशत वसा और 47 प्रतिशत काबोहाइड्रेट होते है। रोटी घी से चुपड़ कर खायी है, इसलिए वसा की न्यूनता भी क्षतिपूर्ति हो जाती है। चपाती से प्रति औसत 64 कैलोरी मिलती है। मक्की वसा के समृद्ध होती है। परन्तु प्रोटीन विशेष रूप से ट्रिप्टोफेन कम होता है। इसमें विटामिनों का अभाव होता है। इसलिए मक्की को खाने वाले व्यक्तियों में पेलेगा रोग विकसित हो सकता है।

चावल प्रोटीन, वसा, खनिज और विटामिनों में सबसे हीन होता है। जब पालिश किया हुआ चावल इस्तेमाल किया जाता है, तब इसमें निहित अधिकतर विटामिन बाहरी परत के साथ निकल जाते है। और बेरी-बेरी रोग को उत्पन्न कर सकते हैं। चावल में विटामिन 'ए', 'सी' और 'डी' नहीं होता है। इसलिए इसे अन्य भोज्य पदार्थों, जो नाइट्रोजन सम्बन्धी पदार्थों से भरपूर हो और वसा जैसे दाल, घी, मछली आदि के साथ लेना चाहिए ताकि अभाव की पूर्ति हो सके।

दालें

सभी दालें प्रोटीन से भरपूर होती है। 100 ग्राम शुष्क भार की दाल में लगभग 20 ग्राम तक प्रोटीन होता है। सस्ती होने के कारण दालों को गरीब व्यक्ति का मांस कहा जाता है। अनाजों और दालों से प्राप्त प्रोटीन का समूह युवाओं में विकास के लिए आवश्यक अपेक्षित अमीनों एसिडस को उपलब्ध कराता है। चने में पाये जाने वाले प्रोटीन का उच्च जैविक मॅलय

होता है और उन बच्चों के आहार में उत्तम पूरक सिद्ध होता है जो पशु प्रोटीन का उपभोग नहीं करते हैं। दालें विटामिन बी समूह खासतौर पर थियामिन और राइबोफ्लेविन की उत्तम स्त्रोत है। यद्यपि सूखी दालों में विटामिन सी का अभाव होता है, तथापि अंकुरित दालें इसका उत्तम स्त्रोत होती हैं।

दालों में, सोयाबीन में सबसे अधिक प्रोटीन, वसा और खनिज पदार्थ पाये जाते हैं। इसमें पाये जाने वाले प्रोटीन का लगभग 40 प्रतिशत भाग उच्च जैविक मूल्य का होता है। अधिकतर दालों में वसा कम मात्रा में पायी जाती है, जो लाभदायक हो सकती है, यदि अन्य वसीय भोज्य पदार्थ के साथ खायी जाये या घी या तेल के साथ पकाई जाये।

कन्दमूल

इनका भोजन के रूप में बहुत प्रयोग होता है परन्तु पोषक मूल्य में दालों या अनाजों की तुलना में यह बहुत निम्न होते है, इसमें बड़ी मात्रा में स्टार्च निहित होता है। यह खनिजों जैसे पोटाश के लवण से समृद्ध होते है। जो इन्हें उत्तम भोज्य पदार्थ के रूप में अधिक महत्व प्रदान करते हैं। गाजर को छोड़कर इनमें विटामिन 'ए' और 'बी' को छोड़कर विटामिन सी पाया जाता है।

हरी सब्जियाँ

हरी सब्जियों का पोषण मूल्य निम्न होता है। परन्तु इनमें खनिजों कैल्शियम, सोडियम और क्लोराइड की अच्छी खासी मात्रा निहित होती है। यह लवण उत्पन्न करती है जो प्रतिरोधक के रूप में कार्य करते हैं और मांस और अनाज की अम्ल उत्पन्न करने की प्रवृत्ति को नियन्त्रित कर रक्त की उपयुक्त क्षारीयता को बनये रखते हैं। इनमें विटामिन 'ए', 'बी', और 'सी' निहित होता है और जब भी सम्भव हो इनका उपयोग कच्चे सलाद के रूप में किया जाना चाहिए। कुछ हरी सब्जियां भोजन को रूचिकर स्वाद प्रदान करती है और पाचन में सहायता करती है और मसाले के रूप में उपयोगी है। प्याज और लहसुन मसाले के रूप में इस्तेमाल होते हैं। पालक लौह तत्व और विटामिन ए से भरपूर होता है। फूलगोभी अधिक आसानी

से पच जाती है और मन्याग्निग्रस्त व्यक्तियों के द्वारा प्रयोग की जा सकती
है।

फल और गिरियाँ

ताजा सब्जियों की भान्ति, फलों को भी इनमें निहित महत्वपूर्ण खनिज
लवणों के कारण इस्तेमाल किया जाता है। फल में उपस्थित शर्करा पर फल
को पोषण मूल्य पर निर्भर करता है। फल की पचनीयता फल की प्रवृत्ति
और पकने की मात्रा पर निर्भर करती है। कच्चे फल प्रवृत्ति से अम्लीय होने
के कारण प्राय: आंतों को प्रदाहित कर देते हैं और अतिसारया उदरशूल
उत्पन्न कर सकते हैं। अंगूरों का भोजन के रूप में अत्यधिक इस्तेमाल
किया जाता है और यह सबसे अधिक रूचिकर फलों में से एक है।
स्फूर्तिदायक और शीतल होने के कारण रोगी इन्हें खा सकते हैं और परन्तु
इनका छिलका पचनीय नहीं होता है। सूखे अंगूरों किशमिश में अधिक
शर्करा होती है औरअम्ल कम और यह इसलिए कम पचनीय होते हैं। दूध
के साथ किशमिशों को प्राय: मृदुविरेचक के रूप में इस्तेमाल किया जा
सकता है। पका केला रूचिकर और स्वादिष्ट फल है। इसमें फल का 5
भाग नाइट्रोजन होता है। कच्ची अवस्था में अन्य सब्जियों के साथ पकाए
जाने पर यह पोषण का उत्तम स्रोत बन जाता है।

सन्तरा रोगी व्यक्तियों के लिए उत्तम भोजन है। सन्तरे का ताजा रस
प्यास को शान्त करता है और आमाशयिक उपदाह को कम कर देता है।
सन्तरे का रस शिशुओं के लिए मृदुविरेचक है और शैशव स्कर्वी के लिए
उत्तम औषधि है। अणानास में प्रोटीन को पचाने में समर्थ किण्वक होते हैं।
1 औंस रस 10 से 15 ग्राम शुष्क एल्बुमिन को चार घण्टों में विलीन कर
देगा। आम सबसे स्वादिष्ट और रूचिकर फलों में से एक है। यह दस्त
उत्पन्न कर देता है। इसलिए अतिसार होने की स्थिति में इसे नहीं खाना
चाहिए। हरा पपीता प्रोटीनों को पचाने में सहायता करता है।

माँसाहारी भोजन

मांस– मांस में प्रोटीन मायोबिन, मसल एल्बुमिन और हीमोग्लोबिन है।
शवकाठिन्य मायोसिन के थक्के बन जाने के कारण होता है और जो मांस

को सख्त बना देता है। परन्तु शीघ्र ही अम्ल विकसित होता है और मायोजिन को मृदु बना कर मांस को नर्म और स्वाद प्रदान करता है। इसलिए पशु का मांस पशु के शरीर की अकड़न समाप्त हो चुकने के बाद खाया जाना चाहिए। बूढ़े पशु के मांस में अधिक संयोजी ऊतक होते हैं और इसलिए कठोर होता है और अधिक पकाना पड़ता है। अलग-अलग पशुओं में हीमोग्लोबिन की मात्रा अलग अलग होती है।

वसा की ज्यादा मात्रा जैसे सूअर के मांस की वसा मांस के अवशोषण और पाचन को तन्तुओं के चारों ओर आवरण बना कर और पाचन प्रणाली की क्रिया को बाधित कर रोक देती है।

अच्छे मांस की विशेषताएं

1. मांस का हल्का गुलाबी रंग रोग का सूचक है और गहरा जामुनी रंग प्रकट करता है कि पशु को काटा नहीं गया है बल्कि वह तीव्र ज्वर आदि के कारण मरा है।

2. मांस को छूने पर ठोस और लचीला होना चाहिए। सड़ा मांस गीला, चिपचिपा और ढीला होता है।

3. इसका मांसपेशियों में वसा की नन्हीं शिराओं के शाखा विस्तार के कारण चितकबरा रूपरंग होता है।

4. इसकी गन्ध अप्रिय नहीं होनी चाहिए। रोगी पशु के मांस से शव के समान गन्ध आयेगी। इसे पकाने पर सिकुड़ना नहीं चाहिए और पानी में एक दिन से ज्यादा नहीं होना चाहिए।

पकाने से मांस विसक्रामित हो जाता है और जीवाणु मर जाते हैं। मांस को ऊर्जा का कुचालक होने के नाते धीमी गति से लम्बे समय तक पकाया जाना चाहिए। मांस के सूप का मुख्य तत्व मांस का सत्व है, इसका पोषण मूल्य नगण्य होता है, और इसे किसी प्रकार की कोई ऊर्जा प्रदान करने की सम्भावना नहीं होती है, यद्यपि सूप थकान की अनुभूति को शान्त कर देता है। स्वाद और गन्ध के रूचिकर होने के कारण सूप पाचन में सहायता करता है और भोजन आरम्भ करने से पहले फायदेमन्द है।

गाय का मांस अधिक पुष्टिकर होता है, परन्तु हमें पचाने के लिए तीव्र पाचन शक्ति की आवश्यकता होती है।

बकरे का मांस पचने में अधिक आसान होता है, क्योंकि इसके तन्तु अधिक छोटे और मुलायम होते हैं, परन्तु वसा की मात्रा के कारण यह रोगियों के लिए अनुकूल नहीं है। सूअर के मांस में अधिक मात्रा में वसा होने के कारण इसे पचाना अधिक कठिन होता है। गाय के मांस में पचने के दो घण्टे के विपरीत, यह पचने के लिए 3.50 घण्टे लेता है। सूअर के मल खाने के कारण, इसका मांस फीता कृति के संक्रमण का स्रोत हो सकता है।

बकरी के मांस के तन्तु गाय या सूअर के मांस के तन्तुओं की तुलना में अधिक छोटे और मुलायम होते हैं। इसमें वसा की मात्रा कम होती है। परिणामस्वरूप बकरी का मांस अधिक सुगमतापूर्वक पच जाता है। तीतर का मांस सफेद, मुलायम स्वादिष्ट और पचने में आसान होता है। बत्तख और हंस का मांस अधिक गहरे रंग का होता है और यह तथ्य भली-भांति ज्ञात है कि नस्तुक पाचन शक्ति वालों के लिए अनुकूलन नहीं होता है। शिकारी पक्षियों में वसा कम होती है और बहुत हद तक खाये जाते हैं और इन्हें स्वास्थ्यवर्धक और स्वादिष्ट भोजन के रूप में मूल्यांकित किया गया है।

यकृत विटामिन ए, बी, सी और डी से समृद्ध होता है, खासतौर पर विटामिन ए से 1 यकृत का प्रोटीन आसानी से पच जाता है और इसमें अमूल्य खनिज तत्व निहित होते हैं। खास तौर पर मैगनीज और लोह तत्व। मैगनीज विकास को प्रोत्साहित करता है। यह रक्ताप्लता के रोगियों के लिए फायदेमन्द है।

मछली

मछली में विटामिन सी को छोड़ कर अन्य सभी विटामिन होते हैं। इसका यकृत विटामिन 'ए' और 'डी' का अमूल्य स्रोत है। मछली रोगियों के लिए अनुकूल है। सूखी और लवणित मछली अधिक धीमी गति से पचती है। ऐसा विश्वास किया जाता है कि फॉस्फेट की अधिकता के

कारण मछली एक बहुमूल्य मस्तिष्कीय भोजन है। मछली के 97.9 प्रोटीन और 90 वसा रक्त में प्रवेश कर जाते हैं। ताजी मछली छूने पर ठोस, कठोर और लचीली होती है, और यदि हाथ पर सपाट रखी जाये तो पूंछ लटकनी नहीं चाहिए।

इसे मुलायम या पिलपिली नहीं होनी चाहिए। शल्क आसानी से अलग नहीं होने चाहिए। सड़ना शुरू हो जाने पर मछली काटने पर दुर्गन्धित फीके लाल रंग का तरल बाहर आयेगा, जो अन्यथा जम जाना चाहिए।

अण्डे

इसमें वृद्धि और विकास के लिए आवश्यक अनुमानित सभी मूल तत्त्व पाये जाते है, सिवाय कार्बोहाड्रेट के। और इसे प्रथम श्रेणी के प्रोटीन की निहितता वाले सुरक्षात्मक भोज्य पदार्थ के रूप में वर्गीकृत किया गया है। मुर्गी के एक औसत अण्डे का वजन लगभग 1= औंस होता है, इसमें से लगभग 12 प्रतिशत छिलके का वजन, 58 प्रतिशत सफेद भाग और 30 प्रतिशत पीले भाग का वजन होता है। अण्डे का सफेद भाग प्रवृत्ति में प्रोटीन होता है, जबकि पीला भाग वसा। 97 प्रतिशत अण्डे का भाग आंतों में अवशोषित हो जाता है। अण्डे की जर्दी (पीले भाग) में लौह तत्व होता है और रक्ताप्लता के रोगियों के लिए उत्तम होता है। दूध के बाद इसमें कैल्शियम अत्यधिक मात्रा में होता है। उबला हुआ अण्डा 1= घण्टे में पच सकता है जबकि आमलेट पचने के लिए 3 घण्टे लेता है।

दूध

इसमें सन्तुलित भोजन के लिए अनुमानित सभी मूलतत्व पाये जाते हैं। यह डेढ़ वर्ष तक के बच्चों के लिए मुख्य आहार है। भैंस के दूध में गाये के दूध की अपेक्षा अधिक अनुपात में वसा और ठोस पदार्थ पाये जाते हैं। उच्च स्कन्दनीय केसीन होने के कारण, यह शिशुओं क लिए भोजन के रूप में अधिक अनुकूल नहीं है। बकरी का दूध गाय के दूध की अपेक्षा वसा में समृद्ध परन्तु प्रोटीन में हीन होता है। मनुष्य का दूध और गधी का दूध गाये के दूध की अपेक्षा शर्करा में अधिक समृद्ध होता है।

दूध आमाशय तक पहुंचते केसीन पर रेनिन की क्रिया के कारण ठोस हो जाता है। गाय के दूध का केसीन घना हो जाता है, वहीं, मनुष्य और गधी का दूध का स्कन्यक अधिक ऊर्णी और मुलायम हो जाता है। पचनीयता आमाशय में थक्कों के घनत्व पर निर्भर करती है। बड़े घने थक्कों का गठन दूध को घूंट घूंट करके पीने से टाला जा सकता है। दूध का अवशोषण प्रायः पूरा होता है और ऊर्जा की कम खपत के साथ होता है।

चाय और कॉफी

चाय में 1.4 प्रतिशत कैफीन, कुछ अंश तक थियोफाइलिन और उड़नशील तेल 0.6 होता है। जो स्वाद और गन्ध प्रदान करता है और काफी मात्रा में टैनिक एसिड जो एक तीव्र स्तम्भक है। टैनिक एसिड धीमीगति से घुलता है। जितने अधिक लम्बे समय तक चाय को पानी में उबाला जाता है, टैनिक एसिड उतना ही अधिक घुलेगा।

कॉफी और चाय खुद में कोई पोषक पदार्थ नहीं है और इनके आवशोषण के लिए पाचन प्रक्रिया की आवश्यकता नहीं होती है।

चाय से आराम की अनुभूति होती है और शारीरिक और मानसिक बल में वृद्धि होती है। उत्तेजना के बाद अवसाद नहीं होता है, इसलिए यह मद्यउत्तेजना से भिन्न है। तेज चाय से श्लेष्मा प्रदाहित हो सकती है और इसलिए आमाशयशोध, ऊर्जीण और अनिद्रा रोग में इनका सेवन नहीं किया जाना चाहिए।

भुनी हुई कॉफी में 0.6 से 2 प्रतिशत कैफीन, थोड़ी मात्रा में कैफिओल और काफी अच्छी मात्रा में टैनिक एसिड होता है। कैफिओल कॉफी के स्वाद और सुगन्ध का स्त्रोत है। इसका तेल अत्यधिक उड़गील होता है और रखने पर तीव्र गति से उड़ जाता है।

कॉफी तंत्रिका प्रणाली को उत्तेजित कर देती है। और थकान की भावना घटकर प्रफुल्लता की अनुभूति होती है। कैफीन भूख की भावना को कम कर देता है। परन्तु भूखे मरने के मामलों में जीवन को नहीं बढ़ाता है। भली-भांति पोषित सैनिकों को चाय या कॉफी दिये जाने पर लम्बे समय के

और अधिक ग़म्भीर मार्च को झेल सके, उन सैनिकों की तुलना में, जिन्हें चाय या कॉफी नहीं दी गयी।

भोजन नहीं दिये जाने पर थकान सबसे पहले चाय और काफी पीने वाले व्यक्तियों में प्रकट होती है। काफी पीने की अत्यधिकता से स्नायविक समस्याएँ स्पन्दन, अनिद्रा या तंत्रिकाशूल भी हो सकता है। 10 ग्राम कोकोपाउडर से बनी हुई 1 कप कॉफी से 150 कैलोरी मिलती है और इसे रोगी भी ले सकते हैं। 2 औंस चॉकलेट के साथ आधा कप दूध से 400 कैलोरी मिलती है। नारियल पानी एक उत्तम स्फूर्तिदायक पेय है और अम्लीय ऊर्जीण के मामलों में उपयोगी है।

भोजन करने से पहले एल्कोहल लेने पर आमाशीय रस के स्राव में सहायता करता है और पाचन को प्रेरित करता है। इस प्रकार से थोड़ी मात्रा में लेने पर शारीरिक और मानसिक स्वास्थ्यता की अनुभूति उत्पन्न करता है। कल्पना शक्ति अधिक स्पष्ट हो जाती है, अनुभूति में वृद्धि हो जाती है और व्यक्ति अधिक चाल, लापरवाह और प्रसन्नचित्त हो सकता है। सान्द्रिय रूप में लम्बे समय तक अल्कोहल लेने पर यह श्लेष्मिक झिल्लियों को प्रदाहित कर देता है, श्लेष्मा के निर्माण में वृद्धि कर देता है और एक्लोडाइड्रिया उत्पन्न कर देता है।

भोजन की अत्यधिकता

लिए जाने वाले भोजन की अत्यधिकता के कारण चयापचय (Metabolism) प्रक्रिया में शामिल अंगों पर बहुत अधिक कार्य थोप दिया जाता है और गुर्दे कार्य की अत्यधिकता के कारण कार्य करने में असमर्थ हो जाते हैं। मन्याग्नि सम्बन्धी समस्याओं के कारण दुर्गन्धित गैसों के उत्पादन के साथ पूयकाटी और किण्तक प्रक्रिया आरम्भ हो सकती है। यदि वसा और कार्बोहाड्रेट की मात्रा भोजन में अत्यधिक हो तो अम्लीय मन्दाग्नि और अधोवायु का संचय हो सकता है। वसा की अत्यधिकता के कारण व्यक्ति में मोटापा हो सकता है।

भोजन सम्बन्धी सबकें - व्यक्ति अनभिज्ञ होते हैं:-

सनक को भोजन या भोजन समूह से पहचाना जाता है जिन्हें लाभदायक

समझा जाता है या ईलाज के रूप में उचयुक्त समझा जाता है। आमतौर पर सभी भोजन सम्बन्धी सनके थोड़े समय के लिए होती है। एक समय तक यह बहुत प्रचलित रहती है जब तक कि दूसरी सनक उसका स्थान नहीं ले लेती है। यह सनके उस व्यक्ति को जन्म लेती है जो पोषण के मामले में अप्रशिक्षित होते हैं। भोजन सम्बन्धी जनत्रुटि भोजन सम्बन्धी धारणाओं से सम्बन्ध रखती है, जिनका मूल स्त्रोत आमतौर पर अज्ञात होता है, परन्तु यह क्षेत्रीय अन्धविश्वास या पारिवारिक उक्तियों से जन्मी हो सकती है। किसी परिवार में मां का दृढ़ विश्वास हो सकता है सभी सब्जियों को इस्तेमाल करने से पहले पानी में भिगोया जाना चाहिए। उसकी बेटी इस विश्वास का समर्थन कर सकती है और इस प्रकार से यह आदतें एक पीढ़ी से दूसरी पीढ़ी में हस्तांतरित हो सकती है। कई बार यह भोजन सम्बन्धी धारणाएं स्थापित हो जाती है, क्योंकि यह एक परिवार से दूसरे परिवार में जाती है। भोजन के सम्बन्ध में भ्रान्तियां मिथ्या निरूपण गलत अर्थ या गलत सूचना पर आधारित होती है। उदाहरण के लिए कुछ लोकविश्वासों में यह विश्वास किया जाता है कि शहर में मात्र एक तरह की चीनी इस्तेमाल होती है। इस प्रकार से कई व्यक्ति एक भोजन के यथार्थ पोषण मूल्य के बारे में गलत सूचना से भ्रमित हो जाते हैं और इस तथ्य से अनाभिज्ञ रहते हैं कि विशिष्ट उपचारक गुणों के लिए भोजन समूह को उत्तरदायी नहीं माना जा सकता है।

भोजन के बारे में अन्धविश्वास - प्राचीन व्यक्ति विश्वास करते थे कि वह पशु जिसे उन्होंने खाया है, उस पशु के गुण उसमें हस्तान्तरित हो जायेंगे। उदाहरण के लिए वह विश्वास करते थे कि यदि उन्होंने एक शेर को खाया है तो वह शेर के गुण प्राप्त कर लेंगे। यहां तक कि अंग भी निश्चित गुणों से सम्बन्धित थे, कि किसी पशु का हृदय उत्साह प्रदान करेगा, यकृत दयापूर्ण गुणों को बढ़ाता है।

1. तथ्य- त्वरित उपचार की इच्छा सामाजिक दबाव और भय कुछ बहुत ही महत्वपूर्ण तथ्य है, जो पोषण के विभिन्न पक्षों के सम्बन्ध में जनसाधारण को भ्रमित करते हैं।

2. भोजन के बारे में विश्वास देश के विभिन्न भागों राष्ट्रीयता और

पारिवारिक परम्पराओं से भी जुड़े हुए हैं। प्रायः व्यक्ति चिकित्सक या पोषण विशेषज्ञ के परामर्श का गलत अर्थ लगाएंगे, या किसी विज्ञापन के दावों को गलत समझेंगे, भोजन के बारे में कई मूर्खतापूर्ण विचारों के लिए मात्र अनभिज्ञता उत्तरदायी है।

3. त्वरित उपचार की इच्छा कई व्यक्तियों को एक निश्चित भोज्य पदार्थ की मात्रा खाने के लिए प्रेरित करेगी। एक दुबला-पतला किशोर, गठिया से पीड़ित व्यक्ति या एक युवा स्त्री जो अत्यधिक मोटी है, यह विश्वास करने के लिए उत्तम सम्भावना है कि निश्चित भोजन या भोजन समूह चमत्कार कर देगा।

4. सामाजिक दबाव एक अन्य सम्भावित तथ्य है। गोरे होने की इच्छा किशोरों में इतनी अधिक होती है कि वह सनकी भोजन का शिकार बन सकते हैं। इसी तरह के पुरातन सलाहों का बिना इसकी भ्रामकता का परीक्षण किये अनुसारण हो सकता है।

5. भय के कारण रूग्ण व्यक्ति चिकित्सक के पास जाने से बच सकते हैं, क्योंकि वह बुरी खबर को सुनने से डरते हैं, इसके बजाय वह नीम-हकीमों के तथाकथित उपचार का उल्लेख करते हैं और चिकित्सीय उपचार में विलम्ब कर सकते हैं अन्य व्यक्ति भोले-भाले व्यक्तियों के अतिरिक्त गलत सूचना पाने वाले व्यक्ति हो सकते है, इसलिए उनके कदम चिकित्सकों की चिकनी-चुपड़ी बातों में फंस जाने की पूरी सम्भवना होती है। यह खासतौर पर उन व्यक्तियों के बारे में सच है जो किसी असाध्य रोग से पीड़ित है। जो उम्मीद की एक किरण खोज रहे हैं।

भोजन के तत्व

यह देखा जाता है कि विभिन्न प्रकार के भोजन तत्वों जैसे - अधिक भुने हुए, तले हुए, नमकीन भोजनों के द्वारा शरीर की पाचन क्रिया पर बहुत बुरा प्रभाव डाला जाता है। इसलिए यह अति आवश्यक माना जाता है कि व्यक्ति क द्वारा अपने स्वास्थ्य को बेहतर बनाने की दृष्टि से इस प्रकार के भोजन का उपयोग करने से बचा जाना चाहिए। जिस समय उसके द्वारा ऐसा किया जाता है। उसी समय उसके द्वारा पूर्णता की ओर विकसित हुआ जा

सकता है। यह उसके शारीरिक विकास हेतु विशेष रूप से लाभदायक माना जाता है। इन भोजन तत्वों का प्रभाव शरीर पर देखा जाता है। परिणामस्वरूप शरीर में स्थूलता का उत्पन्न होना स्वाभाविक हो सकता है। जो शरीर को कार्य के प्रति अग्रसित होने से रोकता है।

पोषक आहार के सम्बन्ध में लोगों में विभिन्न प्रकार की भ्रामक धारणाओं का समावेश पाया जाता है। यह देखा जाता है कि बहुत से लोगों के द्वारा यह माना जाता है कि पोषक तत्त्वों का आशय अधिक भोजन करने अथवा तला हुआ भोजन होता है। परन्तु यह धारणा पूर्णतः भ्रामक कही जा सकती है। वास्तव में पोषक आहार का आशय उस भोजन से माना जाता है। जिसमें पोषक तत्त्वों की मात्रा प्रचुर होती है। यह देखा जाता है कि ऐसा भोजन करके ही व्यक्ति के द्वारा भली भांति अपना शारीरिक विकास किया जा सकता है। इसलिए आज पोषक तत्वों का सेवन करने की ओर विशेष रूप से बल दिया जा रहा है।

यह देखा जाता है कि पोषक तत्त्वों के आधार पर ही मनुष्य के द्वारा विभिन्न प्रकार के कार्यों को करने की ऊर्जा की प्राप्ति की जाती है। इसके साथ ही साथ शरीर में व्याप्त ऊतकों की मरम्मत भी इनके आधार पर आसानी से की जा सकती है। इस प्रकार यह कहा जा सकता है कि व्यक्ति के द्वारा पोषक तत्त्वों के आधार पर ही पूर्ण रूप से अपना शारीरिक विकास किया जा सकता है। इसलिए वह भोजन जिसके आधार पर मनुष्य के द्वारा शरीर में पोषक तत्त्वों को समाहित किया जाता है। पोषणयुक्त भोजन के आधार पर ही व्यक्ति के द्वारा भली भांति उन्नति की ओर अग्रसित हुआ जा सकता है।

अम्ल

यह देखा जाता है कि भोजन में अम्लों का समावेश पाया जाता है। हाईड्रोक्लोरिन अम्ल, नाईट्रिक अम्ल या सल्फरिक अम्ल क्लोरिक के एक धनात्मक आयन के समावेश से मिलकर बनता है। इसके साथ ही साथ जल में यह ऑयन एक-दूसरे से विखंडित होकर किसी अन्य घोल में उपस्थित किसी आइन्स के साथ तीव्र प्रतिक्रिया को जन्म देते हैं। स्ट्रिक अम्‍ को

कमजोर अम्ल माना जाता है।

मनुष्य के शरीर में व्याप्त प्रोटीन नाइट्रोजन, कार्बन, हाइड्रोजन तथा ऑक्सीजन आदि हको मिश्रण के रूप में पाया जाता है। इनका समावेश ऊतकों में पाया जाता है। इनके आधार पर ही ऊतकों के द्वारा भली-भांति विभिन्न प्रकार की क्रियाओं का क्रियान्वयन किया जा सकता है। इस प्रकार यह कहा जा सकता है कि इनके द्वारा भी शरीर को क्रियाशीलता प्रदान करने हेतु विशेष रूप से सहयोग प्रदान किया जाता है। यह कोशिकाओं की गतिविधियों को नियमित करने हेतु भी लाभदायक माने जाते हैं।

कार्बोहाइड्रेट

मनुष्य के द्वारा प्राचीन सदियों से ही भोजन के लिए पेड़-पौधों पर आश्रित हुआ जाता रहा है। यह देखा जाता है कि मनुष्य के द्वारा कंद-मूल, फल-फूल आदि का सेवन करके भी अपने जीवन का अस्तित्व बनाए रखने की कोशिश की है। पेड़-पौधों को भी मनुष्य की भांति भोजन की आवश्यकता रहती है। पानी तथा सूर्य का प्रकाश ही पेड़-पौधों के लिए भोजन के रूप में माने जाते हैं। कार्बोहाइड्रेट का अस्तित्व शर्करायुक्त भोजन में पाया जाता है। इसलिए व्यक्ति के द्वारा शर्करायुक्त भोजन का सेवन करके कार्बोहाइड्रेट को प्राप्त किया जा सकता है। जो उसके शारीरिक विकास हेतु विशेष रूप से लाभदायक माना जाता है।

शर्करा

शर्करा को ग्लूकोस कहा जाना अत्यधिक उपयुक्त होगा। यह मनुष्य के शरीर में ऊर्जा उत्पन्न करने में विशेष रूप से लाभदायक मानी जाती है। यह देखा जाता है कि शर्करा के दो अणुओं से मिलकर सूक्रोस तथा लेक्टोस की उत्पत्ति हो जाती है। यह देखा जाता है कि वृद्धावस्था में लोगों के द्वारा भली-भांति लेक्टोस शर्करा को आसानी से पचाया नहीं जाता है। यह भी मनुष्य के शरीर के विकास हेतु लाभदायक मानी जाती है।

स्टार्च

पॉलिक्कॉराइड्रस ग्लूकोस अणुओं के एक लम्बी श्रृंख्ला होता है जो

कि पौधों मे ग्रानूलेस के रूप में संग्रहित होती है। यह जली में घुलता नहीं है। पानी में गर्म करने से इसके द्वारा स्टार्च को अवशोषित किया जाता है।

रूक्षांस के आधार पर सेल्यूलोस कोशिकाओं की दीवारों का निर्माण सम्भव होता है। इसके साथ ही साथ प्रेक्टीन के जैसे पदार्थ सरलता से शरीर में पचते नहीं हैं। ताजे फलों तथा सब्जियों में रूक्षांस की मात्रा अत्यधिक पाई जाती है।

संतृप्त वसा

इसके अणु हाइड्रोजन के अणुओं के साथ क्रमबद्ध रूप से जुड़े होते है। इसकी मात्रा मक्खन तथा नारियल के तेल में पाई जाती है।

असंतृप्त वसा

इसमें कार्बन की श्रृंखला से हाइड्रोजन के अणुओं के निकलने की स्थिति में कार्बन के अणु आपस में बांध का निर्माण करते हैं। इनके द्वारा दौगुना होकर अत्यधिक क्रियाशीलता को विकसित किया जाता है। वायु में इनके द्वारा अत्यधिक क्रियाशीलता को विकसित किया जाता है। यही कारण है कि भोजन में निश्चित मात्रा में इस वसा का समावेश होना अत्यन्त ही आवश्यक माना जाता है।

प्रमुख वसीय - अम्ल

प्रमुख वसीन अम्ल का वर्णन निम्नलिखित रूप से किया जा सकता है:-

1. तैलीय अम्ल - तैलीय अम्ल का अर्थ विभिन्न प्रकार के तेलयुक्त पदार्थों के सेवन से प्राप्त होने वाली वसा से माना जाता है 'यह देखा जाता है कि जिस समय व्यक्ति के द्वारा अत्यधिक मात्रा में तैलीय पदार्थों का सेवन किया जाता है। उस समय उसके शरीर में इस प्रकार के अम्लों का विकास हो जाता है।

2. लिनोलिक अम्ल - इसका उपयोग सामान्य रूप से वनस्पति तेल का निर्माण करने के लिए किया जाता है। यह देखा जाता है कि वर्तमान में वनस्पति तेल का उपयोग अत्यधिक किया जा रहा है। जिसके लिए इस

अम्ल का उपयोग किया जाना अत्यन्त ही आवश्यक माना जाता है।

3. **एराचिडोनिक अम्ल** - इस प्रकार के अम्ल का अस्तित्व मात्र पशुओं की चर्बी में ही पाया जाता है।

4. **डेकॉसहेक्सेनोइक अम्ल** - इसका अस्तित्व मछली में पाया जाता है। यह देखा जाता है कि आज लोगों के द्वारा मछली का सेवन करने की ओर अत्यधिक अग्रसित हुआ जा रहा है। जिससे उनके शरीर में इसकी मात्रा पाई जाती है।

विटामिन

विटामिन का आशय उन पोषक तत्त्वों से माना जाता है। जो मनुष्य के शारीरिक विकास के लिए विशेष रूप से लाभदायक होते हैं। यह देखा जाता है कि मनुष्य के द्वारा विटामिन की सहायता से ही भली-भांति उन्नति की ओर अग्रसित हुआ जा सकता है। इनके आधार पर ही उसके द्वारा शरीर में पुष्टता का विकास भी किया जाता है। जो उसे कठिन परिस्थितियों में कार्य करने को प्रोत्साहित करती है।

यह देखा जाता है कि आज विटामिन युक्त भोजन की ओर लोगों के द्वारा विशेष रूप से बल दिया जा रहा है। जिसके परिणामस्वरूप यह कहा जा सकता है कि आज विटामिनयुक्त भोजन के आधार पर लोगों के द्वारा सर्वांगीण विकास की ओर अग्रसित होने की ओर बल दिया जा रहा है। यह उनके समक्ष उपस्थित होने वाली शारीरिक तथा मानसिक समस्याओं का निराकरण करने हेतु भी लाभदायक माने जाते हैं। कुछ प्रमुख विटामिनों का वर्णन निम्नलिखित रूप से किया जा सकता है:-

(क) विटामिन ए - इस विटामिन को शरीर के विकास के लिए विभिन्न विटामिनों में प्रमुख स्थान प्रदान किया जाता है। यह देखा जाता है कि इसकी प्राप्ति व्यक्ति के द्वारा गाहर, शंकरगंदी, आम, घीया, टमाटर आदि के आधार पर प्राप्त की जाती है। इसके साथ ही साथ दूध तथा पालक को भी इस प्रकार के विटामिन के सन्दर्भ में विशेष रूप से लाभदायक माना जाता है। इस प्रकार के विटामिन के आधार पर व्यक्ति के द्वारा नेत्र सम्बन्धी रोगों से छुटकारा पाया जाता है। इसके साथ ही साथ

संक्रमण रोगों का उपचार करने के लिए भी इसेक विशेष रूप से लाभदायक माना जाता है।

विटामिन ए की सहायता से कैंसर तथा हृदय सम्बन्धी विभिन्न रोगों को दूर किया जा सकता है। जिसके परिणामस्वरूप व्यक्ति के द्वारा पूर्ण रूप से उन्नति की ओर अग्रसित हुआ जा सकता है। यही कारण है कि इस विटामिन को सबसे उच्च श्रेणी में रखा जाता है। जिसके परिणामस्वरूप व्यक्ति के द्वारा इसका सेवन किया जाना भल लाभदायक माना जाता है।

(ख) विटामिन बी 1 - इस प्रकार के विटामिन के द्वारा मनुष्य के द्वारा किए जाने वाले भोजन से ऊर्जा को मुक्त किया जाता है। इसके मुख्य स्त्रोतों के रूप में आलू, अनाज तथा दालों को माना जाता है। इसके आधार पर भी मनुष्य के द्वारा भली-भांति शारीरिक विकास की ओर अग्रसित हुआ जाता है। यह उसे शरीर में सुदृढ़ता प्रदान करने हेतु विशेष रूप से लाभदायक माना जाता है। यही कारण है कि आज इसका सेवन करने की ओर अत्यधिक बल दिया जा रहा है। जिसके आधार पर व्यक्ति के द्वारा पूर्ण रूप से अपने व्यक्तित्व का विकास किया जा सके।

(ग) विटामिन बी 2 - इस विटामिन के द्वारा भी भोजन को ऊर्जा से मुक्त करने में सहायता प्रदान की जाती है। यह देखा जाता है कि इस भोजन के मुख्य स्त्रोतों के रूप में मांस, दूध तथा पनीर आदि को सम्मिलित किया जाता है।

(घ) विटामिन बी 3 - इसकी आवश्यकता भी शरीर को भोजन में व्याप्त ऊर्जा को मुक्त कराने के लिए ही पड़ती है। इसके मुख्य स्त्रोतों के रूप में मांस, टमाटर, लोबिया आदि को सम्मिलित किया जाता है।

(ङ) विटामिन बी 5 - इसके द्वारा शरीर में व्याप्त कोशिकाओं में ऊर्जा को उपलब्ध कराने में सहायता प्रदान की जाती है। यह देखा जाता है कि मनुष्य के शरीर में व्याप्त कोशिकाओं के द्वारा विशेष भूमिका का निर्वाहन किया जाता है। इनके आधार पर ही व्यक्ति के द्वारा भली-भांति अपने शरीर को संचालित किया जाता है। यदि इनके द्वारा कार्य करना बन्द की इदिया जाता है तो निश्चय ही इसके परिणामस्वरूप मनुष्य के द्वारा

विभिन्न प्रकार की समस्याओं का सामना करना पड़ सकता है। इसलिए बी 5 को विशेष रूप से महत्वपूर्ण मारना जाता है। इसके मुख्य स्त्रोत - मांस, पनीर, अंडा, कवक, बादाम आदि को माना जाता है।

(च) विटामिन बी 6 - यह शरीर में प्रोट्रीन के यथासंभव प्रयोग को सुनिश्चित करने में सहातया प्रदान करता है। यह देखा जाता है कि जितना महत्वपूर्ण शरीर के लिए प्रोटीन होता है। उतना ही यह महत्वपूर्ण होता है कि उसका उपयोग किस प्रकार से हो। उपयोग के सन्दर्भ में इस प्रोटीन को विशेष रूप से लाभदायक माना जाता है। इसके स्त्रोत - अंडे, मांस तथा दालों आदि को माना जाता है।

(छ) विटामिन बी 12 - इसके द्वारा शरीर में लाल रक्त कोशिकाओं का निर्माण किया जाता है। यह देखा जाता है कि लाल रक्त कोशिकाओं का निर्माण करके ही व्यक्ति के द्वारा भली-भांति अपने जीवन को उन्नत किया जा सकता है। इसके लिए यह अति आवश्यक माना जाता है कि व्यक्ति के द्वारा विशेष रूप से मांस, दूध, पनीर, अंडे आदि का सेवन करने की ओर अग्रसित हुआ जाए।

(झ) विटामिन बी (एम)- इसके आधारण पर भी लाल रक्त कोशिकाओं का निर्माण करने में सहायता प्रदान की जाती है। इसके मुख्य स्त्रोतों के रूप में भी अंडा, मांस, दूध आदि को सम्मिलित किया जाता है।

(ञ) विटामिन बी (एच)- वसा से ऊर्जा ग्रहण करने का कार्य इसके द्वारा किया जाता है। इसके साथ ही साथ यह बड़ी आंतों में शरीर के लिए आवश्यक जीवाणुओं का निर्माण करने में भी लाभदायक माना जाता है। इसके मुख्य स्त्रोतों के रूप में मांस, पत्ता गोभी, बादाम आदि को सम्मिलित कियास जाता है।

(ट) विटामिन सी - विटामिन सी के द्वारा शरीर में व्याप्त हड्डियों तथा दांतों को सुदृढ़ता प्रदान करने में सहातया प्रदान की जाती है। यह देखा जाता है कि जिस समय व्यक्ति के द्वारा भली-भांति अपने शरीर में व्याप्त हड्डियों को सुदृढ़ता प्रदान की जाती है। उस समय ही उसे पूर्ण रूप से स्वस्थ कहा जा सकता है। इसके मुख्य स्त्रोतों के रूप में चेरी, संतरे, नींबू,

आंवला आदि को माना जाता है।

(ठ) विटामिन डी - वर्तमान में विटामिन डी को विशेष महत्व प्रदान किया जाता है। इसके पीछे कारण बालकों में इसकी कमी से होने वाले रोगों को माना जाता है। इसका सबसे अच्छा स्त्रोत सूर्य की किरणों को माना जाता है। यह मछली से भी प्राप्त किया जाता है। इसका प्रयोग करने से दांतों तथा हड्डियों को मजबूती प्रदान की जा सकती है।

(थ) विटामिन ई - विटामिन ई के आधार पर रक्त में व्याप्त विभिन्न हानिकारक तत्त्वों को साफ करने की ओर बल दिया जाता है। यह देखा जाता है कि जिस समय व्यक्ति के द्वारा अपने रक्त में से विभिन्न हानिकारक तत्वोगं को दूर करने की ओर बल दिया जाता है। उसी समय उसके द्वारा भली-भांति अपने व्यक्तित्व का विकास किया जा सकता है। इसके स्त्रोत - अंडा, मांस, मक्खन, दूध आदि हैं।

(त) विटामिन एफ - इसके आधार पर मनुष्य के द्वारा अपनी कोशिकाओं के आधार पर सुचारू रूप से कार्य किया जाता है। यह देखा जाता है कि जिस समय मनुष्य के द्वारा अपने शरीर में व्याप्त विभिन्न मांसपेशियों का उपयोग पूर्ण रूप से यिका जाता है। उसी समय उसके द्वारा अपने व्यक्तित्व का विकास आसानी से किया जा सकता है।

इस प्रकार उपरोक्त विवेचन के आधार पर यह कहा जा सकता है कि विभिन्न प्रकार के विटामिनों के आधार पर व्यक्ति के द्वारा विशेष रूप से अपने व्यक्तित्व का विकास किया जाता है। विभिन्न विटामिनों के विभिन्न स्त्रोतों का वर्णन भी किया गया है। जिनके आधार पर यह कहा जा सकता है कि यदि व्यक्ति के द्वारा नियमित रूप से इन पदार्थों का सेवन किया जाता है तो निश्चय ही इसके आधार पर उनके द्वारा पूर्ण रूप से अपने शरीर में ऊर्जा को उत्पन्न किया जा सकता है। जो उन्हें विभिन्न प्रकार की क्रियाओं का क्रियान्वयन करने में सहायता प्रदान करती है।

खनिज लवण

यह देखा जाता है कि मनुष्य के शरीर में विभिन्न प्रकार के खनिज लवणों का समावेश पाया जाता है। इन सभी में से 15 का समावेश पाया

जाना अत्यन्त ही आवश्यक माना जाता है। शारीरिक विकास के लिए यह अति आवश्यक माना जाता है कि मनुष्य के शरीर में खनिज लवणों की मात्रा संतुलित मात्रा में हो। यदि ऐसा होता है तो निश्चय ही इसके आधार पर मनुष्य के द्वारा पूर्णता की ओर अग्रसित हुआ जा सकता है। इसके सन्दर्भ में निम्नलिखित तथ्यों को सम्मिलित किया जा सकता है:-

(क) लोहा- लोहा मनुष्य के शरीर के लिए विशेष रूप से लाभदायक माना जाता है। यह देखा जारता है कि शरीर में हड्डियों को सुदृढ़ता प्रदान करने हेतु लोहे के द्वारा विशेष रूप से भूमिका का निर्वाहन किया जाता है। इसके आधार पर ही मनुष्य के शरीर में व्याप्त रक्त का रंग हीमोग्लोबिन के परिणामस्वरूप लाल नजर आता है। यह इसका एक अन्य कार्य कहा जा सकता है। लोहे के मुख्य स्रोत - अंडे, हरी सब्जियां, जिगर, मछली, शलगम आदि को माना जाता है।

(ख) पोटेशियम- यह देखा जाता है कि मनुष्य के शरीर में क्षार के संतुलन को बनाए रखने में पोटेशियम के द्वारा विशेष रूप से सहायता प्रदपन की जाती है। इसके स्रोत के रूप में आलू, सोयाबीन, अनाज आदि को विशेष माना जाता है।

(ग) क्लोराइड - इसकी आवश्यकता मनुष्य को मुख्य रूप से पेशियों तथा नसों के काम करने के लिए आवश्यक होती है। यह देखा जाता है कि दूध तथा मांस के आधार पर मनुष्य के द्वारा भारी मात्रा में क्लोराइड को उत्पन्न किया जाता है। इनका प्रभाव उसकी मांसपेशियों के द्वारा किए जाने वाले कार्यों पर देखा जाता है।

(घ) तांबा - तांबे को भी विशेष रूप से लाभदायक माना जाता है। यह लाल रक्त कोशिकाओं का निर्माण करने हेतु लाभदायक माना जाता है। यह अनाजों तथा चॉकलेटों आदि में पाई जाती है।

(ङ) कैल्शियम - कैल्शियम को मनुष्य के शरीर में व्याप्त हड्डियों के विकास हेतु अति लाभदायक माना जाता है। यह देखा जाता है कि जिस समय मनुष्य के द्वारा विशेष रूप से अपनी हड्डियों की सुदृढ़ता की ओर अग्रसित हुआ जाता है। उसी समय उसके द्वारा पूर्णता की ओर अग्रसित

हुआ जा सकता है। यही कारण है कि आज इस ओर विशेष रूप से बल दिया जा रहा है कि व्यक्ति के द्वारा कैल्शियम की पूर्ति के लिए टमाटर, नींबू, अंडे आदि का सेवन करने की ओर अग्रसित हुआ जाए।

(च) ऑयोडीन - ऑयोडीन का अस्तित्व समुद्र में व्याप्त पानी में पाया जाता है। यह देखा जाता है कि समुद्र में से निकलने वाला नमक इसका मुख्य स्रोत है। इसके अभाव में शारीरिक रूप से व्यक्ति के द्वारा विभिन्न प्रकार के विकारों को उत्पन्न किया जाता है। जो उसे विभिन्न प्रकार की शारीरिक क्रियाओं का क्रियान्वयन करने में बाधाएं उत्पन्न करते हैं। इसलिए यह अति आवश्यक माना जाता है कि व्यक्ति के द्वारा इस प्रकार के खनिज की पूर्ति की ओर भी बल दिया जाएं। जिसके आधार पर वह पूर्णता की ओर अग्रसित हो सकता है।

(छ) जिंक - जिंक अस्थियों तथा मांसपेशियों को मजबूती प्रदान करने में सहायता प्रदान करता है। इसके लिए लाल-मांस तथा सख्त पनीर को विशेष रूप से लाभदायक माना जाता है।

(झ) सोडियम एवं क्लोराइट - सोडियम एवं क्लोराइड मांसपेशियों तथा तंत्रिकाओं की गतिविधियों के लिए विशेष रूप से लाभदायक माना जाता है। इसके मुख्य स्रोतों के रूप में हरी पत्तेदार सब्जियों को सम्मिलित किया जाता है। इसके साथ ही साथ यह हार्मोन्स को भी सुदृढ़ता प्रदान करता है।

इस प्रकार उपरोक्त विवेचन के आधार पर यह कहा जा सकता है कि व्यक्ति के द्वारा विशेष रूप से विभिन्न प्रकार के खनिजों के आधार पर अपने व्यक्तित्व का विकास किया जाता है। यह खनिज उसके शरीर को न केवल सुदृढ़ता प्रदान करने में सहायता प्रदान करते हैं बल्कि इनके आधार पर ही व्यक्ति के द्वारा विभिन्न प्रकार की शारीरिक क्रियाओं का क्रियान्वयन आसानी से किया जा सकता है। यही कारण है कि आज इस ओर विशेष रूप से बल दिया जा रहा है कि व्यक्ति के द्वारा अधिकाधिक इसका सेवन करने की ओर अग्रसित हुआ जाए। जिससे वह पूर्ण रूप से अपने व्यक्तित्व का विकास कर सकता है।

पौष्टिकता संबंधी सुझाव

यह देखा जाता है कि व्यक्ति के द्वारा विशेष रूप से विभिन्न प्रकार के पौष्टिक तत्त्वों की आवश्यकता होती है। जिनके आधार पर उसके द्वारा पूर्ण रूप से अपने व्यक्तित्व का विकास किया जा सकता है। यह देखा जाता है कि जिन व्यक्तियों के द्वारा कुछ समय के अन्तराल के उपरान्त खाना लिया जाता है। उनके द्वारा विशेष रूप से अपने व्यक्तित्व का विकास किया जाता है। यह उनके शारीरिक विकास के लिए भी विशेष रूप से लाभदायक माना जाता है। इसलिए यह अति आवश्यक माना जाता है कि व्यक्ति के द्वारा कुछ अन्तराल के उपरान्त भोजन लिया जाए।

यह देखा जाता है कि आज फास्ट फूड का प्रचलन इतना अधिक हो गया है कि आज सामान्यतः सभी देशों के लोगों विशेषकर युवाओं के द्वारा इस ओर अग्रसित हुआ जा रहा है। परन्तु इनके उपयोग से पौष्टिकता पूर्ण रूप से प्राप्त नहीं की जा सकती। इसलिए यह अति आवश्यक माना जाता है कि इन पदार्थों का कम-से-कम सेवन करने की ओर बल दिया जाएं। इसके साथ ही साथ यह भी अति आवश्यक माना जाता है कि व्यक्ति के द्वारा हरी-सब्जियों का सेवन करने की ओर अग्रसित हुआ जाएं। ऐसा करके ही वह पूर्णता की ओर अग्रसित हो सकता है तथा अपने समक्ष उपस्थित होने वाली विभिन्न प्रकार की समस्याओं का निराकरण भी आसानी से कर सकता है।

माताओं को चाहिए कि वह अपने बच्चों को विशेष रूप से हरी-सब्जियों का सेवन करने की ओर अग्रसित किया जाएं। यह देखा जाता है कि इन सब्जियों के माध्यम से जितना अधिक स्वास्थ्य बालक को प्रदान किया जा सकता है। उतना अधिक स्वास्थ्य शायद ही किसी अन्य पदार्थ का उपयोग करके दिया जा सकता है। बालक को पोषण प्रदान करने के लिए यह भी अति आवश्यक माना जाता है कि उसके द्वारा विशेष रूप से दूध से बने पदार्थों का सेवन करने की ओर बल दिया जाए। ऐसा करके ही वह पूर्ण रूप से शारीरिक तथा मानसिक स्वास्थ्य की ओर अग्रसित हो सकता है तथा अपने समक्ष उपस्थित होने वाली विभिन्न प्रकार की समस्याओं का निराकरण उसके द्वारा आसानी से किया जा सकता है।

3

खेलों में पोषण की भूमिका
(Role of Nutrition in Sports)

खिलाड़ियों के लिए पोषण सम्बन्धी सुझाव

यह कुछ पोषण सम्बन्धी सुझाव दिये गये हैं जो भोजन सम्बन्धी प्लानिंग में लाभदायक सिद्ध हो सकते हैं। किसी भी व्यक्ति को खाना बनाने के ढंग से जुड़े लाभ/हानियों का सदैव ध्यान रखना चाहिए:-

1. गेंहू में लगभग 12 प्रतिशत प्रोटीन और 1.5 प्रतिशत वसाएं होती है। गेंहू में अन्य अनाजों की अपेक्षा अधिक प्रोटीन होता है, परन्तु यह प्रोटीन लाइसिनरहित होता है।

2. चावल में प्रोटीन, वसा, खनिज और विटामिन नहीं होते। जब पालिश किया हुआ चावल इस्तेमाल किया जाता है। तब चावल के अधिकतर विटामिन बाहरी परत के साथ नष्ट हो जाते हैं। चावल में विटामिन 'ए', 'सी' और 'डी' नहीं होता है। इसलिए चावल को नाइट्रोजन सम्बन्धी पदार्थों से सम्पन्न अन्य भोज्य पदार्थों और वसाओं जैसे दाल, मछली, घी आदि के साथ खाना चाहिए, ताकि इसमें निहित पोषक तत्त्वों के अभाव की पूर्ति हो सके।

3. सभी तरह की दालों में प्रोटीन प्रचुर मात्रा में पाया जाता है। 100 ग्राम शुष्क भार की दाल में 20 से 25 ग्राम तक प्रोटीन पाया जाता है। सस्ती होने के कारण दालों को। गरीब व्यक्ति का मांस कहा जाता है।

4. सभी दालों में सोयाबीन में सबसे अधिक मात्रा में प्रोटीन, वसा और खनिज पदार्थ पाये जाते हैं। इसमें उच्च जैविक मूल्य का लगभग 42 प्रतिशत प्रोटीन पाया जाता है। अधिकतर दालों में वसा नहीं पायी जाती। इसलिए दालों को वसीय भोजन के साथ इस्तेमाल करना या तेल और घी में थकाना लाभदायक हो सकता है।

5. प्याज और लहसुन मसाले के रूप में इस्तेमाल किये जाते हैं। पालक में लौह तत्व और विटामिन एक प्रचुर मात्रा में होता है।

6. अणानास में प्रोटीन को पचाने में समर्थ एक किण्वक पाया जाता है। अणानास का। और रस 10 से 15 ग्राम शुष्क एल्बुमिन को चार घण्टों में विलीन कर देगा।

7. आम सर्वाधिक स्वादिष्ट और पोषक फलों में से एक है। यह दस्त उत्पन्न कर देता है। इसलिए अतिसार होने की स्थिति में नहीं खाया जाना चाहिए।

8. बकरे में मांस को पचाना अधिक आसान होता है क्योंकि इसके तन्तु अधिक छोटे और मुलायम होते है, परन्तु वसा की मात्रा के कारण यह रोगियों के अनुकूल नहीं है ।

9. बकरी के मांस के तन्तु सूअर या गाय के मांस की तुलना में अधिक छोटे और मुलायम होते है और वसा की मात्रा कम होती है। परिणाम स्वरूप बकरी का मांस अधिक आसानी से पच जाता है।

10. यकृत विटामिन 'ए', 'बी', 'सी' और 'डी', खासतौर पर विटामिन 'ए', से समृद्ध होता है । यकृत क प्रोटीन आसानी से इस्तेमाल हो जाता है और इसमें अमूल्य खनिज तत्व खासतौर पर मैंगनीज और लोहे तत्व पाये जाते है।

11. मछली में विटामिन 'सी' के अतिरिक्त अन्य सभी जरूरी विटामिन पाये जाते है । मछली का यकृत विटामिन 'ए' और 'डी' का अमूल्य स्त्रोत है। मछली रोगियों के लिये सर्वाधिक अनुकूल है। सूखी और लवणीय मछली अधिक धीमी गति से पचती है। ऐसा माना जाता है कि फास्फेटीय पदार्थों की अत्याधिकता के कारण मछली एक अमूल्य मस्तिष्कीय भोजन है। मछली का 97 प्रतिशत प्रोटीन और 90 प्रतिशत वसा रक्त में सम्मिलित हो जाते है।

12. एक आम मुर्गी के अण्डे का वजन लगभग 1 औंस होता है । इसमें से 12 प्रतिशत भाग छिलका और 58 प्रतिशत श्वेत भाग और 30 प्रतिशत जर्दी होती है। श्वेत भाग प्रवृति में प्रोटीन जबकि पीला भाग वसा

होता है । अण्डे का 97 प्रतिशत भाग आँतो में अवशोषित हो जाता है।

13. कॉफी और चाय खुद में कोई पोषक पदार्थ नहीं है और इनके अवशोषण के लिये किसी प्रकार की पाचन प्रक्रिया की जरूरत नहीं होती है। दूध और चीनी मिलाने के कारण इन्हें भोजन कहा जाता है।

14. चाय ताजगी का अनुभव कराती है और शारीरिक और मानसिक बल में वृद्धि करती है। ताजगी के बाद अवसाय का अनुभव नहीं होता है, इसलिये यह एल्कोहल की ताजगी से भिन्न है। तेज चाय श्लैष्मा को प्रदाहित कर सकती है और इसलिये अनिद्रा और जठरशोक में चाय नहीं पीनी चाहिये।

15. लिये गये भोजन की अत्याधिकता के कारण, चयापचयी प्रक्रिया में शामिल अंगों के पास बहुत अधिक कार्य हो जाता है। कई बार गुर्दे कार्य करने में असमर्थ हो जाते है। मन्दाग्नि समस्याओं के कारण दुर्गान्धित गैसों की उत्पति के साथ किण्वक और पूथकारी प्रक्रिया आरम्भ हो जाती है। स्वत: विसाक्तता आरम्भ हो सकती है। यदि भोज्य अम्ल में वसा और कार्बोहाइड्रेट बहुत अधिक हो तो मन्दाग्नि और ऊर्धावायु का संचय हो सकता है। वसा की अधिकता के कारण व्यक्ति में मोटापा विकसित हो सकता है।

वसा की अधिकता के कारण व्यक्ति में मोटापा विकसित हो सकता है। पकाने से भोजन को तथा स्वाद मिलता है और भोजन अधिक स्वादिष्ट और रूचिकर बन जाता है। निश्चित रोगहर कीटाणु जो भोजन को संक्रमित कर देते है, पकाने पर समाप्त हो सकते है। अनाज में उपस्थित स्टार्च कठोर सेलुलोस की मित्तियों से घिरा होता है जो मात्र पीसने से नहीं टूटती, यह मात्र उबालने के द्वारा सम्भव हैं। दाले, सोयाबीन, चने, बत्तख के अण्डे आदि में कुछ तत्व निहित होते है जो पाचन के दौरान ट्रिप्सिन की क्रिया को रोक देते है। उबालने से यह पदार्थ समाप्त हो जाता है।

पकाने की विभिन्न प्रक्रियाओं में भाप देने और भूनने की अपेक्षा उबालना कम विध्वंसक है। पकाने की धीमी प्रक्रिया (कम आंच पर देर तक पकाना) उबालने की अपेक्षा अधिक विध्वंसक है। तेज गति से पकाने

पर मात्र 15 विटामिन सी नष्ट हो सकता है। इसलिए यह आवश्यक है कि अपने दैनिक आहार में सलाद के रूप में कुछ कच्चे फलों और पत्तेदार सब्जियों को शामिल किया जाये। विटामिन डी उष्मा प्रतिरोधक है और आम तौर पर पकाने से इसे कोई हानि नहीं होती है। सब्जियों को पानी में उबालने, विशेष रूप से उबालने में नमक इस्तेमाल करने पर प्रोटीन, वसा और कार्बोहाइड्रेट समाप्त हो जाते हैं।

केन्दीय सब्जियों का छिलका अभेद होता है। इसलिए आमतौर पर छिलके सहित उबालने पर खनिजों का क्षय नहीं होता है। फिर भी यह सलाह दी जाती है कि इस्तेमाल करने से लम्बे समय पूर्व सब्जियों को छिल काट कर नहीं रखा जाये ताकि संदूषण और खनिजों के क्षय से बचा जा सके। धोने के आरम्भिक उपचार के दौरान भी, जो आमतौर पर गृहणियों का पकाने से पहले पहला काम होता है। 40 प्रतिशत तक खनिजों, थियामिन और निकोटीन अम्ल का क्षय हो जाता है। यदि पकाने में सोडे का इस्तेमाल होता है तो विटामिन बी 1 50 प्रतिशत तक समाप्त हो जाता है। पकाने के परिणामस्वरूप पानी में घुलनशील विटामिन अधिक समाप्त होते हैं, जबकि वसा में घुलनशील विटामिन 'ए' तलने के दौरान समाप्त हो जाता है। इसलिए विटामिनों की मात्रा को पूरी करने के लिए हम एक ही समय में दोनों तरह की सब्जियां तली हुई और रसेदार लेनी चाहिए। विटामिन 'सी' पानी में घुलनशील हैं और आसानी से ऑक्सीडाइज हो जाता है और पकाने में लम्बे समय में समाप्त हो जाता है। इसलिए मात्र खाने के दौरान तुरन्त ही दाल में नींबू का रस मिला लेना चाहिए।

सब्जियों को काटने के लिए लाहे के चाकू के इस्तेमाल और तलने के लिए लोहे के फ्राइन्ग पैन के इस्तेमाल से प्रकट हुआ है कि भोजन में लौह तत्व की मात्रा में वृद्धि हो जाती है।

एथलीटों के लिए पोषण

जबकि यह कहना सम्भवतया सत्य है कि किसी भी विशिष्ट भोजन से एक साधारण सम्पन्न एथलीट चैम्पियन के रूप में नहीं बदल सकेगा, यह कहना भी उतना ही निश्चित सत्य है कि क्षमता बढ़ाने के लिए क्रम में

ठीक भोजन समय सारिणी का अनुसरण करना बेहद आवश्यक है। एथलीट के प्रशिक्षण कार्यक्रम की आयोजना में पोषण का प्रश्न सदैव उत्पन्न होता है और इस मामले पर सकारात्मक और सुनिश्चित मार्गदर्शन की आवश्यकता है।

क्योंकि एथलीट सम्बन्धी क्षेत्र की भोजन सम्बन्धी प्रक्रिया में चिकित्सक, अध्यापक, कोच और पोषण विशेषज्ञ किसी भी हैसियत से शामिल हो सकते हैं, इसलिए एथलीट के प्रदर्शन पर भोजन के प्रभाव के बारे में हम क्या जानते हैं, इसका पुनरवालोकन उपयोगी सिद्ध हो सकता है।

ऐतिहासिक पृष्ठभूमि

भोजन और पोषण की महत्ता की खोज ईसा पूर्व पांचवी शताब्दी में की गयी थी। इस समयावधि में ग्रीक एथलीटों का भोजन मुख्य रूप से दलिया, मिल्क केक, अंजीर, थोड़ा ताजा चीज हुआ करता था और मांस मात्र कभी-कभी ही खाया जाता था। पर्शिया के युद्ध के थोड़े समय बाद ही इसमें परिवर्तन हुआ जब स्टाइमफेलस के एक ट्रेनर ड्रोमियस, जो ईसवी सन 456 में दोबार दौड़ जीत चुका था, ने भोजन में मांस प्रस्तुत किया। इस नये भोजन, जिसके प्रकटन के साथ ही ग्रीक खेलों में व्यावसायिकता का आर्विभाव भी हुआ, मुख्य रूप से, पहलवानों (Wrestlers) के लिए महत्व रखती थी। भार के द्वारा वर्गीकरण ज्ञात नहीं था, और अधिक भार के सुनिश्चित लाभ थे। एथलीटों की ट्रेनिंग में इस प्रकार की ज्यादतियों को हिप्पोक्रेटस ने शरीर की खतरनाक अवस्था कहते हुए समाप्त कर दिया।

ग्रीक और रोमन खिलाड़ियों के कोचों के और भी कई अनोखे पोषण सम्बन्धी विश्वास थे, उदाहरण के लिए एक व्यापक तौर पर प्रकाशित हुई पुस्तक एथलीटों के पोषण की कुछ अतिरिक्त विशेषताओं के लए शहद को श्रेय देती है। कार्बोहाइड्रेट लेने की एक आनन्दायक विधि शहद खाता है, परन्तु ऐसा कोई साक्ष्य नहीं है जो शारीरिक दृष्टिकोण से शहद को अन्य कार्बोहाइड्रेट युक्त खाद्य पदार्थों से स्वाभाविक रूप से श्रेष्ठ सिद्ध करते हो।

कैलोरी सम्बन्धी आवश्यकताएं

कैलोरी सम्बन्धी आवश्यकताओं की गणना करने के लिए व्यक्ति दर

व्यक्ति विभिन्ता शामिल खेल का प्रकार, कैलोरी सम्बन्धी आवश्यकताओं का प्रयोग और अनुकूलन क्रियाकलाप की समयावधि क्रियाकलाप की गहनता, शारीरिक गतिक्रिया की श्रेणी, पहने गये वस्त्र, वह वातावरण जिसमें क्रियाकलाप पूरे होते हैं, पर पर्याप्त मात्रा में विचार करने की आवश्यकता होती है। कैलोरी की कुल आवश्यकता 3,000 से 6,000 तक हो सकती है। उदा. के लिए वालीबाल खेलने के लिए औसतन 3.5 के. काल. प्रतिमिनट की आवश्यकता होती है।

त्वचा की तहों की मोटाई

शरीर के दो स्थान जो पूरे शरीर की वसा के उत्तम संकेतक के रूप में काम देते हैं, त्रिशिरस्क मसांपेशी पर त्वचा की तह और स्कंधास्थि के निम्न शीर्ष पर त्वचा की तह है। एक धरहरे व्यक्ति में सकन्धफकीप स्थल शरीर की कुल वसा के साथ उच्चतम सहसम्बन्ध प्रस्तुत करता है, जबकि अधिक मोटे व्यक्तियों में त्रिशिरस्क मांसपेशी बेहतर संकेतक प्रतीत होती है।

बुशरिक ने कॉलेज के एथलीट के मोटापे का अलग अलग शारीरिक स्थानों पर वर्गीकरण की योजना सुझाई है। त्रिशिरस्क त्वचा की तह पर 7 मी.मी. की श्रेणी को दुबला पतला माना जाता है, 7 मी.मी. से 13 मी.मी. तक स्वीकार्य और 13 मी.मी. से अधिक (ओवरड्राफ्ट) स्कन्धफलकीय त्वचा पर सम्बन्धित श्रेणी 8 मी.मी., 8 मी.मी. से 15 मी.मी. और 15 मी. मी. से अधिक हैं। बुशरिक चेतावनी देते हैं कि इन श्रेणियों को विभिन्न खेलों में एथलीटों की शारीरिक संरचना में विभिन्नता के आधार पर समायोजन की आवश्यकता पड़ सकती है। जैसे फुटबाल के खिलाड़ी की अपेक्षा धावक कम वसा वहन करेगा।

त्रिशिरस्क त्वचा की तह के 10 मी.मी. या इससे कम होने पर भार में कमी अपरहेजनीय हो जाता है। अधिकतर खेलों में शीर्ष प्रदर्शन की स्थिति में एक खिलाड़ी अपने कुल शारीरिक भार के 9 से अधिक वसा वहन नहीं करता है। यदि पोषणिक स्थिति का त्वचा की तह में आकलन समयावधि के आरम्भ में किया जाता है, तब ग्रहण की जाने वाली कैलोरी की प्लानिंग के लिए व्यवस्था हो सकती है। पू.एट.आल. ने 1951 में फ्रान्स – इन्गलैण्ड

चैनल रेस के 18 सफल प्रतिभागियों का अध्ययन किया। वह बताते हैं कि
उन में से कई प्रतिभागी मोटे थे और कई समग्रता में मोटे थे। पर्याप्त
अधस्तवचीय वसा के कारण हृदय का बढ़ा हुआ रोधन और घटी हुई दर
क्रासिंग के दौरान शारीरिक तापमान को बनाये रखने के लिए अनिवार्य
प्रतीत हुई। फिर भी, अधिकतर खेलों में आमतौर पर अत्यधिक वसा मानी
जाने वाली वसा को वहन करता स्पष्ट रूप से अनैच्छिक होता है।

भोजन

साक्ष्य प्रमाणित करते हैं कि एथलीट को एक दिन में कम से कम तीन
बार भोजन या कभी कभी अधिक हल्के फुल्के भोजन की आवश्यकता
होती है। दिन में कई बार हल्का फुल्का भोजन अधिक बहुमूल्य हो जाता
है, यदि भाग लिए जाने वाले खेल में, खिलाड़ी को उद्यम के लिए लम्बे
घण्टों की जरूरत होती है, जैसे क्रास कण्ट्री, लम्बी दूरी की दौड़ लम्बी
दूसरी की तैराकी आदि।

कम समयावधि की एथलेटिक्स प्रतियोगिताओं में भोजन के वर्गीकरण
के आम पैटर्न में प्रबल परिवर्तन की आवश्यकता नहीं होनी चाहिए।

कार्बोहाइड्रेट और वसा

यह प्रमाणित हो चुका है कि यद्यपि कार्बोहाइड्रेट वसा के द्वारा प्रदान की
जाने वाली कई कैलोरी की अपेक्षा आधे से भी कम कैलोरी उपलब्ध कराते
हैं, तथापि वसा के दहन की अपेक्षा कार्बोहाइड्रेट का दहल प्रति लीटर
ऑक्सीजन अधिक कैलोरी प्रदान करता है। कम से कम सैद्धान्तिक आधार
पर, कोई भी व्यक्ति उन व्यक्तियों के अतिरिक्त जो उन खेलों में शामिल
हैं, जिनमें ऊतकों को मुहैया ऑक्सीजन एक प्रतिबन्धकीय है, कार्बोहाइड्रेट
को मुख्य भोजन के रूप में इस्तेमाल कर लाभ प्राप्त कर सकता है। यह
भी देखा गया है कि उन खेलों में जहां सहनशक्ति की आवश्यकता अधिक
होती है, उच्च मात्रा में कार्बोहाइड्रेट युक्त आहार लेने से सुनिश्चित लाभ
होता है।

प्रोटीन

डार्लिंग ने तीन समूहों का दो महीनों के लिए अध्ययन किया, एक समूह

50–50 ग्राम गहण किये जाने वाले प्रोटीन पर सीमित थे, दूसरा समूह सामान्य आहार पर, और तीसरा समूह प्रतिदिन 160 ग्राम प्रोटीन की मात्रा पर। इन व्यक्तियों को कठोर शारीरिक श्रम में लगा दिया गया। कार्यक्षमता के सम्बन्ध में नहीं तो प्रोटीन की उच्च मात्रा और नहीं निम्न मात्रा हानिकारक या लाभदायक सिद्ध हुई।

विटामिन 'बी' समूह

कीस और हैन्स्केल ने विटामिन बी समूह और एस्कोर्बिक एसिड से संपूरित पर्याप्त आहार प्राप्त करने वाले पहले से प्रशिक्षित सेना के जवानों के एक समूह पर सुविस्तृत परीक्षण किये। सहनशक्ति पर थकान से प्रतिरोध या स्वास्थ्य पर कोई लाभदायक प्रभाव नहीं देखा गया। प्राप्त के आधार पर एथलीट के पोषण में विटामिन 'बी' समूह को मात्रा 1.5–2 मि.ग्रा. प्रतिदिन के आम स्तर के बढ़ जानी चाहिए। कठोर व्यायाम के बाद रक्त में थियामिन और पाइसविक प्रसिद्ध की मात्रा में वृद्धि हो गयी। भोजन में विटामिन बी 10 से 20 ग्राम प्रतिदिन के संपूणरक ने मध्यम व्यायामों में लगे श्रमिकों में पाये जाने वाली श्रेणी में रक्त में पाइसविक एसिड के स्तर को घटा दिया और प्रशिक्षण से पहले और बाद में प्रतिक्रिया के समय में सुधार कर दिया।

विटामिन 'सी'

विटामिन 'सी' के संपूरण में स्वास्थ्यदर में सुधार कर दिया, परन्तु व्यक्ति की कार्यक्षमा में वृद्धि नहीं की।

विटामिन 'ई' और व्हीतग्राम ऑयल

पर्सिवाल ने दावा किया कि लम्बे समय तक विटामिन ई से संपूरित भोजन खाने से विभिन्न ट्रैक और फील्ड प्रतियोगिताओं में नियमित प्रशिक्षण प्राप्त व्यक्तियों के समूह की कार्यक्षमता पर अनुकूल प्रभाव उत्पन्न किया। विटामिन ई समूह की केस स्टडीज से स्टाप टेस्ट के बाद त्वरित नाड़ी दर में स्वास्थ्य लाभ के अतिरिक्त सहनशक्ति में सुधार प्रकट हुआ।

नियासिन और नियासिन के साथ ग्लाइसिन के प्रभावों का परीक्षण किया गया। इन पदार्थों ने नहीं तो कार्यक्षमता में परिवर्तन किया और नहीं

प्रकुंचनीय रक्त दबाव को स्पष्ट रूप से प्रभावित किया। जानसन और ब्लैक ने प्रतियोगी क्रास कण्ट्री दौड़ के मौसम में समय सम्बन्धी कार्यक्षमता पर विभिन्न क्षारीय संपूरकों और ग्लुकोस के प्रभाव में कोई स्पष्ट विभिन्नता नहीं पायी। एम्बडेन के दावे कि फास्फेटीय सम्पाक ने कार्यनिष्पादन में वृद्धि कर दी, बाद में श्रमिकों के मात्र मानसिक प्रभावों के कारण है।

ऐसा कोई प्रमाण नहीं है कि पसीना बहाने के साथ अत्यधिक मात्रा में नमक खोने के कारण व्यायाम की आवश्यकता उत्पन्न करता है। इसलिए एथलीटों की नमक सम्बन्धी समस्या श्रमिकों की नमक सम्बन्धी समस्या से भिन्न नहीं है। जो गर्म जलवायु में काम करते हैं। नमक की कमी मात्र एक समयावधि में प्रकट होती है। जैसे जब गर्मी अत्यधिक होती है या अंचानक धूप में एक सप्ताह काम कराना स्वीकार करना।

प्रोटीन, वसीय और मसालेदार भोजन से परहेज

प्रतियोगिता के दौरान मूत्रीय या मल निष्कासन की आवश्यकता की समस्या गम्भीर हो सकती है या कुछ मात्रा तक असमर्थ कर सकती है। प्रोटीन कुछ निश्चित अम्लों के स्त्रोत हैं जो मात्र मूत्र निष्कासन से ही शरीर से बाहर निकल सकते हैं। भारी भरकम भोजन और उच्च मात्रा में सेलुलोस युक्त भोज्य पदार्थ और बीजों वाली सब्जियां जैसे टमाटर सर्वोत्तम है यदि प्रतियोगिता आरम्भ होने से 48 घण्टे पूर्व भोजन में से हटा दिये जाते हैं इस समय में अत्यधिक मसालेदार भोजन से परहेज किया जाना चाहिए।

चाय, कॉफी और एल्कोहल

ऐसा कोई प्रमाण नहीं है कि प्रशिक्षण सम्बन्धी भोजन में थोड़ी मात्रा में यह चीजें नुकसानदायक होती है। दूसरी ओर, प्रतियोगिता से ठीक पूर्व इनसे परहेज करने का एक खास कारण है। थोड़ी सी मात्रा में एल्कोहल लेने पर भी यह समन्वय पर थोड़ा प्रभाव डाल सकता है।

यद्यपि चाय और काफी उत्तेजन प्रदान करते हैं, परन्तु इनका 3 से 4 घण्टे बाद अवसायी प्रभाव हो सकता है, और इसलिए भोजन से पहले के व्यायाम के समय लेने पर प्रदर्शन में बाधा पड़ सकता है।

प्रतियोगिता के दौरान पोषण

प्रतियोगिता के लम्बे और थकाऊ समय के दौरान ग्लुकोस का पोषण खिलाड़ी के प्रदर्शन में सुधार लाता है। फिर भी अत्यधिक मात्रा में ग्लुकोस का पोषण, तरल पदार्थों को उनके पाचन और आमाशयिक आन्त्रिक पथ पर अवशोषण के लिए प्रेरित करता है और आगे जीव को निर्जलित कर देता है। खिलाड़ी को अत्यधिक मीठी हल्की-फुल्की चाय का थोड़ा पोषण दिया जा सकता है, जिसके साथ नींबू इस समस्या को उत्पन्न नहीं होने देता है।

संक्षेप में, यह कहा जा सकता है कि खर्चीले और प्रोटीन में समृद्ध भोजन से व्यक्ति को अतिरिक्त लाभ नहीं मिलता है। उच्च मात्रा में कोर्बोहाइड्रेट युक्त भोज्य पदार्थों के साथ हल्का फुल्का वसीय भोजन फिटनेस और क्रियाकलाप के लिए अनुकूल हो सकता है। जहां तक ग्रहण किये गये प्रोटीन का बेहतर प्रदर्शन से सम्बन्धित होने का सवाल है, यह तब दिखता है जब 10 प्रतिशत से अधिक और 1 कि.ग्रा. पर 1 ग्राम से अधिक प्रोटीन प्रतिदिन उपभोग किया जाता है।

विटामिनों के सम्बन्ध में निम्नलिखित बातें ध्यान में रखनी चाहिए:-

– विटामिन 'ए' – यह सिद्ध नहीं हुआ है कि विटामिन ए को उच्च मात्रा के कारण प्रदर्शन में वृद्धि होती है। यह पाया गया है कि उच्च तापमान को सहन करने में सुधार आ सकता है।

– भारीभरकम व्यायाम के दौरान विटामिन 'बी' 1 की आवश्यकता में वृद्धि हो जाती है।

– अंकुरण से विटामिन 'बी' 2 की मात्र में वृद्धि हो जाती है।

– पेलाग्रा शो खेतीहर श्रमिकों में अधिक देखा गया है, यह भोजन में नियामिन की उपयुक्त वृद्धि के बिना अधिक शारीरिक श्रम करने कारण हो सकता है।

– विश्व स्वास्थ्य संगठन अतिरिक्त शारीरिक क्रिया कलाप के लिए अतिरिक्त कैल्शियम की मात्रा की अनुशंसा नहीं करता है। बल्कि यह उन

बच्चों के लिए उपयोगी है जो कैल्शियम सम्पाक प्राप्त करने के लिए उपयुक्त मात्रा में दूध नहीं पीते है।

क्योकि अतिरिक्त कैल्शियम हृदय की मांसपेशियों और धमनियों में इकट्ठा हो जाता है जहां इसकी कम से कम आवश्यकता होती है। याद रखे, यह विटामिन डी का अभाव नहीं है जो हृदयरोगों में महत्व रखता है, परन्तु इसकी अत्यधिकता खतरनाक है।

एथलीटों के लिए उच्च मात्रा में कार्बोहाइड्रेट, निम्न मात्रा में वसा और तरल आहार

प्रत्येक कोच और ट्रेनर को एक एथलीट के लिए उत्तम भोजन और नींद, शारीरिक प्रशिक्षण और ट्रेनिंग के अतिरिक्त भावनात्मक तनाव से शारीरिक समायोजन का महत्व ज्ञात होता है। एक एथलीट के लिए उपयुक्त पोषण भी उतना ही जरूरी है। जितनी खेल के मैदान पर मिलने वाला व्यवहारिक प्रशिक्षण।

(स्पूस्टन की पुस्तक न्यूट्रीमेन्ट) में एथलीट के लिए उच्च मात्रा में कोर्बोहाइड्रेट, प्रोटीन और निम्न मात्रा में वसायुक्त तरल भोजन के इस्तेमाल का भली-भांति अध्ययन किया गया है।

हमें यूनिवर्सिटी के फुटबाल खिलाड़ियों के लिए खेलपूर्व के आम स्टीक (सूअर के मांस के टिक्के) के भोजन से बदल दिया गया है। खेलपूर्व के स्टीक के ठोस भोजन से तुलना किये जाने पर, मितली, वमन और पेशीय ऐंठन समाप्त हो गयी, मुख की शुष्कता कम थी, और तरल भोजन का अनुभव परिणामी भूख, अतिसार या भार में परिवर्तन के सम्बन्ध में ठोस भोजन के अनुभव से भिन्न नहीं था।

यह तथ्य भली भांति ज्ञात है कि क्रोध, भय, चिन्ता, चिढ़ की तीव्र भावनाओं के अतिरिक्त थकान, यह सभी तत्व लार के स्त्रात को रोकने, आमाशयिक रस के प्रवाह को शामित करने पर प्रभाव डालते हैं।

आमाशय के खाली होने में, आमतौर पर 4 घण्टे लगते हैं। परन्तु खेल पूर्व का तनाव होने पर इसमें 6 घण्टे भी लग सकते हैं।

स्यूस्टन (मोड़ जानसन क.) 66.5 ग्राम कोर्बोहाइड्रेट, 23.5 प्रोटीन और 3.5 वसा की विधमानता वाले 8.02 प्रति ग्लास 390 कैलोरी मुहैया करते हैं। न्यूट्रामेन्ट (मीड जानसन क.) दूध में जोड़ते हुए 50.3 ग्राम कोर्बोहाइड्रेट, 23.5 ग्राम प्रोटीन और 8.9 ग्राम वसा की विधमानता वाले 8.0.2 ग्लास में 375 कैलोरी मुहैया करते हैं। दोनों में 10 विटामिन, लौह, कैल्शियम, फॉस्फोरस के अतिरिक्त सोडियम और फोटाशियम है।

वसीय भोज्य पदार्थ आमाशय के खाली होने के अतिरिक्त पाचन में विलम्ब करते हैं, जबकि तरल और अर्धतरल भोज्य पदार्थों को बहुत थोड़े आमाशयिक पाचनकी आवश्यकता होती है और आसानी से अवशोषित हो जाते हैं।

रोज और फ्पनिंग के द्वारा एथलीटों के खेलपूर्व के पोषण के सम्बन्ध में आमाशयिक यान्त्रिक गतिशीलता के पक्षों का अध्ययन किया है। खेल पूर्व के स्टीक के ठोस भोजन के अन्तर्ग्रहण के साथ आमाशय के खाली होने के समय में विलम्ब हुआ यानी आमाशय में भोजन मौजूद था या वास्तविक खेल के दौरान आंते 4 से 6 घण्टे बाद खाली हुई। खेल पूर्व के तरह आहार के साथ आमाशय दो घण्टे में खाली हुआ और 4 घण्टों में पूरा पाचन और अवशोषण हो गया। यह अध्ययन आंतों और आमाशय का एक्स-रे करके किये गये। वास्तविक खेल के दौरान, यदि भोजन तब भी छोटी आंतों या आमाशय में उपस्थित रहता है। तब पाचन या पेशीय क्रियाकलाप या दोनों संकट में आ सकते हैं। स्टीक के खेल पूर्व और बाद में भोजन के अतिरिक्त तरल भोजन के साथ रक्त में शर्करा पर अध्ययन किया गया। दोनों समूहों में स्थायी रक्त शर्करा लगभग समान रही। तब भी उस समूह में जिन्होंने तरल आहार लिया था, रक्त शर्करा पहले, दूसरे और तीसरे घण्टे में स्पष्ट रूप से उच्च होती गयी उस समूह के परिमाण की तुलना में, जिन्होंने स्टीक खाया। उच्च मात्रा में कोर्बोहाइड्रेट, निम्न वसायुक्त तरल भोजन के अन्तर्ग्रहण के साथ ठोस आहार की तुलना में रक्त शर्करा में अधिक तीव्र गति से वृद्धि हुई और अधिक लम्बी समयावधि के लिए नियन्त्रण स्तर से ऊपर बनी रही।

सहनशक्ति और लम्बे समय के क्रियाकलाप वाले खेलों में यह स्पष्ट है कि व्यक्ति के उच्च वसायुक्त आहार की अपेक्षा उच्च कोर्बोहाइड्रेट युक्त आहार लेने पर प्रदर्शन बेहतर बना रहता है। इसे स्पष्ट किया जा सकता है कि उन प्रतियोगिताओं के कारण, जिनमें प्रदर्शन के दौरान, गहन व्यायम की लम्बी अवधि के दौरान सहनशक्ति की या स्ट्रेस का सामना करने की शरीर को आवश्यकता होती है। शरीर में संचित कोर्बोहाइड्रेट समाप्त हो जाता है और रक्त शर्करा स्तर के कम होने को सुस्पष्ट थकान के साथ जोड़ा जा सकता है। इसलिए इस प्रकार की प्रतियोगिता के आरम्भ में शरीर में संचित कोर्बोहाइड्रेट की मात्रा सहनशक्ति को प्रभावित कर सकती है।

तरल भोजन का उपयोग आदर्शन भार को बनाये रखने के लिए होता है। बास्केटबॉल के खिलाड़ी जिनका वजन औसत से अधिक था, ठोस भोजन के स्थान पर तरल भोजन लेने पर भार कम करने में सफल हो गये। वही औसत से कम भार वाले खिलाड़ी तरह आहार को संपूरक के रूप में इस्तेमाल कर भार बढ़ाने में सक्षम हो गये। वह खिलाड़ी जो सीजन के दौरान भार घटाना चाहते हैं तब अतिरिक्त तरल भोजन का इस्तेमाल इन खिलाड़ियों के भार को बनाये रख सकता है और इनकी फिटनेस को बनाये रखता है। नियन्त्रित तरल भोजन आहार पर चलने पर एक रेसलिंग टीम के सदस्य स्टीक बाथ निर्जलन या भूखा मारने वाली भोजन के भयानक प्रभावों के बिना उपयुक्त भार स्तर को प्राप्त करने में सफल हो गये। ट्रैक और फील्ड एथलीट जिन्हें भार और स्टेमिना को बनाये रखने में समस्या थी, तरल भोजन के साथ उत्तम परिणाम मिले।

4

पोषाहार योजना का विकास करने के लिए विचारनीय घटक

(Factor to Consider for Developing Nutrition Plan)

पोषण समस्त जीवन का आधार है। एक संतुलित पोषक आहार सभी जीवित प्राणियों को एक स्वस्थ जीवन जीने के लिये समर्थ बनाता है। बचपन में हम सभी लोगों ने सुना है कि जैसा हम खाते हैं वैसा हम सोचते हैं। जिस तरह हम दिखते हैं, क्रियाशील होते हैं, यहाँ तक कि जिस तरह हम जीते हैं, सभी हमारे द्वारा उपयोग किये भोजन के प्रकार और तरीक़े पर निर्भर करता है। अच्छा पोषण अच्छे स्वास्थ्य का लाभ देने के अतिरिक्त हमारे शरीर की उचित बढ़त को सुनिश्चित करता है। आम लोगों में उपयुक्त पोषक आहार के बारे में अनेक ग़लतफहमियां तथा भ्रांतियां हैं। अत: यहाँ पोषण के आहार की यथा संभव सरल व्याख्या की जा रही है।

ब्रहत्तर स्तर पर पोषण को आहार तथा शरीर द्वारा ऊर्जा उत्पन्न करने एवं शरीर के ऊतकों के निर्माण या मरम्मत में उसके इस्तेमाल के अध्ययन के रूप में परिभाषित किया जा सकता है। यह आहार का विज्ञान है और स्वास्थ्य से इसका संबंध मुख्यत: शरीर की बढ़त, विकास और रख रखाव में पोषक तत्त्वों की भूमिका से है। अच्छे पोषण का अर्थ एक पौषणिक स्तर को बराबर रखना है, ताकि शरीर उचित रूप से विकसित हो सके तथा स्वास्थ्य अच्छा बना रहे।

पोषण मूल रूप से स्वास्थ्य के साथ जुड़ा है। यदि एक व्यक्ति आवश्यक मात्रा में सही आहार लेता है, तो उसका स्वास्थ्य अच्छा बना रहता है बशर्ते अन्य कारक हस्तक्षेप न करें। दूसरी ओर, ग़लत तरीक़े से खाने से या बहुत कम अथवा बहुत ज़्यादा खाना खाने का परिणाम ख़राब

स्वास्थ्य होगा। फिर भी, इस बात पर ध्यान देना जरूरी है कि अच्छे स्वास्थ्य को सुनिश्चित करने में आहार एक निर्णायक कारक है, किंतु एकमात्र कारक नहीं है। कुपोषण स्वास्थ्य की क्षति है जो पोषकों की कमी, अधिकता या असंतुलन का परिणाम है। दूसरे शब्दों में, कुपोषण का तात्पर्य पोषकों की कमी तथा पोषकों की अधिकता दोनों ही है। अल्प पोषण का अर्थ एक या एक से अधिक पोषकों की कमी या अभाव है, अति पोषण का अर्थ एक या एक से अधिक पोषकों की अधिकता है। अल्प पोषण तथा अति पोषण दोनों का ही परिणाम अस्वास्थ्य है।

पोषकों की संकल्पना तथा वर्गीकरण

पोषक आहार के आवश्यक अंग है जो शरीर और स्वास्थ्य के समुचित विकास के लिये जरूरी हैं। पोषकों की तीन अहम् भूमिकायें हैं - शरीर में ऊर्जा की आपूर्ति, शरीर के ऊतकों के विकास और मरम्मत को प्रोत्साहित करना, तथा शरीर की प्रक्रियाओं को नियमित करना। लगभग 40 अनिवार्य पोषक हैं जो अपनी रासायनिक संरचना तथा गुणवत्ता के आधार पर पाँच श्रेणियों में विभाजित हैं। ये हैं - कार्बोहाइड्रेट, चर्बी या वसा, प्रोटीन, विटामिन तथा खनिज।

व्यापक स्तर पर पोषकों को दो समूहों में विभाजित किया जा सकता है- ब्रहत्त-पोषक तथा लघु-पोषक। ब्रहत्त पोषकों में कार्बोहाइड्रेट्स, वसा तथा प्रोटीन की गिनती की जाती है। ये शरीर के ऊतकों का निर्माण करते हैं, उनका रखरखाव करते हैं तथा दैनिक गतिविधियों के लिये शरीर को ऊर्जा प्रदान करते हैं। लघु-पोषकों में आहार के अन्य पदार्थ आते हैं जैसे विटामिन और खनिज। ये कोशिकाओं के कार्यो का नियमन करते हैं। पानी की स्थिति अनूठी है। एक आहार होने के साथ साथ यह एक ब्रहत्त पोषक भी है।

पोषाहार योजना

इसे एक ऐसी कला माना गया है जिसमें परिवार के समस्त सदस्यों की आवश्यकताएँ पूर्ण होती है। आहार आयोजन कला तथा विज्ञान दोनों है। इसको विज्ञान इसलिए माना जाता है कि परिवार के पौष्टिक आवश्यकताओं

को ध्यान में रखकर खाद्य पदार्थों का चयन किया जाता है। आहार आयोजन एक कला भी है। कला के अन्तर्गत कलात्मक ढंग से रंग, स्वाद, सुगन्ध और बनावट के आधार पर आहार को तैयार किया जाता है।

आहार आयोजन की महत्त्ता

आहार आयोजन करना गृहिणी के लिए महत्त्वपूर्ण है, क्योंकि आहार आयोजन के द्वारा गृहिणी निम्नलिखित लक्ष्य प्राप्त कर सकती है–

1. पोषक आहार की प्राप्ति–उचित आहार आयोजन से परिवार के प्रत्येक सदस्य की पोषक आवश्यकताओं को पूरा किया जा सकता है। अन्यथा दिया गया आहार परिवार के किसी सदस्य के लिए सन्तुलित होगा और किसी के लिए नहीं हो सकता है वह आहार किशोरों के लिए ठीक हो और वृद्धों को उसके पाचन में कठिनाई आएं। अतः एक उचित आहार आयोजन में घर के प्रत्येक आयु-वर्ग के सदस्यों की पोषक आवश्यकताओं को ध्यान रखा जाता है।

2. आकर्षक एवं स्वादिष्ट आहार–भोजन को आकर्षक तथा स्वादिष्ट बनाया जा सकता है। भोजन के स्वाद, रंग-रूप तथा खाना पकाने की विधियों में विभिन्नता लाने से सभी सदस्य खाना अधिक शौक से खाते हैं तथा भोजन में एकरसता नहीं आती।

3. बचे हुए भोजन का पुनः उपयोग–आहार आयोजन द्वारा बचे हुए खाद्य पदार्थों का उचित उपयोग किया जा सकता है। जैसे-रात की बची हुई दाल के सुबह नाश्ते में परांठे बनाए जा सकते हैं अथवा बची हुई सूखी सब्जी की पैटी बनाई जा सकती है।

4. समय तथा धन की बचत–आहार आयोजन करके गृहिणी अपने समय, धन एवं शक्ति की बचत कर सकती है।

5. ईंधन की बचत–आहार आयोजन द्वारा ईंधन की बचत की जा सकती है। जैसे–यदि सुबह उबले आलुओं की आवश्यकता हो और रात में उबली अरबी की तो दोनों खाद्यों को सुबह एक बार में उबाला जा सकता

है। इससे ईंधन की बचत होगी।

6. आहार में विभिन्नता—आहार आयोजन द्वारा भोजन में विभिन्नता लाई जा सकती है। एक सप्ताह के लिए आहार आयोजन करते समय गृहिणी प्रतिदिन अलग-अलग खाद्यों की योजना बना कर भोजन में विभिन्नता ला सकती है।

7. खाद्य बजट पर नियंत्रण—आहार आयोजन द्वारा खाद्य बजट पर नियन्त्रण रखा जा सकता है। पूरे सप्ताह का आहार आयोजन करते समय गृहिणी यह ध्यान रख सकती है कि यदि एक दिन भोजन में महँगे खाद्यों, जैसे-पनीर, सूखे मेवे इत्यादि का आयोजन किया गया है तो बाकी दिन कम कीमत के मौसमी फल और सब्जियों का प्रयोग किया जा सकता है। इस प्रकार एक सप्ताह का कुल खर्च बजट के अनुरूप बनाया जा सकता है।

8. पूरा दिन एक इकाई के रूप में—क्योंकि आहार तालिका पूरे दिन को एक इकाई के रूप में मानकर बनाई जाती है तो ऐसा नहीं होता कि एक समय के आहार में आवश्यकता से बहुत अधिक खा लिया जाएं तथा दूसरे आहार के समय कुछ खाने की भूख ही न रहे। पौष्टिकता की दृष्टि से यदि एक आहार पूर्ण नहीं है तो दूसरे आहार में उसकी कमियों को पूरा कर दिया जाता है। जिससे पूरे दिन का आहार संतुलित हो जाता है।

9. व्यक्तिगत रुचियों का ध्यान—आहार आयोजन करते समय परिवार के सदस्यों की व्यक्तिगत रुचि के खाद्य पदार्थों को किसी-न-किसी आहार से शामिल किया जा सकता है। रुचिकर भोजन व्यक्ति चाव से, प्रसन्न होकर नहीं खाता चाहे वह कितना ही पौष्टिक क्यों न हो।

आहार आयोजन के सिद्धान्त

एक परिवार के विभिन्न सदस्यों की पौष्टिक आवश्यकताएँ सदैव एक समान नहीं होती है। बच्चे बड़ों से कम भोजन खाते हैं। दादाजी शायद मधुमेह के कारण मीठा न खाते हों। क्या आपने किसी मजदूर को भोजन करते हुए देखा है? वह आपके पिताजी से कहीं अधिक खाता है। अतः आहार आयोजन बहुत-ही सोच विचार कर किया जाता है ताकि सभी

परिवारजनों को उचित पोषण मिल सकें–

परिवार के अनुकूल भोजन–किन्हीं दो परिवारों की पौष्टिक आवश्यकताएँ एक समान नहीं होतीं, जिसका कारण है परिवार के सदस्यों की संख्या, आयु तथा भोजन सम्बन्धी रुचियों में भिन्नता। इसके अतिरिक्त परिवार में एक दिन में खाए जाने वाले आहारों की संख्या भिन्न होती है। अगर मुख्य आहार दो बार लिए जाते हैं तो उन्हीं दो आहारों में ही अधिकतर पौष्टिक आवश्यकताओं की पूर्ति होनी चाहिए। तीन बार लिए जाने वाले आहारों में प्रत्येक भोजन की मात्रा कुछ कम की जा सकती है।

भोजन परिवार के विभिन्न सदस्यों की आवश्यकता के अनुरूप होना चाहिए। इसका अर्थ यह नहीं कि प्रत्येक सदस्य के लिए अलग खाना पकाया जाए। उसी आहार में थोड़ा परिवर्तन करके उसे सभी की आवश्यकताओं के अनुरूप बनाया जा सकता है। उदाहरण के लिए दाल का पानी निकाल कर सूप के लिए इस्तेमाल किया जा सकता है। दाल में नमक की कम मात्रा डालकर उच्च रक्त चाप के रोगी को दी जा सकती हे। बिना छौंक की दाल रोगी व्यक्ति को दी जा सकती है। अन्य सदस्य छौंक लगी दाल प्रयोग में ला सकते हैं।

आहार आयोजन के कुछ प्रमुख सिद्धांत इस प्रकार हैं–

1. मनोवैज्ञानिकता तथा पोषण–पोषण व मनुष्य की मनौवैज्ञानिक स्थिति से सीधा सम्बन्ध है। उत्तम पोषण न होने पर व्यक्ति अपनी मानसिक एकाग्रता और मानसिक सन्तुलन खो बैठता है। कुपोषित व्यक्ति शारीरिक विषमताओं के कारण भी अपने विषय में प्रायः अधिक सजग रहते हैं। उदाहरणार्थ, एक मोटा व्यक्ति अथवा एक बहुत दुबला व्याक्ति सामाजिक तिरस्कार की भावना से ग्रस्त रहता है। उसमें अकेलेपन की भावना हावी रहती है, जिसके कारण ऐसे लोगो में असहयोग, चिड़चिड़ापन, अधीरता आदि लक्षण देखने को मिलते हैं। बच्चों पर किए गए विभिन्न सर्वेक्षणों में कुपोषित बच्चों में विचारों की अस्थिरता, एकाग्रचित्तता की कमी और अधीरता पाई गई हैं। ऐसे बच्चों के भोजन में आवश्यक परिवर्तन करके

उनके व्यवहार में पर्याप्त सुधार देखा गया। उत्तम पोषण से व्यक्ति आत्मविश्वासी, सजग और सुरक्षित महसूस करता है। वह विभिन्न लोगों और विभिन्न परिस्थितियों के साथ सामंजस्य स्थापित करने में स्वयं को सक्षम पाता है, जैसे–गुस्सा न आना, अधिक उत्तेजित न होना, प्रसन्न रहना आदि।

2. पौष्टिक आवश्यकताएँ–अच्छे स्वास्थ्य के लिए उचित पोषण की आवश्यकता पड़ती है। छोटे बच्चों के शारीरिक विकास के लिए प्रोटीन की सबसे अधिक आवश्यकता होती है। अतः उन्हें ज्यादा मात्रा में प्रोटीन वाले आहार देने चाहिए, जैसे-दूध, अंडा सोयाबीन आदि। गर्भवती महिलाओं तथा स्तनपान कराने वाली माताओं की प्रोटीन आवश्यकताएँ भी अधिक होती हैं। ऑपरेशन के बाद जल्दी स्वस्थ होने के लिए व्यक्ति को अधिक प्रोटीन की आवश्यकता होती है। किशोर व किशोरियों की कैलोरी आवश्यकता बहुत अधिक होती है। खिलाड़ियों व मजदूरों को कठिन परिश्रम करना पड़ता है, इसलिए उन्हें अधिक ऊर्जा देने वाले भोजन की आवश्यकता होती है। क्या आपको अपनी दैनिक पौष्टिक आवश्यकताओं की मात्रा याद है, यह मात्रा तब कार्यान्वित होती है जब आप पूर्ण रूप से स्वस्थ हों। अगर आप ज्वर या अतिसार से पीड़ित हों तब पौष्टिक आवश्यकताएँ भी बदल जाती हैं।

3. पोषण एवं मानसिक शक्ति–उत्तम पोषण, उत्तम मानसिक क्रियाशीलता बनाए रखने में सहायक होता है। हमारी स्नायु स्थिरता, बुद्धि, स्मरण शक्ति, ग्रहण शक्ति वाक् शक्ति, आदि मुख्य रूप से पोषक तत्वों पर निर्भर करती है। कुपोषित बच्चों में इन सभी मानसिक क्षमताओं की कमी पाई जाती है। अनेक प्रयोगों से यह सिद्ध हुआ है कि छोटे बच्चों की स्कूल में मानसिक उपलब्धियाँ पोषण द्वारा प्रभावित होती हैं। जिन बच्चों को पोषक भोजन मिलता है, वे उन्नत उपलब्धियाँ प्राप्त कर पाते हैं। गर्भावस्था में कुपोषित माताओं द्वारा उत्पन्न बच्चों की मानसिक क्षमता सामान्य बच्चों की अपेक्षा कम होती है। स्तनपान छुड़ाने के पश्चात् यदि बच्चों को पर्याप्त पोषण नहीं मिल पाता तो उनके मस्तिष्क के तन्तुओं की

गुणन क्रिया में कमी हो जाती है जिससे मानसिक क्षमताओं में वृद्धि नहीं हो पाती।

5. आहार को सुंदरता से परोसना—उचित रूप से आयोजित आहार देखने में भी अच्छा लगना चाहिए। सुंदरता से परोसा गया आहार भूख को बढ़ाता है। ठीक ही कहा गया है कि "व्यक्ति भोजन को पहले आँखों से खाता है"। दूसरी तरफ यदि भोजन अनमने ढंग से परोसा गया हो तो आपकी क्या प्रतिक्रिया होगी? सार्वजनिक स्थानों पर बिकने वाले भोजन में सजाने व परोसने पर अधिक जोर दिया जाता है जिसके कारण अधिक ग्राहक आते हैं। एक बुद्धिमान माँ व गृहिणी सुसज्जित भोजन परोसने का पूरा प्रयत्न करती हैं। उसके प्रयत्नों से परिवार के प्रत्येक सदस्य का स्वास्थ्य ठीक बना रहता है।

6. आहार में नयापन लाना—किसी को भी एक ही प्रकार का भोजन प्रतिदिन अच्छा नहीं लगता। उससे मन ऊब जाता है चाहे वह कितना ही मनपसन्द और पौष्टिक क्यों न हों आहार में विभिन्नता अवश्य लानी चाहिए ताकि सभी सदस्य उसे चाव से खाएँ। भोजन में नवीनता खाद्य पदार्थों का विभिन्न भोज्य समूहों में से चुनाव करके भिन्न-भिन्न रंगों, बनावट व सुगन्ध के खाद्य पदार्थों के उचित चुनाव व मिश्रण से तथा भिन्न-भिन्न पाक विधियों के प्रयोग से लाई जा सकती है। आहार में नवीनता लाने के निम्नलिखित कारण हैं—

(i) विभिन्न खाद्य—वर्गों से भोज्य पदार्थों का चयन—खाद्य-वर्ग से अभिप्राय एक समान पोषक तत्व वाले खाद्य पदार्थों के समूह से हैं। एक ही खाद्य वर्ग के लिए गए पदार्थ न ही रुचिकर होते हैं और न ही सन्तुलित। जैसे—सुबह के नाश्ते में कोई व्यक्ति दूध, पनीर का सैंडविच और दूध की पुडिंग ले। इसके विपरीत, यदि वह व्यक्ति विभिन्न समूहों में से चुनाव करके दूध से साथ सब्जियों का सैंडविच और कोई फल लेता है तो भोजन में विभिन्नता आने से उसका स्वाद और पौष्टिकता दोनों बढ़ जाएंगे।

(ii) बनावट में नवीनता—बनावट से तात्पर्य है भोजन का नरम,

ठोस, कुरकुरा या तरल होना। यदि आहार में सभी खाद्य पदार्थ एक से होंगे तो मजा नहीं आएगा। भोजन में कुछ भोज्य पदार्थ ठोस या सख्त होने चाहिएँ जिन्हें कच्चा चबाया जा सके, जैसे-सलाद और फल, कुछ भोज्य पदार्थ कुरकुरे होने चाहिएँ, जैसे-पापड़, चिप्स आदि। कुछ आहार नरम होने चाहिएँ, जैसे-कस्टर्ड, पुडिंग, दाल आदि।

(iii) स्वाद और सुगन्ध में नयापन–अगर खाना स्वादिष्ट हो और यदि उसकी सुगन्ध मुँह में लार द्धरसत्रृ को अधिक् ावित करने लगी है, तो खाने का मजा ही और होगा। खाने का स्वाद भोजन में नवीनता ला देता हैं। यदि भोजन के सभी व्यंजन अधिक तीखे स्वाद वाले होंगे तो भोजन के स्वाद का पता नहीं चलेगा। इसके विपरीत सब फीका-फीका हो तो भी खाना स्वादिष्ट नहीं लगता। अच्छे आहार आयोजन के लिए विभिन्न सुगन्धों का उचित सम्मिश्रण भी होना चाहिए। भिन्न खाद्य पदार्थों को एक साथ प्रयोग करने पर एक खाद्य पदार्थ की सुगन्ध दूसरे की सुगन्ध में वृ**(i)** करती है। जैसे-ब्रेड और मक्खन, पकौड़े के साथ पुदीने की चटनी, इडली के साथ नारियल की चटनी आदि।

(iv) रंग योजना में नयापन–आकर्षक रंगों का सम्मिश्रण आहार को रोचक और आकर्षक बना देता है। इसके विपरीत, यदि सभी खाद्य, वस्तुएँ एक-ही रंग की हों तो भोजन नीरस लगता है। उदाहरण के लिए यदि आहार में उड़द की घुली दाल, सादा दही, सादा चावल, प्याज और मूली का सलाद हो तो आहार पौष्टिक होते हुए भी आकर्षक नहीं लगेगा। इसके विपरीत, आहार में यदि साबुत उड़द, दम आलू, हरे धनिये से सजे प्याज, टमाटर, गाजर और मूली की सलाद, दही का रायता पुदीने की चटनी और पुलाव सम्मिलित हों तो वह आकर्षक लगेगा क्योंकि इसमें रंगों का सुन्दर सम्मिश्रण है। ऐसा आहार भूख को बढ़ा देता है।

(v) विभिन्न पाक विधियों में परिवर्तन लाकर–भोजन पकाने की विधियों में परिवर्तन लाकर खाद्य पदार्थों की बनावट, स्वाद और सुगन्ध में परिवर्तन लाया जा सकता है। पारम्परिक पाक विधियों, जैसे-तलना, उबालना, भूनना, सेकना, आदि के अतिरिक्त खमीरीकरण और अंकुरण के प्रयोग से

भोजन में नवीनता लाई जा सकती है। आलू की हमेशा सादी सब्जी न बनाकर आलू का रायता, कोफ्ते, कट्लेट्स, हलवा आदि बनाकर नवीनता लाई जा सकती है।

7. परिवार के बजट के अनुरूप आहार का आयोजन—भोज्य पदार्थ महँगे होते हैं, अत: सभी परिवारजनों को संतुलित आहार देने के लिए आमदनी का काफी बड़ा हिस्सा उसमें खर्च हो जाता है। नींबू, संतरा आदि विटामिन 'सी' के महँगे स्रोत हैं। आँवला, अमरूद व सलाद से कम कीमत पर आप विटामिन-सी आसानी से प्राप्त कर सकते हैं। विभिन्न खाद्यान्नों की उचित जानकारी से आप सस्ते, परंतु पौष्टिक आहार सरलता से प्राप्त कर सकते हैं। मौसमी आहार बेमौसमी व सुविधाजनक आहारों से सस्ते होते हैं। मौसमी खाद्य पदार्थ न केवल स्वादिष्ट होते हैं बल्कि कम कीमत के भी होते हैं और दूसरे खाद्य पदार्थों से पौष्टिकता में भी उत्तम होते हैं। दूध, मांस तथा मांस से बनने वाले आहार से प्रथम वर्ग की प्रोटीन मिलती है और ये सभी बहुत महँगे होते हैं। बुद्धिमान गृहिणी इन सबके लिए अन्य विकल्प प्रयोग करके अपने बजट की सीमा में रह सकती है। सोयाबीन के बने आहार मांस व चिकन की जगह दिए जा सकते हैं तथा खर्च कम किया जा सकता है। हरी सब्जियों से लौह-तत्त्व प्राप्त होते हैं। आमतौर पर देखा गया है कि लोग मूली खा लेते हैं किंतु उसके हरे पत्ते फेंक देते हैं। यदि मूली के पत्तों को भी पकाकर खाया जाएं तो बिना अधिक धन खर्च किए लौह तत्त्व आसानी से प्राप्त किया जा सकता है।

8. समय, शक्ति व धन की बचत करना—आहार आयोजन से समय, शक्ति व धन की बचत निम्न प्रकार से की जा सकती है–

1. खाद्य पदार्थ खरीदते समय दो-तीन दुकानों के भावों की तुलना करके अथवा थोक की दुकानों से खरीदने पर मूल्य कम देना पड़ता है। अंतिम क्षणों में भागकर खरीदारी करने पर सामान मंहगा भी मिलता है।

2. एक बार निर्णय ले लेने के बाद पूरे दिन में या सप्ताह में कब क्या बनाना है, इसके लिए आवश्यक पदार्थों की सूची तैयार करके सारी

सामग्री एक ही बार बाजार से लाई जा सकती है। जिससे बार-बार बाजार जाने का किराया, श्रम और समय नहीं लगाना पड़ता।

3. समय व श्रम बचत उपयोगी उपकरणों का उपयोग करना।

4. रसोईघर सुव्यवस्थित हो ताकि काम करते समय थकावट न हो। वस्तुएं, क्रम से लगी हों और काम करने के स्थान के पास हों।

5. किसी भी खाद्य पदार्थ का बड़ा पैक सस्ता होता है, परंतु बड़ा पैक तब ही खरीदना चाहिए जब उसे सुरक्षित रखने का प्रबंध हो।

6. उस समय खरीदारी करें जब बाजार में भीड़ कम हो।

9. बची हुई खाद्य सामग्री का उपयोग—बची हुई खाद्य सामग्री को मिलाकर नए व्यंजन बनाए जा सकते हैं। इस प्रकार से खाने की एकरसता को मिटाया जा सकता है तथा खाद्यान्न का सदुपयोग किया जा सकता है। अगर आपके पास बची हुई दाल हो तो आप उसके क्या व्यंजन बना सकते हैं? दाल को आटे में गूँथकर हरा धनिया, हरी मिर्च, बारीक कटा प्याज मिलाकर परांठे बनाए जा सकते हैं। बचे हुए चावलों की खीर व नींबू चावल बनाए जा सकते हैं। अतः आहार का सुआयोजन से बंची-खुची सामग्री को भी उपयोग में लाया जा सकता है तथा बचत हो सकती है।

10. तृप्तिदायकता—तुप्तिदायक आहार से तात्पर्य ऐसे आहार से है जिसके खाने से सन्तोष और तृप्ति का एहसास हो, भूख की संतुष्टि हो और उसके खाने के बाद दूसरे आहार के समय तक भूख न लगे। वसा तथा प्रोटीन युक्त पदार्थों में तृप्ति का गुण कार्बोज की अपेक्षा अधिक होता है। इसी कारण वसा और प्रोटीनयुक्त खाना खाने के बाद काफी समय तक भूख नहीं लगती। आयोजन करते समय दो आहारों के अन्तर को देखते हुए उन खाद्य पदार्थों को शामिल करना चाहिए जिससे व्यक्ति को अगले आहार से पहले भूख न लगे। उदाहरण के लिए रात के भोजन और नाश्ते में अधिक समय का अन्तर होने के कारण नाश्ता यदि प्रोटीन और वसा युक्त होगा तो अधिक तृप्तिदायक होगा।

आहार नियोजन पर प्रभाव डालने वाले तत्व

एक परिवार के सभी सदस्यों को उनकी पसंद का भोजन देना आसान कार्य नहीं है आहार नियोजन के सभी सिद्धान्तों से परिचित होने पर भी गृहिणी परिवार के सदस्यों के अनुसार खाद्य पदार्थों का चयन नहीं कर पाती। इसका कारण है कि बहुत-से कारक आहार नियोजन को प्रभावित करते हैं। जिसका वर्णन निम्न प्रकार है–

(क) शारीरिक कारक–आयु, कद, वजन व मौसम के अनुसार प्रत्येक व्यक्ति की शारीरिक आवश्यकता बदलती है।

1. लिंग–महिलाओं व पुरुषों की आहार आवश्यकताएँ भिन्न-भिन्न होती हैं। पुरुष व लड़के, महिलाओं व लड़कियों से अधिक खाते हैं। यह भिन्नता पुरुषों/लड़कों में उपापचय की दर अधिक होने के कारण होती है। स्त्रियों के शरीर में वसा की मात्रा अधिक होती है व उपापचय के तंतु पुरुषों के शरीर में मुख्य रूप से पाए जाने वाली मांसपेशियों से कम क्रियाशील उपापचयी ऊतक हैं।

2. आयु–आहार की संरचना, गाढ़ापन व मात्रा पर आयु का बहुत प्रभाव पड़ता है। शिशु का आहार क्या होता है? वे केवल माता के दूध या अन्य दूध पर आश्रित रहते हैं। जैसे-जैसे वे बड़े होते हैं उनका आहार थोड़ा गाढ़ा-जैसे सूजी की खीर, कस्टर्ड व खिचड़ी हो जाता है। इस प्रकार आयु के साथ बढ़ते बच्चों का आहार भी भिन्न होता जाता है। आहार की पौष्टिकता व मात्रा भी विकास तथा क्रियाशीलता के अनुरूप होती हैं किशोरों का आहार नर्सरी वाले बच्चों व स्कूली बच्चों से अधिक होता है।

3. व्यवसाय व क्रियाशीलता–ये दोनों कारक भोजन को बहुत प्रभावित करते हैं। प्रत्येक व्यक्ति की आहार आवश्यकताएँ भी भिन्न होती हैं। मजदूरों को दफ्तर के कर्मचारियों से अधिक कैलोरी की आवश्यकता होती है।

बड़े आकार वाले व्यक्तियों को मध्यम व छोटे आकार वाले व्यक्तियों से अधिक कैलोरी की आवश्यकता होती है। भौतिक कारक भी आयोजित

आहार को प्रभावित करते हैं। उदाहरण के लिए ज्वर से पीड़ित व्यक्ति को अधिक कैलोरी वाला आहार चाहिए, जबकि मधुमेह से पीड़ित व्यक्ति के आहार में कार्बोहाइड्रेट की मात्रा कम होनी चाहिए।

(ख) व्यक्तिगत कारक–व्यक्तिगत रुचि व अरुचि भी भोजन पर बहुत प्रभाव डालती है। मान लीजिए आपको हरे पत्ते वाली सब्जियाँ नहीं भाती। और आपको गरमागरम पालक का सूप पीने को दिया जाएं तो क्या आप उसे पीएँगे? शायद नहीं। लेकिन आपको ज्ञात है कि हरी सब्जियाँ आपके लिए बहुत आवश्यक हैं, अतः आप उन्हें पकौड़े या पौष्टिक परांठे के रूप में खाना पसंद करेंगे। आपका पेट भरा है, किंतु आपका मनपसंद भोजन मेज पर रखा है। क्योंकि आपको वह रुचिकर है, अतः आपको उसे खाने की तीव्र इच्छा होगी। इससे पता चलता है कि व्यक्ति की रुचि व अरुचि का भोजन पर बहुत प्रभाव पड़ता है। परिवार की भोजन की आदतें भी खाने पर प्रभाव डालती हैं। उदाहरण के लिए, कई परिवारों में तला हुआ भोजन खाते हैं व शारीरिक श्रम कम करते हैं। इन दो बातों से व्यक्ति की सेहत व स्वास्थ्य पर बहुत प्रभाव पड़ता है।

(ग) आर्थिक कारक–परिवार के प्रत्येक सदस्य के लिए भोजन की मात्रा व प्रकार का चुनाव परिवार की आय पर निर्भर करता है। आय जितनी कम होती जाएगी भोजन पर प्रतिशत खर्च उतना ही बढ़ता जाएगा और आहार नियोजन पर उतना ही अधिक ध्यान देने की आवश्यकता होगी। आय के आधार पर समाज को तीन वर्गों में बाँटा जा सकता है-निम्न, मध्यम और उच्च आय वर्ग।

जैसे-जैसे आय बढ़ती है वैसे-वैसे व्यक्ति खाद्य पदार्थों-चाहे वह मौसम के हों या बिना मौसम के, स्थानीय हों या अन्य प्रान्तों के, अपनी पसन्द के खाद्य पदार्थों क चयन कर सकते हैं, परन्तु निम्न आय वर्ग वाले व्यक्ति अपने भोजन में अधिक महँगे खाद्य पदार्थ सम्मिलित नहीं कर सकते, जैसे-दूध, माँस, फल आदि। इसलिए उनको ऐसे उपाय अपनाने आवश्यक हैं जिनसे कम कीमत में पौष्टिक आहार की प्राप्ति हो सके। कुछ उपाय निम्नलिखित हैं–

1. पौष्टिकता बढ़ाने के लिए खाद्य सम्मिश्रण, अंकुरण, खमीरीकरण जैसी विधियों का प्रयोग किया जा सकता है।
2. सस्ते गिरीदार फल, जैसे-मूँगफली का प्रयोग किया जा सकता है।
3. सस्ते खाद्य पदार्थ, जैसे-अनाजों का अधिक प्रयोग करें। चावल व गेहूँ के स्थान पर सस्ते अनाज। जैसे-रागी, ज्वार, बाजरा आदि का प्रयोग करें।
4. मौसमी तथा स्थानीय रूप से उपलब्ध फलों व सब्जियों का प्रयोग किया जा सकता है।
5. चीनी के स्थान पर गुड़ का प्रयोग करें।
6. खाना पकाने की ऐसी विधियों का प्रयोग करें जिनसे पौष्टिक तत्वों की हानि न हो। जैसे-प्रेशर कुकर में खाना पकाना।

(घ) आहार की उचित मात्रा–आहार के आयोजन में इस बात का विशेष ध्यान रखना चाहिए कि सभी पौष्टिक तत्त्व उचित मात्रा में उपलब्ध हों तथा परिवार के सभी सदस्यों को मिलें।

बढ़ते बच्चों व जिनका ऑपरेशन हुआ हो उन्हें प्रोटीन की मात्रा अधिक देनी चाहिए, जिससे उनका विकास व ऊतकों की मरम्मत व देखभाल अच्छी तरह से हो सके। कार्बोहाइड्रेट्स से उचित मात्रा में कैलोरी मिलनी चाहिए, जिससे प्रोटीन अपने कार्य (वृद्धि एवं ऊतकों की आहार मरम्मत) के लिए मुक्त रहे। पर्याप्त मात्रा में वसा युक्त आहार से घुलनशील वसा व विटामिन्स की कमी भी पूरी हो जाती है।

विविध पौष्टिक तत्त्वों से मिलने वाली कैलोरी की मात्रा अनुमानत: यह होनी चाहिए–

प्रोटीन	10%
वसा	30%
कार्बोहाइड्रेट्स	60%

उचित मात्रा में पानी व तरल पदार्थ भी भोजन का हिस्सा होना चाहिए। इससे शरीर के अवांछित ठोस व द्रव्य चयापचय क्रिया द्वारा शरीर से बाहर आ जाते हैं।

(ङ) परिवार की संरचना–परिवार का आकार व रचना का वर्णन निम्नलिखित पंक्तियों में किया गया है।

1. परिवार का आकार–परिवार के आकार से तात्पर्य परिवार के सदस्यों की संख्या से हैं। आहार की मात्रा काफी हद तक सदस्यों की संख्या द्वारा प्रभावित होती है। यदि सदस्य अधिक हैं तो खाना अधिक मात्रा में बनेगा परिवार एकाकी है या संयुक्त उसी से ध्यान में रखकर आहार का आयोजन किया जाता है।

2. परिवार की रचना–परिवार की रचना से अभिप्राय परिवार के सदस्यों की आयु, लिंग, व्यवसाय तथा शारीरिक दशा से हैं इसका वर्णन इस प्रकार है :–

(i) लिंग–पुरुषों का भार, लंबाई, शारीरिक संरचना व कार्यक्षेत्र स्त्रियों से भिन्न होने के कारण उनकी पौष्टिक आवश्यकताएँ अधिक होती हैं। जैसे एक 30 वर्षीय कठोर श्रम करने वाली स्त्री को प्रतिदिन 3000 कैलोरी ऊर्जा की आवश्यकता होती है तो समान आयु के एक कठोर श्रम करने वाले पुरुष को 3900 कैलोरी की आवश्यकता होती है।

(ii) आयु–आयु विभिन्न पौष्टिक तत्त्वों की आवश्यकता को निर्धारित करती है। जैसे बढ़ती उम्र के बच्चों को अधिक प्रोटीन की आवश्यकता होती है।

(iii) शारीरिक दशा–परिवार में कोई रोगी, गर्भवती स्त्री, या स्तनपान कराने वाली स्त्री हो तो उनकी पौष्टिक आवश्यकताएँ परिवार के अन्य सदस्यों से भिन्न होती हैं। जैसे मधुमेह के रोगी को कार्बोज कम देने होंगे। गर्भवती स्त्री को कार्बोज अधिक देने होंगे।

(iv) व्यवसाय व क्रियाशीलता–अधिक शारीरिक श्रम करने वालों

को अधिक ऊर्जा की तथा अधिक मानसिक कार्य करने वालों को अधिक प्रोटीन की आवश्यकता होती है। विभिन्न व्यवसायों को श्रम के आधार पर निम्न वर्गों में विभाजित किया जाता है–

1. हल्का श्रम–अध्यापक, वकील, डॉक्टर, नर्स।
2. मध्यम श्रम–ड्राइवर, कुम्हार, बढ़ई आदि।
3. कठोर श्रम–खिलाड़ी, मजदूर, लोहार आदि।

(च) मौसम–भोजन मौसम के अनुकूल होना चाहिए। मौसम बदलने के साथ ही भोज्य पदार्थों की उपलब्धता तथा हमारे आहार व रुचियों में परिवर्तन होते रहते हैं। गर्मियों में घीया, तोरी, सीताफल (पेठां), टिंडे, करेले आदि सब्जियाँ बहुतायत में होती हैं और सर्दियों में गाजर, मूली, टमाटर, मटर, गोभी आदि। मौसमी खाद्य पदार्थ अधिक रुचिंर और पौष्टिक होते हैं।

शारीरिक आवश्यकताएँ भी मौसम के अनुसार बदलती रहती हैं। गर्मियों में ठण्डे पदार्थ, जैसे-शिकंजी, आंईसक्रीम, कुल्फी आदि खाने में अच्छे लगते हैं तो सर्दियों में अधिक ऊर्जायुक्त पदार्थ, जैसे–मूँगफली या तिलों की गजक, पंजीरी, गर्म पकौड़े, टिक्की, समोसे, चाय, काफी, आदि अधिक रुचिकर लगते हैं। अतः गृहिणी को चाहिए कि मौसम के अनुसार ही पदार्थों का चुनाव करे।

आहार आयोजन के विभिन्न चरण

आहार आयोजन विभिन्न चरणों को ध्यान में रखकर किया जाता है जो कि निम्नलिखित है:–

1. परिवार के सदस्यों की दैनिक आवश्यकताएँ ज्ञात करना–भारतीय चिकित्सा अनुसंधान परिषद द्वारा दी गई तालिका की सहायता से गृहिणी को परिवार के सभी सदस्यों की दैनिक पौष्टिक आवश्यकताओं का अनुमान लगाना चाहिए।

2. खाद्य पदार्थों की पौष्टिकता की तालिकाओं का प्रयोग–भारतीय चिकित्या अनुसंधान समिति की पोषण सलाहकार समिति द्वारा विभिन्न

खाद्य पदार्थों की पौष्टिकता का उल्लेख किया गया है।

3. सूची बनाना—जो वस्तुएँ 15 दिन या महीने के लिए खरीदी जा सकती हैं उनकी अलग सूची बना लें। जो जल्दी खराब होने वाले पदार्थ हैं उनकी सूची अलग बनाएँ।

4. मात्रा का अनुमान—भोज्य पदार्थों की मात्रा का परिवार के सदस्यों के अनुसार अनुमान लगाएँ।

5. खाद्य वर्गों का प्रयोग—मौसम के अनुसार बाजार में उपलब्ध खाद्य पदार्थों की भोज्य समूहों के अनुसार सूची बना लें और बजट के अनुसार निर्णय लें कि कौन-से भोज्य पदार्थ सम्मिलित किए जा सकते हैं। सन्तुलित आहार की तालिका के लिए सभी खाद्य वर्गों में से खाद्य पदार्थ शामिल करने चाहिएँ।

लाभ

आहार आयोजन से होने वाले लाभों को नीचे वार्णित किया गया हैं–

1. आहार आयोजन व्यक्तिगत रुचियों एवं अरुचियों को ध्यान में रखकर किया जाता है। पौष्टिकता से बिना समझौता किए वैकल्पिक पौष्टिक आहार का आयोजन किया जा सकता है।
2. उचित आहार आयोजन से धन, समय, शक्ति व ईंधन की बचत होती है।
3. इससे परिवार के प्रत्येक सदस्य की पौष्टिक आवश्यकताएँ पूरी की जा सकती हैं।
4. पहले से आहार आयोजन करने से आकर्षक व्यंजन परोसे जा सकते हैं।

इकाई-2
पोषक तत्त्व- ऊर्जा चयापचय के लिए अन्तर्ग्रहण
(Nutrients: Ingestion to Energy Metabolism)

5

कार्बोहाइड्रेट, प्रोटीन, वसा-अर्थ, वर्गीकरण तथा इनके कार्य
(Carbohydrates, Protein, Fat — Meaning, Classification and Their Functions)

हम भोजन क्यों करते हैं? वह कौन से कारण है कि जिनके द्वारा व्यक्ति के शरीर में भोजन की लालसा को उत्पन्न किया जाता है। मनुष्य का शरीर एक मशीन के समान माना जाता है। जिस प्रकार बिना ईंधन के मशीन को चालित नहीं किया जा सकता है। उसी प्रकार बिना भोजन के मनुष्य के शरीर को चालित किया जाना कल्पना मात्र ही माना जाता है। भोजन के द्वारा मनुष्य के शरीर में पोषक तत्वों को उत्पन्न किया जाता है। यह देखा जाता है कि इन पोषक तत्वों से प्राप्त होने वाली ऊर्जा के आधार पर ही व्यक्ति के द्वारा भली भांति उन्नति प्राप्त की जाती है। यही कारण है कि व्यक्ति को भोजन की अत्यन्त आवश्यकता रहती है। वह इसके आधार पर ही पूर्ण रूप से विकसित हो पाता है।

मनुष्य को जीवित रहने के लिए भोजन प्रदान किया जाना अत्यन्त आवश्यक माना जाता है। वह इसके आधार पर ही विशेष रूप से अपना जीवन व्यतीत कर पाता है। जिस समय हमारे शरीर के द्वारा कार्य किया जा रहा होता है। उस समय विशेष रूप से शरीर में विभिन्न सेलों का टूटना स्वाभाविक माना जाता है। यह देखा जाता है कि मनुष्य के शरीर में इन सेलों के द्वारा ही ऊर्जा को उत्पन्न किया जाता है। जिसके आधार पर मनुष्य के द्वारा विशेष रूप से विभिन्न प्रकार की क्रियाओं का क्रियान्वयन किया जाता है। यह देखा जाता है कि यदि इन सेलों की क्षतिपूर्ति करने हेतु मनुष्य के द्वारा भोजन लेने की ओर बल दिया जाता है तो निश्चय ही वह इसके आधार पर पूर्ण रूप से अपने शरीर को विकसित कर पाता है। यही कारण है कि आज इस ओर विशेष रूप से बल दिया जा रहा है कि व्यक्ति

के द्वारा विशेष रूप से अपने शरीर में पुन: ऊर्जा प्राप्त करने हेतु बल दिया जाए।

भोजन के द्वारा प्रदान किए जाने वाले पोषक तत्व मनुष्य को विभिन्न प्रकार की क्रियाओं के प्रति विशेष रूप से प्रोत्साहित करने में सहायता प्रदान करते हैं। यह देखा जाता है कि इन सभी के आधार पर ही मनुष्य के द्वारा भली भांति उन्नति की ओर अग्रसित हुआ जा सकता है। यही कारण है कि आज इस ओर विशेष रूप से बल दिया जाता है।

व्यक्ति के द्वारा जो भी कुछ खाया जाता है। उसका असर उसकी सेहत पर देखा जाता है। वह अपनी सेहत को बनाए रखने के लिए ही भोजन का सेवन करता है। इसके लिए मनुष्य को कार्य करने हेतु उर्जा की अत्यन्त आवश्यकता रहती है। बिना ऊर्जा के उसके द्वारा किसी भी कार्य को आसानी से नहों किया जा सकता। यही कारण है कि इस ओर विशेष रूप से बल दिया जाता है कि व्यक्ति के द्वारा ऊर्जा की प्राप्ति हेतु प्रोत्साहित हुआ जाए। इसके आधार पर ही उसके द्वारा भली भांति उन्नति की ओर अग्रसित भी हुआ जा सकता है।

भोजन के द्वारा हमारे शरीर में रक्त का निर्माण किया जाता है। जो हमारे शरीर को विशेष रूप से विकसित करता है। बाहरी बीमारियों से आक्रमण करने हेतु व्यक्ति को इन सेलों के द्वारा ही शक्ति प्रदान की जाती है। इस प्रकार यह कहा जा सकता है कि व्यक्ति के द्वारा विशेष रूप से भोजन के द्वारा बिमारी को रोकने की रोगरोधक शक्ति का विकास किया जाता है। जिसके परिणामस्वरूप व्यक्ति के लिए भोजन किया जाना अत्यन्त लाभदायक माना जाता है। वह इसके आधार पर ही भली भांति संपूर्णता की ओर विकसित हो पाता है। यह उसके समक्ष उपस्थित होने वाली सभी प्रकार की समस्याओं का निराकरण करने में भी बहुत ही लाभदायक माना जाता है।

कार्बोहाइड्रेट
(Carbohydrates)

कार्बोज या कार्बोहाइड्रेट यानि शर्करा का संतुलित भोजन में होना अति आवश्यक है क्योंकि यह भी एक ऊर्जा स्तोत्र है। शर्करा के तीन प्रकार हैं—

1. मोनोसैकेराइड
2. डाईसैकेराइड
3. पोलीसैकेराइड

सेल्यूलोज एक पौलीसैकेराइड है। सेल्यूलोज फल, चोकर व रेशेदार सब्जियों में पाया जाता है। यह हमारे भोजन में एक पोषक तत्व नहीं है क्योंकि हमारा शरीर इसे पचा नहीं सकता। परन्तु फिर भी यह मल-विसर्जन क्रिया के लिए काफी सहायक होता है। ऐसा भोजन कोलेस्ट्रोल की मात्रा को घटाता है। इससे कब्जी दूर होती है। इससे मोटापा भी नहीं बढ़ता। कार्बोज युक्त भोजन करने वालों में कैंसर व हृदय रोग होने की संभावना कम होती है। अतः शारीरिक स्वास्थ्य के लिए संतुलित भोजन में इसका समावेश होना अत्यावश्यंक है।

जैसा कि नाम में निहित है, कार्बोहाइड्रेट, कॉर्बन और पानी से मिलकर बनते हैं। कार्बन, हाइड्रोजन तथा ऑक्सीजन के अणु मिलकर कार्बोहाइड्रेट यौगिक बनाते हैं। ये सीमित मात्रा में जिगर तथा मांस-पेशियों में संग्रहित रहते हैं तथा निम्न काम करते हैं- (क) ऊर्जा के एक मुख्य स्त्रोत के रूप में, (ख) प्रोटीन को घुलने से बचाने में, (ग) चर्बी के चपापचय (मेटाबोलिज़्म) के प्रांरंभक के रूप में, और (घ) केन्द्रीय स्नायु-तंत्र के लिये ईंधन के रुप में।

ऐनारोबिक या ग़ैरवायविक गतिविधियों जैंसे- 100 मी० तेज दौड़ या ऊँची छलांग- जिन्हें तुरंत प्रेरणा की आवश्यकता होती है आदि के लिए कार्बोहाइड्रेट ऊँची ऊर्जा का एक बड़ा स्त्रोत होता है। इसका इस्तेमाल वायविक गतिविधियों में भी होता है, लेकिन कम मात्रा में। जब शरीर को पेशियों के संकुचन के लिये ऊर्जा की ज़रूरत होती है, ए.टी.पी. भस्म होती है जिसका तत्कालीन परिणाम ए.डी.पी. तथा ऊर्जा में होता है। हर एक ग्राम कार्बोहाइड्रेट में 4 किलो कैलोरी होती है। आहार में कार्बोहाइड्रेट के स्त्रोत सब्जियां, फल, रोटी, पास्ता तथा अनाज होते हैं।

कार्बोहाइड्रेट की दो श्रेणियां है- (क) साधारण कार्बोहाइड्रेट या

शर्करा, (ख) जटिल कार्बोहाइड्रेटस या शर्करा, स्टार्च (मांड) तथा रेशे।

आम शर्करा/ साधारण कार्बोहाइड्रेट्स

ग्लूकोज़ बहुत आम शर्करा है। यह एकमात्र कार्बोहाइड्रेट है जिसका उपयोग शरीर प्राकृतिक रूप में कर सकता है।

– शारीरिक प्रक्रियाओं के द्वारा सभी कार्बोहाइड्रेट्स घुलकर ग्लूकोज़ बन जाते हैं। ग्लूकोज़ के मोलेक्यूल की एक श्रृंखला 'ग्लाईकोजन' बनती है जो अस्थिपंजर पेशियों तथा जिगर में संग्रहित हो जाते हैं तथा आवश्यकता पड़ने पर इस्तेमाल किये जाते हैं।

– रक्त प्रवाह में बाकी बचा हुआ ग्लूकोज़ ज़्यादातर वसा में बदल कर चर्बी की कोशिकाओं में संग्रहित हो जाता है। यह भविष्य के लिये ऊर्जा का स्त्रोत होता है।

– ऊर्जा के लिये केन्द्रिय स्नायु-तंत्र लगभग एकमात्र रूप से ग्लूकोज़ का ही इस्तेमाल करता है।

– इसीलिये आहार में पर्याप्त मात्रा में कार्बोहाइड्रेट्स का होना आवश्यक़ है वरना शरीर ऊर्जा के लिये प्रोटीन का इस्तेमाल कर लेगा जिसके परिणाम स्वरूप बढ़त के लिये प्रोटीन की मात्रा में कमी आयेगी।

– चूंकि ग्लूकोज़ मुख्य शर्करा है जिसका संचरण पूरे शरीर में होता है, रक्त में शर्करा का स्तर इसी के द्वारा तय होता है।

दूसरे प्रकार की शर्कराओं में फ्रक्टोज़ (फल शर्करा), गैलैक्टोज़ (क्षीर शर्करा), लैक्टोज (दुग्ध शर्करा), मॉलटोज़ (द्रव्य/ जौ शर्करा) तथा सुक्रोज शामिल है।

– फ्रक्टोज़ या फल शर्करा प्राकृतिक रूप से फलों तथा शहद में मिलती है।

– गैलेक्टोज़ वह शर्करा है जो मानव तथा स्तनधारी जीवों के स्तनों के दूध में मिलती है।

लैक्टोज़ या दुग्ध शर्करा गैलैक्टोज़ तथा ग्लूकोज़ से मिल कर बनती है।

– मॉल्टोज़ या जौ की शर्करा, ग्लूकोज़ के दो साथ जुड़े मोलेक्यूल से मिलकर बनती है और यह अंकुरित अनाजों तथा जौ में पाई जाती है।

– सुक्रोज या मेज़ वाली चीनी/ ब्राउन चीनी/ पिसी हुई चीनी, ग्लूकोज़ तथा फल की शर्करा से मिलकर बनती है और गाजर, अन्नानास तथा शलगम (बाज़रा, गन्ना आदि) में पाई जाती है।

– इस बात को याद रखना आवश्यक है कि शरीर इनका उपयोग ऊर्जा की आवश्यकता के लिये कर सके, इसके लिये इन शर्कराओं का ग्लूकोज़ में परिवर्तित होना अनिवार्य है।

जटिल कार्बोहाइड्रेट्स

– जटिल कार्बोहाइड्रेटस स्टार्च और रेशे हैं जो आवश्यक लघु पोषक हैं तथा ऊर्जा के उत्पादन में आवश्यक लघु पोषक तथा ग्लूकोज उपलब्ध कराते हैं।

– स्टार्च, ग्लूकोज़ की लंबी श्रृंखलायें हैं जो बीन्स, आलू, गेहूँ, चावल, मक्का और मटर जैसे आहारों में पाई जाती है। ये ग्लूकोज़ की श्रृंखलायें पकने के बाद अपनी अलग इकाईयों में बदल जाती हैं तथा उपयोग के बाद पाचक रस (एन्ज़ाईम) में इन्हें आसानी से घुला देती है। छोटी आंत से ग्लूकोज़ रक्त में प्रवाहित हो जाता है। स्टार्च, शरीर में ग्लायकोजन के रूप में संग्रहित होता है तथा शारीरिक गतिविधियों के दौरान अचानक ऊर्जा के विस्फोट के लिये प्रयुक्त होता है।

– आहार संबंधी रेशे जटिल कार्बोहाइड्रेट्स का अंग हैं। इनकी रासायनिक संरचना इतनी जटिल है कि शरीर इनका चपापचय नहीं कर पाता है। इसे घुलाकर ग्लूकोज़ या किसी अन्य पोषक में परिवर्तित नहीं किया जा सकता है। इसका अधिकांश भाग बिना पचे ही शरीर के बाहर निकल जाता है। सेलूलोज़ रेशे आहार में अनिवार्य हैं क्योंकि–

– यह पाचन-पथ को सक्रिय बनाता है तथा उसे स्वच्छ एवं स्वस्थ रखता है।

– शरीर के अपविष्ट का भली प्रकार से शोधन करता है।

– हमें अपना पेट बहुत देर तक भरा महसूस होता हैं।

– विभिन्न प्रकार के कैंसरों समेत अनेक गंभीर बीमारियों से हमारी हिफाजत करता है।

कार्बोज (कार्बोहाइड्रेट) के प्रकार- इन कार्बोहाइड्रेट की अलग पहचान उससे समाहित साधारण शर्कराओं की संख्या तथा उनके मोलेक्यूल से बनती है। वे हैं–

– मोनोसैकराइड में एक यूनिट शर्करा होती है (उदाहरण के लिये, ग्लूकोज़, फल शर्करा तथा क्षीर शर्करा)।

– एक डाईसैकराइड में दो यूनिट शर्करा होती है (उदाहरण के लिये साधारण चीनी = ग्लूकोज़ + फल शर्करा (फ्रक्टोज़), दुग्ध-शर्करा (लैक्टोज़) = ग्लूकोज़ + क्षीर शर्करा (गैलेक्टोज़), जौ-शर्करा (मालटोज़) = ग्लूकोज़+ग्लूकोज़।

– ऑलिगोसैकराइड में 3 से 10 यूनिट तक शर्करा होती है और प्रायः पोलीसैकराइड का धुला हुआ उत्पाद होती हैं। ऑलिगोसैकराइड जैसे रैफिनोज़ और स्टैकीयोज़ छोटी मात्रा में फलियों में पाए जाते हैं।

– पोलीसैकराइड्स में 10 यूनिट से ज़्यादा शर्करा होती है। पोलीसैकराइड्स के उदाहरणों में स्टार्च और ग्लायकोजन की गिनती होती है। ये कार्बोहाइड्रेट के संग्रहित रूप में हैं।

प्रोटीन (Protein)

प्रोटीन शारीरिक विकास के लिए आवश्यक तत्त्व है क्योंकि प्रोटीन में कुछ ऐसे द्रव्य पाए जाते हैं जो शारीरिक विकास में सहायता करते हैं जिन्हें हम एमिनो अम्ल द्रव्य कहते हैं। सभी प्रोटीन में इस द्रव्य की मात्रा एक जैसी नहीं होती है। विभिन्न खाद्य पदार्थों में पाए जाने वाले प्रोटीन में इस

द्रव्य की मात्रा व प्रकार भिन्न-भिन्न होता हैं। परन्तु दूध से प्राप्त होने वाले प्रोटीन में सभी एमिनो अम्ल प्राप्त होते हैं। जो की शारीरिक वृद्धि के लिए बहुत महत्वपूर्ण हैं।

कई लोगों का मानना है कि मांसाहारी भोजन में अत्यधिक प्रोटीन पाए जाते हैं। जिससे शारीरिक विकास अच्छे ढंग से हो सकता है लेकिन यह कहना गलत है क्योंकि शाकाहारी सब्जियाँ जैसे मटर, सेम, मसूर, मूंगफली, गेहूँ, मक्का आदि में प्रचुर मात्रा में प्रोटीन पाया जाता है जिसके माध्यम से व्यक्ति स्वस्थ शरीर व जीवन पा सकता है।

प्रोटीन एक आवश्यक पोषक तत्त्व है। इसकी आवश्यकता ऊतकों की संरचना और बढ़त के लिये होती है। प्रोटीन प्रत्येक कोशिका का एक अंग है। सूखी हुई एक मांसपेशी की कोशिका के वजन में तीन चौथाई प्रोटीन होता है। कुल मिलाकर शरीर के वज़न का 20% वज़न प्रोटीन का होता है। जब तक शरीर में पर्याप्त कार्बोहाइड्रेट्स तथा चर्बियां होती हैं तब तक प्रोटीन ऊर्जा के एक मुख्य आपूर्ति का स्त्रोत नहीं बनता है। ऐसा तभी होता है जब ग्लायकोजन की आपूर्त्ति में कमी आती है (उदाहरण के लिये, डाइटिंग के दौरान)। ऐसी स्थिति में प्रोटीन घुलकर ऊर्जा में परिवर्तित हो जाता है। उससे चर्बी रहित शरीर की सघनता घट जाती है। हर एक ग्राम में प्रोटीन चार कैलोरी ऊर्जा देता है। मुर्गा, मछली, मांस, अंडा, दालें, गिरियां, अनाज आदि प्रोटीन के आम स्त्रोत हैं।

प्रोटीन एक जटिल रासायनिक सरंचना है जिसमें कॉर्बन, हाइड्रोजन तथा ऑक्सीजन होते हैं वैसे ही जैसे कार्बोहाइड्रेट तथा चर्बी में होते हैं। इसके अतिरिक्त, प्रोटीन में नाईट्रोजन भी होता है जो मोलेक्यूल का लगभग 16% अंश होता है। इसके साथ इसमे गंधक, लोहा और फॉस्फोरस भी होता है। प्रोटीन के बुनियादी 'बिल्डिंग ब्लॉक' नाईट्रोजन वाले एमिनो एसिड्स होते हैं।

भिन्न-भिन्न प्रकार के 20 एमिनो एसिड्स के विभिन्न संयोजनों से आवश्यकता तथा कार्य के अनुसार सैकड़ों प्रोटीनों की रचना होती है। हर

प्रोटीन में एक दूसरे से जुड़े हज़ारों एमिनो एसिड्स होते हैं।

प्रोटीन के प्रकार- एमिनो एसिड दो प्रकार के होते हैं- जरूरी तथा गैर-जरुरी।

जरूरी एमिनो एसिड- 8 एमिनो.एसिड (बच्चों तथा तनावग्रस्त बड़ी उम्र के वयस्कों में नौ) हैं। एमिनो एसिड शरीर द्वारा संश्लेषित नहीं किये जा सकते। शरीर उनका उत्पादन भी नहीं कर सकता है, अतः उनकी आपूर्ति केवल आहार द्वारा ही हो सकती है। इसलिये इन्हें जरूरी एमिनो एसिड कहा जाता है।

गैर-जरूरी एमिनो एसिडस- शेष 12 एमिनो एसिड शरीर द्वारा उत्पादित होते हैं तथा आहार में इनकी आवश्यकता नहीं होती है। इसीलिये इन्हें गैर ज़रूरी एमिनो एसिड कहा गया है। दोनों प्रकारों के नाम तालिका-1 में दिये हैं। (केवल सन्दर्भ के लिये)

तालिका-1

जरूरी तथा गैर-जरूरी अमीनो एसिड्स

जरूरी एमिनो एसिड्स	गैर-जरूरी एमिनो एसिड्स
1. आइसोल्यूसिन	1. एलानाइन
2. ल्यूसिन	2. एस्पराजाइन
3. लाईसिन	3. एस्पार्टिक एसिड
4. मेथियोनानिन	4. सिस्टीन
5. फेनाइलआनिन	5. ग्लूटैमिक एसिड
6. थ्रिओनाइन	6. ग्लूटामाइन
7. ट्रिप्टोफैन	7. ग्लाइसिन
8. ग्लाइसिन	8. हाइड्राक्सीप्रोलिन
9. हिस्टीडाइन*	9. हाइड्राक्सीलाईसिन्
	10. प्रोलाइन
* केवल शिशुओं के लिये अनिवार्य	11. सेराइन
	12. टाइरोसिन

विभिन्न कार्यों के लिये शरीर को एमिनो एसिडों की आवश्यकता होती है। ये-

– ऊतकों की बढ़त तथा मरम्मत के लिये बिल्डिंग ब्लॉकों का काम करते हैं।

– हार्मोन, पाचन रसों (एन्जाइम), रोग-प्रतिरक्षी (एन्टी-बॉडी) और रूधिर-वार्णिक (हीमोग्लोबिन) के संश्लेषण में भाग लेते हैं जो शरीर की रोगों से रक्षा करते हैं तथा उसके चपापचय (मेटॉबोलिज़्म) को नियमित करते हैं।

– कोशिकाओं के भीतर तथा उनके बीच में पानी के संतुलन को नियमित करते हैं।

– शरीर की कोशिकाओं को तटस्थ रखते हैं।

– रोग-प्रतिरक्षकों को रोग-संक्रमण (इन्फेक्शन) और एलर्जी से लड़ने के लिये प्रेरित करते हैं।

– एमिनो एसिड पोषकों को पूरे शरीर में पहुँचाने का काम करते हैं।

– जब कार्बोहाइड्रेट्स का अभाव होता है तो ये ऊर्जा की आपूर्ति करते हैं।

– प्रोटीन, चर्बी रहित मांसपेशियों को बचाये रखने में भी मदद करते हैं।

संपूर्ण प्रोटीन वाले आहार वे आहार हैं जिनमें सभी जरूरी एमिनो एसिड्स होते हैं तथा पशु-स्रोत से (मांस एवं डेयरी उत्पाद) आते हैं। अपूर्ण प्रोटीन वाले आहार वे आहार हैं जो वनस्पतियों के स्रोत से आते हैं और जिनमें सभी जरूरी अमीनो एसिड्स नहीं होते हैं। जिन की मात्रा बढ़ाने के लिए उपभोग के समय इनका मिश्रण करना होता है। वृद्धि के विभिन्न चरणों में प्रोटीन की सबसे अधिक आवश्यकता होती है। विकास की अभिरचना (पैटर्न) के अनुसार आहार में उसकी आवश्यकता उसी अनुपात

में घट जाती हैं। किंतु ऊपर बताये गये कार्य चलते रहें इसलिये जीवन के सभी चरणों में उपयुक्त मात्रा में इसकी आवश्यकता बनी रहती है। विभिन्न आहारों में प्रोटीन की मौजूदगी का विवरण तालिका-2 तथा तालिका-3 में दिया गया है।

तालिका-2

विभिन्न आहारों में प्रोटीन की मौजूदगी की मात्रा

आहार	प्रोटीन हर ग्राम के अनुपात में
1. दूध (1/2 पिंट)	10
2. पनीर (4 आउन्स)	15
3. दही (1 कार्टन)	8
4. अंडे (2)	14
5. राजमा (8 आउन्स उबले हुये)	15
6. दालें (8 आउन्स, उबली हुई)	15
7. गिरियां (2 आउन्स)	13
8. ब्रेड (2 स्लाईस)	6
9. पास्ता (6 आउन्स, उबला हुआ)	5
10. चावल (6 आउन्स, उबला हुआ)	4
11. लाल मांस (4 आउन्स)	32
12. मुर्गा (6 आउन्स)	38
13. सफेद मछली (6 आउन्स)	30
14. तैलीय मछली (6 आउन्स)	30

तालिका-3

प्रोटीन युक्त आहार

खाद्यान्न	प्रोटीन की मात्रा (ग्रा.) (खाने योग्य आहार के हर 100 ग्राम में)
पशु मांस स्त्रोत के आहार	
■ बकरे का मांस	21.4
■ मछली (पामफ्रेट)	20.3
■ अंडे	13.3

खाद्यान्न	प्रोटीन की मात्रा (ग्रा.) (खाने योग्य आहार के हर 100 ग्राम में)
दूध तथा दूध के उत्पाद	
■ दूध (गाय का)	3.2
■ खोया	20.0
■ पनीर	18.3
वनस्पति स्त्रोत के आहार	
गिरियां और तिलहन	
■ काजू	21.2
■ मूंगफली	25.3
दालें	
■ सोयाबीन	43.2
■ राजमा	22.9
■ चना (साबुत)	17.1

प्रोटीन के कार्य

प्रोटीन पेशियों, अंगों व ग्रंथियों का मुख्य हिस्सा होते है। मूत्र व पित को छोड कर हर जीवित कोशिका और शेष हर शारीरिक तरल पदार्थ में प्रोटीन होते हैं। पेशियों और नसों की कोशिका की प्रोटीन के जरिये बरकरार रहती है। बच्चों व किशोरों की वृद्धि एवं विकास में प्रोटीनों का बहुत अधिक महत्व है। प्रोटीनों की आवश्यकता हॉरमोन, एन्जाइम एवं हीमोग्लोबिन की तैयारी के लिए पड़ती है। भूख की हालत में प्रोटीन ताकत के स्त्रोत के रूप में कम करते है हालांकि यह अन्यथा ऊर्जा का कोई स्त्रोत है।

ध्यान रखने योग्य बातें

प्रोटीन की आवश्यकता से अधिक मात्रा शारीरिक क्रियाओं पर दबाव भी बढ़ा देती है। ऐसा नाइट्रोजन के अधिक निकास के कारण होता है। बोझ सबसे अधिक गुर्दे व जिगर पर पड़ता है। नाइट्रोजन के अधिक निकास के कारण शरीर में पानी की कमी के आसार पैदा हो सकते हैं जिसका असर कसरत पर पड़ता है। इसलिए प्रोटीनों की अधिक मात्रा के उपयोग की सूरत में पानी भी ज्यादा पीना चाहिए।

वसा
(Fats)

कार्बोहाइड्रेट की तरह वसा में भी कार्बन, हाइडोजन व ऑक्सीजन होती है। यह खुराक में ऊर्जा का सबसे गाढ़ा स्त्रोत होते हैं। वसा का एक ग्राम, कार्बोहाइड्रेट के एक ग्राम से दोगुनी ऊर्जा प्रदान करता है, क्योंकि हमारा शरीर वसा को भंडारित कर सकता है। और ऐसी वसा ऊर्जा बैंक का काम करती है। इसलिए वसा को भेंडरित ऊर्जा बैंक का भी कहा जाता है। वसा ऊर्जा तब प्रदान करती है जब इसकी आवश्यकता हो। यदि हम अपनी शारीरिक आवश्यकताओं से अधिक कार्बोहाइड्रेट खाते है, शरीर इनकी अधिक मात्रा को वसा में बदल कर स्टोर कर लेते है। हमारा शरीर ऐसी वसा को आमतौर पर चमड़ी के अन्दर या गुर्दे व जिगर के पिते में भंडारित कर लेता है

वसा या चर्बी के मोलेक्यूल के संरचनात्मक तत्त्व वही होते हैं जो कार्बोहाइड्रेट के मोलेक्यूल के होते हैं, अंतर उनके अणुओं के जुड़ने के तरीक़ों में होता है। विशेषकर, चर्बी के कम्पाउन्ड में हाइड्रोजन का अनुपात आक्सीजन से ज़्यादा होता है।

चर्बी तीन ब्रहत्त पोषकों में से एक है, शरीर को इसकी आवश्यकता ऊर्जा की आपूर्ति के लिये होती है। यह ऊर्जा का एक समृद्ध स्रोत है। कार्बोहाइड्रेट या प्रोटीन की तुलना में एक ग्राम चर्बी में इनसे दुगनी ऊर्जा होती है। चर्बी में ग्लिसेरिन मोलेक्यूल होता है। इसके साथ तीन फैटी एसिड जुड़े होते हैं। फैटी एसिड शाखा रहित हाइड्रोकार्बन श्रृंखलायें है जो केवल एकल बॉण्ड से (सैचुरेटेड फैटी एसिड) या दुहरे और एकल दोनों बॉन्डस से (अनसैचुरेटेड फैटी एसिड)। जुड़ी है चर्बी प्रत्येक एक ग्राम में 9 कैलोरी ऊर्जा का उत्पादन करती है।

चर्बी का संग्रह, चर्बी की कोशिकाओं या त्वचा के नीचे पायी जाने वाले चर्बी के ऊतकों तथा आंतरिक अवयवों के आसपास होता है। शरीर में चर्बी का संश्लेषण अतिरिक्त कार्बोहाइड्रेट्स और प्रोटीन के अलावा आहार में वसा के द्वारा हो सकता है।

शरीर में चर्बी/वसा के निम्नलिखित कार्य हैं-

– यह झटकों में, आतंरिक अवयवों की रक्षा में मदद करती है।

– चर्बी वसा में घुलने वाले विटामिन 'ए', 'डी', 'ई' तथा 'के' को समाहित, वाहित तथा संग्रहित करने में मदद करती है।

– कोशिकाओं की झिल्लियों से उचित तरीक़े से काम करवाती है।

– शरीर के तापमान को स्थिर रखती है।

– त्वचा तथा बालों को स्वस्थ रखती है।

चर्बी/वसा के प्रकार

आम वर्गीकरण के अनुसार चर्बी को तीन श्रेणियों में विभाजित किया जा सकता है– साधारण, कम्पाउन्ड तथा व्युत्पन्न। चर्बी, वनस्पति तथा पशुओं दोनों ही में मिलती है। यह छूने में चिकनी तथा पानी में अघुलनशील होती है।

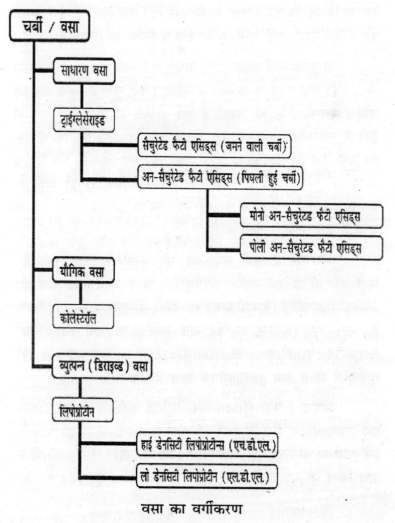

वसा का वर्गीकरण

साधारण चर्बी (वसा)

ट्राईग्लिसेराइड सबसे आम चर्बी है, जो शरीर में संग्रहित होती है। हमारे आहार में लगभग 95% चर्बी ट्राईग्लिसेराइड के रूप में है। फैटी एसिड्स से बनी ट्राईग्लिसेराइड शरीर की प्रक्रियाओं के द्वारा घुलकर, व्यायाम के दौरान, पेशियों को संकुचन के लिये ऊर्जा प्रदान करती हैं। इस चर्बी का और वर्गीकरण सैचुरेटेड (जमने वाली/ जमी हुई) तथा अनसैचुरेटेड (पिघली हुई - जैसे तेल) फैटी एसिड्स के रूप में किया जा सकता है।

– सैचुरेटेड चर्बी मुख्यतः पशु उत्पाद से मिलती है (डेयरी तथा मांस के उत्पाद) तथा कमरे के तापमान में यह ठोस बनी रहती है। कुछ सैचुरेटेड चर्बियां वनस्पतियों से भी मिलती हैं जैसे नारियल का तेल। सैचुरेटेड चर्बी रक्त में कोलेस्टेरॉल का स्तर बढ़ा देती है तथा हृदय की धमनियों में एक तह जमा देती है। जिसकी वज़ह से रक्त-चाप बढ़ जाता है और हृद-धमनियों की बीमारियां (सी.एच.डी.-कोरोनरी हार्ट डिजीज़) हो जाती है। अनसैचुरेटेड चर्बी वनस्पतियों से आती है। कमरे के तापमान में ये तरल बनी रहती है जैसे वनस्पति तेल आदि।

– अनसैचुरेटेड चर्बी को और भी विभाजित किया गया है- मोनो-अनसैचुरेटेड तथा पोली- अनसैचुरेटेड। पोली-अनसैचुरेटेड चर्बी हाई डेनसिटी लिपोप्रोटीन (एच.डी.एल.) या अच्छा कोलेस्टेरॉल का स्तर गिराती हैं, अतः यह नुकसानदायक है। मोनो-अनसैचुरेटेड चर्बी लो डेन्सिटी लिपोप्रोटीन (एल.डी.एल.) या ख़राब कोलेस्टेरॉल का स्तर घटाती है। इन्हें चर्बियों में सबसे कम नुकसानदायक माना जाता है।

– ओमेगा-3 फैटी एसिडस अन-सैचुरेटेड चर्बियां हैं जो एल.डी.एल. तथा ट्राइग्लिसराइड दोनों के स्तरों को घटाने में लाभदायक समझी जाती है। इन्हें ताजी या जमी हुई टूना, सलमन, मैकरेल तथा हेरिंग जैसी मछलियों से प्राप्त किया जा सकता है।

यौगिक चर्बी/वसा- लिपोप्रोटीन, एच.डी.एल. और एल.डी.एल. दोनों, अत्यंत महत्वपूर्ण कम्पाउन्ड चर्बियां हैं। ये ट्राईग्लिसेराइड, प्रोटीन्स, तथा कोलेस्ट्रॉल से मिलकर बनती हैं। एच.डी.एल. में बहुत थोड़ा सा कोलेस्ट्रॉल होता है, इन्हें अच्छा कोलेस्ट्रॉल कहा जाता है। एल.डी.एल. में कोलेस्ट्रॉल की मात्रा अत्यंत अधिक होती है इसीलिये इन्हें "बुरा कोलेस्ट्रॉल" कहा जाता है।

व्युत्पन्न (डिराइव्ड) चर्बी/वसा

कोलेस्टरॉल व्युत्पन्न की हुई चर्बी है जो पानी में घुलती नहीं है। इसमें फैटी एसिड्स नहीं होते है किन्तु शरीर के सामान्य रूप से कार्य करने के लिये ये महत्वपूर्ण हैं। ये शरीर की कोशिकाओं की घटक हैं। मांस तथा डेरी के उत्पादों में कोलेस्टेरॉल होता है। इनका ज़्यादा उपभोग हृदय के रोगों को जन्म देता है।

मक्खन, घी, तेल और माँस की चर्बी आहार में दिखाई देने वाली चर्बियां है। अंडे की जर्दी, दूध, दही, साबुत अनाज और गिरियों की चर्बियां अदृश्य रहती है। आहार में पाई जाने वाली चर्बियां मोनो-अनसैचुरेटेड, पोली-अनसैचुरेटेड तथा सैचुरेटेड चर्बियों का मिश्रण होती है। सामान्यत: वृद्धि और त्वचा के स्वास्थ्य के लिये आवश्यक चर्बियों का एकमात्र स्त्रोत आहार में पाई जाने वाली चर्बियां होती हैं। शरीर को बहुत कम मात्रा में चर्बी की आवश्यकता होती है। चर्बी का ज्यादा उपभोग, विशेषकर सैचुरेटेड चर्बी का, हृदय के रोगों तथा पक्षाघात के खतरों को बढ़ा देता है।

– अधिकांश चर्बियां सैचुरेटेड तथा अनुसैचुरेटेड चर्बियों का मिश्रण होती हैं।

– सैचुरेटेड चर्बियाँ ठोस होती है और अनसैचुरेटेड चर्बियां कमरे के तापमान में तरल बनी रहती है।

– सैचुरेटेड चर्बी प्राय: पशु उत्पादों में ज़्यादा तथा वनस्पति उत्पादों में कम होती है।

– सैचुरेटेड चर्बियां शरीर में कोलेस्टेरॉल की मात्रा को बढ़ा देती हैं।

कोलेस्टेरॉल चर्बी से संबंधित तत्त्व है। यह सभी पशु-चर्बियों तथा कुछ वनस्पतिं की चर्बियों में पाया जाता है। शरीर को महत्त्पूर्ण तत्त्वों के निर्माण के लिये इसकी आवश्यकता होती है जैसे हार्मोन (ये शरीर के अवयवों को रासायनिक संदेश पहुंचाते हैं) और पित्त (छोटी आंत में आहार को घोलने का काम करता है)। कोशिकाओं की सभी झिल्लियों के लिये कोलेस्टेरॉल बिल्डिंग ब्लॉकों का काम करता है। यद्यपि लोगों को अपने आहार में कुछ कोलेस्ट्रॉल की आवश्यकता होती है और यह तथ्य है कि व्यक्ति के खाये गये आहार के द्वारा यदि शरीर को कोलेस्टेरॉल नहीं मिलता है तो वह उसे स्वयं पैदा कर लेता है किंतु आहार में कोलेस्टेरॉल की अधिकता कुछ लोगों के लिये अस्वस्थकर हो सकती है। यह देखा गया है कि रक्त-वाहिकाओं में परतों के जमने में कोलेस्टेराल का बड़ा हाथ है, इससे रक्त-वाहिकायें संकरी हो सकती हैं। उनमें सख्ती भी आ जाती है जो अथेरोस्क्लरोसिस से होने वाली एक बीमारी को जन्म देती है (जिसमें धमनियों की अंदरूनी परत में चर्बी के तत्त्वों का जमाव हो जाता है)। अथेरोस्क्लरोसिस, व्यक्ति के लिये उच्च रक्त-चाप तथा हृदय रोगों का खतरा बढ़ा देती है।

साधारण वसा

इसमें ग्लीसराईड मोलीक्यूल शामिल है जो एक, दो या तीन फैटी अम्ल की इकाईयों से संयुक्त होता है। फैटी अम्ल की कितनी इकाईयां इससे संयुक्त है, साधारण वसा को मोनोग्लीसाराईड, डायग्लीसारईड तथा ट्राईग्लीसराईड में विभक्त किया जाता है। मानव शरीर मे जमा हुई वसा का लगभग 95% ट्राइग्लीसराईड के रूप में जमा होता है।

हाइड्रोजन सेचुरेशन की सांद्रता पर आधारित ही फैटी अम्लों को सेचुरेटिड व अनसेचुरेटिड कहा जाता है।

– **सेचुरेटिड फैटी अम्लों** में कार्बन हाइड्रोजन के साथ पूर्ण रूपेण

सेचुरेटिड रहती है इसलिए श्रृंखला में कार्बन के परमाणुओं के साथ केवल एकल बांड रहती है। इन सेचुरेटिड फैटी एसिड को प्राय: सेचुरेटिड फैट के मुख्य स्त्रोत मांस, पनीर तथा मक्खन है।

– **अनसेचुरेटिड फैटी अम्लों** में कार्बन के परमाणु हाइड्रोजन से पूरी तरह सेचुरेटिड नहीं रहते तथा अनसेचुरेटिड कार्बन परमाणुओं के बीच दोहरे बांड निर्मित होते हैं। ये अधिकतर पौधों से प्राप्त चीजों में पाए जाते है।

अनसेचुरेटिड फैटी अम्लों को और श्रेणियों में विभक्त किया जा सकता है-

(क) मोनोसेचुरेटिड फैटी अम्ल

(ख) पोलीसेचुरेटिड फैटी अम्ल

मोनोसेचुरेटिड फैटी अम्लों में श्रृंखला के साथ साथ एक दोहरा बांड होता है। आलिव आयल ट्राइग्लीसराइड का बहुत बेहतरीन उदाहरण है जिस में मोनोसेचुरेटिड फैटी एसिड की उच्च मात्रा विद्यमान होती है।

पोलीसेचुरिटिड फैटी एसिड में श्रृंखला के साथ-साथ कार्बन के अनसेचुरेटिड परमाणुओं के बीच दो या उससे अधिक डबल बांड होते है। कार्बन व कॉटनसीड आयल में पॉलीसेचुरेटिड फैटी एसिड प्रचुर मात्रा म्रे पाए जाते हैं।

नोट:- साधारण तौर पर सेचुरेटिड फैट रक्त के कोलस्ट्रील स्तर को बढ़ाते है तथा पोलीसेचुरेटिड फैट कोलस्टोल घटाते हैं। संयुक्त वसा साधारण वसा और अन्य रसायनिक तत्वों के मिश्रण है। उदाहरण फॉस्कोलिपिड, ग्लूकोलिपिड तथा लिपोप्राटीन फॉस्फोलिपिड टाईग्लीसराईड समान होते है। ग्लूकोलिपिडि कार्बोहाइडेट फैटी एसिड तथा नाइट्रोजन के मेल से बनते है। लिपोप्रोटीन ट्राईग्लीसरईड फॉस्फोलिपिड या कोलस्टोल की प्रोटीन एग्रीगेट होते है जो जल में घुलनशील होते हैं।

लिपोप्रोटीन रक्त में वसा को इधर-उधर ले कर जाते हैं तथा हृदय रोगों के बचाव व विकास में उनका महत्वपूर्ण योगदान होता है। स्त्रियों और पुरूषों के लिए कुल कोलस्टोल एचडीएल कोलस्टोल अनुपात 4.5 तथा 4.0 के कम होना चाहिये। पाठकों की सूचना के लिए बता दें कि एड.डी.एल. कोलस्ट्रोल का अर्थ है: हाईडेंसटी लिपोप्रोट्रीन कोलस्ट्रोल जिसे हम अच्छा कोलस्ट्रल भी कहते हैं। जबकि एल. डी एल का कोलस्ट्रोल़ का अर्थ है कम डेंसटी वाला लिपोप्रोट्रीन कोलस्ट्राल।

इस प्रकार का कोलस्ट्रोल हृदय के लिए अच्छा नहीं है तथा सामान्य भोजन में सेचुरेटिड फैट और कोलस्ट्रोल की खुराक से यह बढ़ता है। रोजना हमें कुल कैलोरी आहार का 30% से अधिक फैट नहीं ग्रहण करना चाहिये तथा जो सेचुरेटिड रूप में हो वह खुराक के आधे भाग से अधिक न हो। कोलस्ट्रोल की मात्रा भी औसतन 300 मिलीग्रम प्रतिदन तक निश्चित रखनी चाहिये। दवाईयों द्वारा व फालतू शारीरिक चर्बी घटा कर एल. डी. एल. कोलस्ट्रोल का स्तर घटाया जा सकता है।

वसा के स्त्रोत

सैचुरेटिड फैट या वसा पशुओं के मांस व सब्जियों आदि से तैयार खुराकी वस्तुओं से मिलती है। ऐसे स्त्रोतों में मांस, अंडा, दूध, क्रीम पनीर मक्खन व आइसक्रीम जैसे स्त्रोत शामिल हैं। सैचुरेटिड तेलों में नारियल का तेल आदि शामिल समझे जाते हैं। मोनोसैचुरेटिड वसा पौधों से प्राप्त होने वाले आहार से बड़ी मात्रा में मिलती है। ऐसे खुराक के स्त्रोतों में मूंगफली व जैतुन का तेल शामिल है। पोलीअनसैचुरेटिड वसा भी पौधों से मिलने वाली खुराक से ही मिलती है। ऐसे स्त्रोतों में सूरजमूखी का तेल, मक्खी का तेल सोयाबीन व मछली का तेल भी शामिल है।

वसा के कार्य

वसा उन तीन पौष्टिक तत्वों में शामिल है जो कि शरीर को कैलोरी

प्रदान करते हैं। शरीर का काम-काज ठीक रखने के लिए खुराक में वसा का शामिल होना बहुत आवश्यक है। फैंटी एसिडस वह कच्चा माल सप्लाई करते हैं जो कि खून के दबाव को नियंत्रण में रखता है, खून को अनावश्यक सीमा तक गाढ़ा नहीं होने देता और बाकी शारीरिक कार्यों पर भी नियंत्ररण रखने में मददगार साबित होता है।

वसा ऊर्जा या ताकत का भी अहम स्रोत है। जब शरीर कार्बोहाइड्रेट से प्राप्त सारी कैलोरी को खर्च कर लेता हैतो यह वसा से मिलने वाली कैलोरी पर निर्भर हो जाता है।

वसा अपने में घूलने वाले विटामिनों- ए, डी, ई, तथा के को शरीर के भिन्न-भिन्न हिस्सों तक पहुंचती है और साथ ही चमड़ी व बालों की संभाल भी करती है।

महत्त्वपूर्ण तथ्य

यह भूलना नहीं चाहिए कि वसा को जल्दी पचाया नहीं जा सकता। ऊर्जा जारी करने के लिए इसे अधिक ऑक्सीजन की खपत की आवश्यकता पड़ती है। उदाहरण के लिए कार्बोहाइड्रेटस से 5 किलो कैलोरी के लिए 3. 7 लीटर ऑक्सीजन की आवश्यकता पड़ती है। अनावश्यक वसा के कारण घबराहट जल्दी होने लगती है और सांस अधिक फूलने लगता है।

अधिक वसा खाने से खून में कोलेस्ट्रोल की मात्रा पर सबसे अधिक असर पड़ता है। यह बढ़ जाती है। यह अपनी खुराक में वसा की अधिक मात्रा को कम वसा वाले या वसारहित डेयरी उत्पादों पतले मांस फल सब्जियां मोटे या साबुत दाने खाकर घटा सकते हैं। बेक की गयी, उबाली गयी, वाष्प से पकायी या भूनी गयी खुराक की वस्तुओं में भी वसा की मात्रा कम होती है।

6

व्यायाम के दौरान कार्बोहाइड्रेट, वसा तथा प्रोटीन की भूमिका

(Role of Carbohydrates, Fat and Protein During Exercise)

यह प्रमाणित हो चुका है कि यद्यपि कार्बोहाइड्रेट वसा के द्वारा प्रदान की जाने वाली कई कैलोरी की अपेक्षा आधे से भी कम कैलोरी उपलब्ध कराते हैं, तथापि वसा के दहन की अपेक्षा कार्बोहाइड्रेट का दहल प्रति लीटर ऑक्सीजन अधिक कैलोरी प्रदान करता है। कम से कम सैद्धान्तिक आधार पर, कोई भी व्यक्ति उन व्यक्तियों के अतिरिक्त जो उन खेलों में शामिल हैं, जिनमें ऊतकों को मुहैया ऑक्सीजन एक प्रतिबन्धकीय है, कार्बोहाइड्रेट को मुख्य भोजन के रूप में इस्तेमाल कर लाभ प्राप्त कर सकता है। यह भी देखा गया है कि उन खेलों में जहां सहनशक्ति की आवश्यकता अधिक होती है, उच्च मात्रा में कार्बोहाइड्रेट युक्त आहार लेने से सुनिश्चित लाभ होता है।

प्रत्येक कोच और ट्रेनर को एक एथलीट के लिए उत्तम भोजन और नींद, शारीरिक प्रशिक्षण और ट्रेनिंग के अतिरिक्त भावनात्मक तनाव से शारीरिक समायोजन का महत्व ज्ञात होता है। एक एथलीट के लिए उपयुक्त पोषण भी उतना ही जरूरी है। जितनी खेल के मैदान पर मिलने वाला व्यवहारिक प्रशिक्षण।

(स्पूस्टन की पुस्तक न्यूट्रीमेन्ट) में एथलीट के लिए उच्च मात्रा में कोर्बोहाइड्रेट, प्रोटीन और निम्न मात्रा में वसायुक्त तरल भोजन के इस्तेमाल का भली भांति अध्ययन किया गया है।

हमें यूनिवर्सिटी के फुटबाल खिलाड़ियों के लिए खेलपूर्व के आम स्टीक (सूअर के मांस के टिक्के) के भोजन से बदल दिया गया है। खेलपूर्व के स्टीक के ठोस भोजन से तुलना किये जाने पर, मितली, वमन

और पेशीय ऐंठन समाप्त हो गयी, मुख की शुष्कता कम थी, और तरल भोजन का अनुभव परिणामी भूख, अतिसार या भार में परिवर्तन के सम्बन्ध में ठोस भोजन के अनुभव से भिन्न नहीं था।

यह तथ्य भली भांति ज्ञात है कि क्रोध, भय, चिन्ता, चिढ़ की तीव्र भावनाओं के अतिरिक्त थकान, यह सभी तत्व लार के स्त्रात को रोकने, आमाशयिक रस के प्रवाह को शामित करने पर प्रभाव डालते हैं।

आमाशय के खाली होने में, आमतौर पर 4 घण्टे लगते हैं। परन्तु खेल पूर्व का तनाव होने पर इसमें 6 घण्टे भी लग सकते हैं।

स्यूस्टन (मोड़ जानसन क.) 66.5 ग्राम कोर्बोहाइड्रेट, 23.5 प्रोटीन और 3.5 वसा की विधमानता वाले 8.02 प्रति ग्लास 390 कैलोरी मुहैया करते हैं। न्यूट्रामेन्ट (मीड जानसन क.) दूध में जोड़ते हुए 50.3 ग्राम कोर्बोहाइड्रेट, 23.5 ग्राम प्रोटीन और 8.9 ग्राम वसा की विधमानता वाले 8. 0.2 ग्लास में 375 कैलोरी मुहैया करते हैं। दोनों में 10 विटामिन, लौह, कैल्शियम, फॉस्फोरस के अतिरिक्त सोडियम और फोटाशियम है।

बीसवें ओलम्पिक खेलों की वैज्ञानिक कांग्रेस में म्यूनिख, पश्चिमी जर्मनी में 21 से 25 अगस्त 1972 तक उपस्थित हुए।

वसीय भोज्य पदार्थ आमाशय के खाली होने के अतिरिक्त पाचन में विलम्ब करते हैं, जबकि तरल और अर्धतरल भोज्य पदार्थों को बहुत थोड़े आमाशयिक पाचनकी आवश्यकता होती है और आसानी से अवशोषित हो जाते हैं।

रोज और प्पनिंग के द्वारा एथलीटों के खेलपूर्व के पोषण के सम्बन्ध में आमाशयिक यान्त्रिक गतिशीलता के पक्षों का अध्ययन किया है। खेल पूर्व के स्टीक के ठोस भोजन के अन्तर्ग्रहण के साथ आमाशय के खाली होने के समय में विलम्ब हुआ यानी आमाशय में भोजन मौजूद था या वास्तविक खेल के दौरान आंते 4 से 6 घण्टे बाद खाली हुई। खेल पूर्व के तरह आहार के साथ आमाशय दो घण्टे में खाली हुआ और 4 घण्टों में पूरा पाचन और अवशोषणं हो गया। यह अध्ययन आंतों और आमाशय का एक्स-रे करके किये गये। वास्तविक खेल के दौरान, यदि भोजन तब भी छोटी आंतों या आमाशय में उपस्थित रहता है। तब पाचन या पेशीय

क्रियाकलाप या दोनों संकट में आ सकते हैं। स्टीक के खेल पूर्व और बाद में भोजन के अतिरिक्त तरल भोजन के साथ रक्त में शर्करा पर अध्ययन किया गया। दोनों समूहों में स्थायी रक्त शर्करा लगभग समान रही। तब भी उस समूह में जिन्होंने तरल आहार लिया था, रक्त शर्करा पहले, दूसरे और तीसरे घण्टे में स्पष्ट रूप से उच्च होती गयी उस समूह के परिमाण की तुलना में, जिन्होंने स्टीक खाया। उच्च मात्रा में कोर्बोहाइड्रेट, निम्न वसायुक्त तरल भोजन के अन्तर्ग्रहण के साथ ठोस आहार की तुलना में रक्त शर्करा में अधिक तीव्र गति से वृद्धि हुई और अधिक लम्बी समयावधि के लिए नियन्त्रण स्तर से ऊपर बनी रही।

सहनशक्ति और लम्बे समय के क्रियाकलाप वाले खेलों में यह स्पष्ट है कि व्यक्ति के उच्च वसायुक्त आहार की अपेक्षा उच्च कोर्बोहाइड्रेट युक्त आहार लेने पर प्रदर्शन बेहतर बना रहता है। इसे स्पष्ट किया जा सकता है कि उन प्रतियोगिताओं के कारण, जिनमें प्रदर्शन के दौरान, गहन व्यायम की लम्बी अवधि के दौरान सहनशक्ति की या स्ट्रेस का सामना करने की शरीर को आवश्यकता होती है। शरीर में संचित कोर्बोहाइड्रेट समाप्त हो जाता है और रक्त शर्करा स्तर के कम होने को सुस्पष्ट थकान के साथ जोड़ा जा सकता है। इसलिए इस प्रकार की प्रतियोगिता के आरम्भ में शरीर में संचित कोर्बोहाइड्रेट की मात्र सहनशक्ति को प्रभावित कर संकती है।

तरल भोजन का उपयोग आदर्शन भार को बनाये रखने के लिए होता है। बास्केटबॉल के खिलाड़ी जिनका वजन औसत से अधिक था, ठोस भोजन के स्थान पर तरल भोजन लेने पर भार कम करने में सफल हो गये। वही औसत से कम भार वाले खिलाड़ी तरह आहार को संपूरक के रूप में इस्तेमाल कर भार बढ़ाने में सक्षम हो गये। वह खिलाड़ी जो सीजन के दौरान भार घटाना चाहते हैं तब अतिरिक्त तरल भोजन का इस्तेमाल इन खिलाड़ियों के भार को बनाये रख सकता है और इनकी फिटनेस को बनाये रखता है। नियन्त्रित तरल भोजन आहार पर चलने पर एक रेसलिंग टीम के सदस्य स्टीक बाथ निर्जलन या भूखा मारने वाली भोजन के भयानक प्रभावों के बिना उपयुक्त भार स्तर को प्राप्त करने में सफल हो गये। ट्रैक और फील्ड एथलीट जिन्हें भार और स्टेमिना को बनाये रखने में समस्या थी,

तरल भोजन के साथ उत्तम परिणाम मिले।

प्रत्येक कोच और ट्रेनर को एक एथलीट के लिए उत्तम भोजन और नींद, शारीरिक प्रशिक्षण और ट्रेनिंग के अतिरिक्त भावनात्मक तनाव से शारीरिक समायोजन का महत्व ज्ञात होता है। एक एथलीट के लिए उपयुक्त पोषण भी उतना ही जरूरी है। जितनी खेल के मैदान पर मिलने वाला व्यवहारिक प्रशिक्षण।

(स्पूस्टन की पुस्तक न्यूट्रीमेन्ट) में एथलीट के लिए उच्च मात्रा में कोर्बोहाइड्रेट, प्रोटीन और निम्न मात्रा में वसायुक्त तरल भोजन के इस्तेमाल का भली-भांति अध्ययन किया गया है।

हमें यूनिवर्सिटी के फुटबाल खिलाड़ियों के लिए खेलपूर्व के आम स्टीक (सूअर के मांस के टिक्के) के भोजन से बदल दिया गया है। खेलपूर्व के स्टीक के ठोस भोजन से तुलना किये जाने पर, मितली, वमन और पेशीय ऐंठन समाप्त हो गयी, मुख की शुष्कता कम थी, और तरल भोजन का अनुभव परिणामी भूख, अतिसार या भार में परिवर्तन के सम्बन्ध में ठोस भोजन के अनुभव से भिन्न नहीं था।

यह तथ्य भली-भांति ज्ञात है कि क्रोध, भय, चिन्ता, चिढ़ की तीव्र भावनाओं के अतिरिक्त थकान, यह सभी तत्व लार के स्त्रात को रोकने, आमाशयिक रस के प्रवाह को शामित करने पर प्रभाव डालते हैं।

आमाशय के खाली होने में, आमतौर पर 4 घण्टे लगते हैं। परन्तु खेल पूर्व का तनाव होने पर इसमें 6 घण्टे भी लग सकते हैं।

स्यूस्टन (मोड़ जानसन क.) 66.5 ग्राम कोर्बोहाइड्रेट, 23.5 प्रोटीन और 3.5 वसा की विधमानता वाले 8.02 प्रति ग्लास 390 कैलोरी मुहैया करते हैं। न्यूट्रामेन्ट (मीड जॉनसन क.) दूध में जोड़ते हुए 50.3 ग्राम कोर्बोहाइड्रेट, 23.5 ग्राम प्रोटीन और 8.9 ग्राम वसा की विधमानता वाले 8. 0.2 ग्लास में 375 कैलोरी मुहैया करते हैं। दोनों में 10 विटामिन, लौह, कैल्शियम, फॉस्फोरस के अतिरिक्त सोडियम और फोटाशियम है।

बीसवें ओलम्पिक खेलों की वैज्ञानिक कांग्रेस में म्यूनिख, पश्चिमी जर्मनी में 21 से 25 अगस्त 1972 तक उपस्थित हुए।

वसीय भोज्य पदार्थ आमाशय के खाली होने के अतिरिक्त पाचन में

विलम्ब करते हैं, जबकि तरल और अर्धतरल भोज्य पदार्थों को बहुत थोड़े आमाशयिक पाचन की आवश्यकता होती है और आसानी से अवशोषित हो जाते हैं।

रोज और फ्पनिंग के द्वारा एथलीटों के खेलपूर्व के पोषण के सम्बन्ध में आमाशयिक यान्त्रिक गतिशीलता के पक्षों का अध्ययन किया है। खेल पूर्व के स्टीक के ठोस भोजन के अन्तर्ग्रहण के साथ आमाशय के खाली होने के समय में विलम्ब हुआ यानी आमाशय में भोजन मौजूद था या वास्तविक खेल के दौरान आंते 4 से 6 घण्टे बाद खाली हुई। खेल पूर्व के तरह आहार के साथ आमाशय दो घण्टे में खाली हुआ और 4 घण्टों में पूरा पाचन और अवशोषण हो गया। यह अध्ययन आंतों और आमाशय का एक्स-रे करके किये गये। वास्तविक खेल के दौरान, यदि भोजन तब भी छोटी आंतों या आमाशय में उपस्थित रहता है। तब पाचन या पेशीय क्रियाकलाप या दोनों संकट में आ सकते हैं। स्टीक के खेल पूर्व और बाद में भोजन के अतिरिक्त तरल भोजन के साथ रक्त में शर्करा पर अध्ययन किया गया। दोनों समूहों में स्थायी रक्त शर्करा लगभग समान रही। तब भी उस समूह में जिन्होंने तरल आहार लिया था, रक्त शर्करा पहले, दूसरे और तीसरे घण्टे में स्पष्ट रूप से उच्च होती गयी उस समूह के परिमाण की तुलना में, जिन्होंने स्टीक खाया। उच्च मात्रा में कोर्बोहाइड्रेट, निम्न वसायुक्त तरल भोजन के अन्तर्ग्रहण के साथ ठोस आहार की तुलना में रक्त शर्करा में अधिक तीव्र गति से वृद्धि हुई और अधिक लम्बी समयावधि के लिए नियन्त्रण स्तर से ऊपर बनी रही।

सहनशक्ति और लम्बे समय के क्रियाकलाप वाले खेलों में यह स्पष्ट है कि व्यक्ति के उच्च वसायुक्त आहार की अपेक्षा उच्च कोर्बोहाइड्रेट युक्त आहार लेने पर प्रदर्शन बेहतर बना रहता है। इसे स्पष्ट किया जा सकता है कि उन प्रतियोगिताओं के कारण, जिनमें प्रदर्शन के दौरान, गहन व्यायम की लम्बी अवधि के दौरान सहनशक्ति की या स्ट्रेस का सामना करने की शरीर को आवश्यकता होती है। शरीर में संचित कोर्बोहाइड्रेट समाप्त हो जाता है और रक्त शर्करा स्तर के कम होने को सुस्पष्ट थकान के साथ जोड़ा जा सकता है। इसलिए इस प्रकार की प्रतियोगिता के आरंभ में शरीर में संचित

कोर्बोहाइड्रेट की मात्र सहनशक्ति को प्रभावित कर सकती है।

तरल भोजन का उपयोग आदर्शन भार को बनाये रखने के लिए होता है। बास्केटबॉल के खिलाड़ी जिनका वजन औसत से अधिक था, ठोस भोजन के स्थान पर तरल भोजन लेने पर भार कम करने में सफल हो गये। वही औसत से कम भार वाले खिलाड़ी तरह आहार को संपूरक के रूप में इस्तेमाल कर भार बढ़ाने में सक्षम हो गये। वह खिलाड़ी जो सीजन के दौरान भार घटाना चाहते हैं तब अतिरिक्त तरल भोजन का इस्तेमाल इन खिलाड़ियों के भार को बनाये रख सकता है और इनकी फिटनेस को बनाये रखता है। नियन्त्रित तरल भोजन आहार पर चलने पर एक रेसलिंग टीम के सदस्य स्टीक बाथ निर्जलन या भूखा मारने वाली भोजन के भयानक प्रभावों के बिना उपयुक्त भार स्तर को प्राप्त करने में सफल हो गये। ट्रैक और फील्ड एथलीट जिन्हें भार और स्टेमिना को बनाये रखने में समस्या थी, तरल भोजन के साथ उत्तम परिणाम मिले।

कार्बोहाइड्रेट (Carbohydrates) की व्यायाम तथा प्रशिक्षण में भूमिका

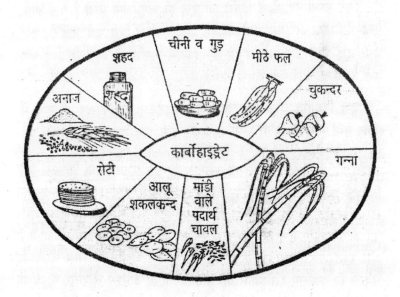

कार्बोहाइड्रेट मानव शरीर में ऊर्जा उत्पादन का मुख्य साधन है। अपने भोजन में कार्बोहाइड्रेट की आवश्यकता मानव की सर्वाधिक होती है क्योंकि शरीर की कुल ऊर्जा का 60 प्रतिशत भाग इसी से प्राप्त किया जाता है। हमारे शरीर द्वारा वसा से बहुत कम मात्रा में ही ऊर्जा प्राप्त की जाती है। जबकि वसा कार्बोहाइड्रेट की अपेक्षा 2¼ गुनी अधिक ऊर्जा होती है। परन्तु वसा से ऊर्जा प्राप्त करना काफी कठिन होता है, इसीलिये अधिकतर ऊर्जा कार्बोहाइड्रेट से प्राप्त की जाती है। कार्बोहाइड्रेट मुख्यतः कार्बन, हाइड्रोजन तथा ऑक्सीजन से बने होते हैं। जिनका अनुपात क्रमशः 1: 2: 1 होता है। अर्थात् $C_1 : H_2 : O_1$ कार्बोहाइड्रेट अणुओं की न्यूनतम इकाई शर्करा ($C_6H_{12}O_6$) – होती है। शर्करा यानि ग्लूकोज ही ऊर्जा प्राप्ति के लिये प्रयोग किया जाता है। गन्ने की शक्कर या सूक्रोज, दूध की शक्कर या लैक्टोज आदि में शर्करा के दो अणु आपस में मिल जाते हैं और स्टार्च, ग्लाइकोजन आदि में दस या इससे भी अधिक शर्करा के अणु आपस में जुड़े रहते हैं। परन्तु ऊर्जा प्राप्ति के लिये इन्हें भी न्यूनतम ईकाई शर्करा में ही टूटना पड़ता है।

जिन भोज्य पदार्थों में शर्करा का एक ही अणु पाया जाता है उन्हें प्रायः मानो–सेकेराइड अणु कहते हैं। जिनमें शर्करा के दो अणु पाये जाते हैं। उन्हें प्रायः डाई–सेकेराइड अणु कहते हैं– जिसमें शर्करा के बहुत से अणु पाये जाते है। उन्हें पॉलीसेकराइडस कहते है।

एक निर्धारित मात्रा से ज्यादा कार्बोहाइड्रेटस ग्लाइकोजन के रूप में लीवर तथा मांसपेशियों में जमा रहते हैं। एक ग्राम कार्बोहाइड्रेट शरीर को 4.1 किलो कैलोरी ऊर्जा देते हैं। एक साधारण व्यक्ति को एक घण्टे में शरीर के भार की 1.3 किलो कैलोरी की आवश्यकता होती है जबकि एक प्रशिक्षण लेते एथलीट को एक घण्टे में शारीरिक भार की 8.5 किलो कैलोरी की आवश्यकता पड़ती है। ज्यादा मात्रा में कार्बोहाइड्रेट (Carbohydrates) वसा में बदलते हुये लीवर तथा एडीपोज ऊतक में जमा होते हैं। कार्बोहाइड्रेट (Carbohydrates) प्राप्ति के स्रोत –

(1) **अनाज** - गेंहू, चावल, मक्का, बाजरा, जौ आदि।

(2) **फल** - साबूदाना, पपीता, सेब, अमरूद, केला, नाश्पाती आदि।

(3) **सब्जियां** - अरबी, आलू, सिंघाडा, कद्दू आदि

(4) **शक्करयुक्त** - चीनी, गुड़, बूरा, शहद, चुकन्दर, किशमिश, अंगूर, खजूर, गन्ना, चीकू आदि।

कार्बोहाइड्रेट के कार्य -

(1) शरीर को ऊर्जा प्रदान करना।

(2) वसा के ऑक्सीकरण को धीमा करना।

(3) प्रोटीन की बचत करना।

(4) पर्वतारोही व्यक्तियों के लिये उपयोगी चूंकि कार्बोहाइड्रेट भोजन को ऊर्जा उत्पादन के लिये कम ऑक्सीजन की आवश्यकता होती है। इसीलिये यह पर्वतारोही व्यक्तियों तथा पहाड़ों पर रहने वाले व्यक्तियों के लिये उत्तम भोज्य है।

(5) शरीर के तापमान का नियमन करना

(6) विटामिन बी काम्पलैक्स का निर्माण

(7) वसा की बचत करना

(8) मल विसर्जन में सहायता करना

(9) कैल्शियम का अवशोषण करना।

वसा (Fats) की व्यायाम तथा प्रशिक्षण में भूमिका

वसा हमारे शरीर का एक मुख्य ऊर्जा स्तोत्र है। वसा के सेवन से हमें सबसे अधिक कैलोरी प्राप्त होती है। माना जाता है कि वसा के सेवन से कोलेस्ट्रोल की मात्रा में वृद्धि होती है जिससे मोटापा, हृदय रोग जैसी बीमारियां उत्पन्न होती हैं। इसलिए इन बीमारियों से ग्रसित लोगों को अपने भोजन में कोलेस्ट्रोल की मात्रा को कम करने के लिए कहा जाता है। परन्तु

कोलेस्ट्रोल के अभाव के बावजूद शरीर अपने भीतर इसका प्रचुर मात्रा में निर्माण कर लेता है। कोलेस्ट्रोल हमारे शरीर के लिए एक प्रमुख द्रव्य है।

वसा के मुख्य स्त्रोत

1. घी
2. तेल
3. मक्खन आदि।

वसा के दो प्रकार होते हैं–

1. असंतृप्त वसा
2. संतृप्त वसा

संतुलित भोजन के लिए हमारे भोजन में असंतृप्त वसा का होना अत्यावश्यक है क्योंकि असंतृप्त वसा प्राकृतिक वनस्पति व बीजों का तेल है परन्तु संतृप्त वसा असंतृप्त वसा का कृत्रिम रूप है जिसमें कोलेस्ट्रोल की

मात्रा असंतृप्त वसा की तुलना में अधिक पाई जाती है। संतृप्त वसा युक्त भोजन लेने वाले व्यक्ति में मोटापा व हृदय रोग जैसी बीमारियां अधिक पाई जाती हैं। असंतृप्त वसा युक्त भोजन कोलेस्ट्रोल को जमने से रोकता है। जिससे मोटापा व हृदय रोग होने की संभावना कम होती है। इसलिए जरुरी है कि हम अपने भोजन में जितना हो सके असंतृप्त वसा का प्रयोग करें।

मांसपेशियों के व्यायाम के दौरान ऊर्जा के दो मुख्य स्त्रोत शरीर में विद्यमान वसा (ट्राइग्लिसराइड) तथा कार्बोहाइड्रेट (ग्लाइकोजन और ग्लूकोज) के रूप में होते है। एथलेटिक्स प्रदर्शन में सुधार तथा थकान को कम करने के लिए पिछले तीन दशकों से अनुसंधान तथा प्रायोगिक अनुभव मांसपेशी तथा तथा लीवर ग्लाइकोजन की महत्ता का दर्शाने हेतु प्रशिक्षकों द्वारा प्रयास करे जा रहे हैं। उदाहरण के लिये यह सर्वविदित है कि वह आहार जिसमें मुख्य रूप से कार्बोहाइड्रेट विद्यमान है उसे शरीर में ग्लाइकोजन भंडार को गहन व्यायाम (अभ्यास) के दौरान उच्च स्तर पर रखना है। और ऐसे आहार प्रदर्शन (व्यायाम) में स्पष्ट रूप से प्रशिक्षण प्रेरित सुधारों के लिए भी उत्तम होंगे। मानवीय शरीर में ग्लाइकोजन भंडार के अस्तित्व का प्राथमिक कारण यह भी है कि इसके विद्यमान होने से एथलीट व्यायाम के दौरान धीरे-धीरे अपने शरीर में विद्यमान वसा (चर्बी) को ऊर्जा के रूप में बदल सकते हैं। इसलिए जब मांसपशी ग्लाइकोजन तथा रक्त शर्करा सांद्रता की तीव्रता निम्न हो तब व्यायाम की तीव्रता को इस स्तर तक घटाना चाहिए कि शरीर की सीमित क्षमता द्वारा इसे समर्थित किया जा सके तथा शारीरिक वसा (चर्बी) को ऊर्जा में बदला जा सके।

सहनशीलता (Endurance) प्रशिक्षण के साथ ही एथलीट स्पष्ट रूप से उस दर को बढ़ा सकते है जिस पर शारीरिक वसा (चर्बी) को ऑक्सीकरण किया जा सकता है, इस प्रकार एथलीट ग्लाइकोजन की कमी के कारण उत्पन्न थकान से पहले लम्बे समय तक व्यायाम कर सकते हैं। निःसंदेह व्यायाम प्रशिक्षण व्यक्ति की अधिक तीव्रता से व्यायाम करने की योग्यता को और अधिक बढ़ा देते हैं, इसलिए प्रतियोगिता तथा गहन प्रशिक्षण के

दौरान प्रशिक्षित एथलीट कार्बोहाइड्रेड से प्राप्त अधिकांश ऊर्जा को को उत्पन्न करते हैं क्योंकि उनकी वसा ऑक्सीकरण करने की बढ़ती हुई योग्यता ऊर्जा की बढ़ती हुई मांग को पूरा नहीं कर सकते हैं। वह क्या दर की सीमा है जिस पर लोग व्यायाम के दौरान अपने शरीर की वसा को ऊर्जा के रूप में परिवर्तित कर सकते हैं। अभी हाल के शोध से जिसमें नई तकनीकियों का उपयोम हुआ है इस प्रश्न पर प्रकाश डालना आरंभ कर दिया है।

प्रोटीन (Protein) की व्यायाम तथा प्रशिक्षण में भूमिका

मानव शरीर को किसी भी कार्य को करने के लिये ऊर्जा की आवश्यकता शरीर को मजबूत बनाने के लिये तथा ऊतको के टूट-फूट की मरम्मत करने के लिये पोषक की आवश्यकता पड़ती है। जिसको प्रोटीन पूरा करता है इसीलिये इसको 'बॉडी बिल्डिंग' पोषक कहा जाता है।

प्रोटीन (Protein) - प्रोटीन भोजन के विभिन्न पाँच पोषक तत्वों में सबसे अधिक महत्वपूर्ण हैं क्योंकि पोषक तत्वों में यह सर्वाधिक मात्रा में पाया जाता है। प्रत्येक प्रोटीन का निर्माण अमीनो अम्लों (Amnio acid) से होता है तथा अमीनों अम्ल प्रायः कार्बन, हाइड्रोजन, ऑक्सीजन से मिलकर बना होता है। साथ ही एक विशेष तत्व नाइट्रोजन भी उपलब्ध होता है। जो कि अन्य पोषक तत्वों में उपस्थित नहीं होता। नाइट्रोजन की उपस्थिति के कारण ही प्रोटीन को अन्य पोषक तत्वों से श्रेष्ठ माना गया है।

अमीनो अम्ल प्रोटीन के निर्माण की न्यूनतम इकाई है तथा प्रकृति में केवल 20 प्रकार के अमीनो अम्ल पाये जाते हैं। उन्हीं के अलग-अलग क्रम में जुड़ने के कारण लाखों प्रकार का प्रोटीन बन जाता है। अमीनो अम्ल मुख्यतः दो प्रकार के होते हैं। एक आवश्यक अमीनो अम्ल जिनका निर्माण हमारे शरीर में नहीं होता। इसीलिये इनकी पूर्ति के लिये हमें प्रायः अपने भोजन पर निर्भर रहना पड़ता है। दूसरे अनावश्यक अमीनो अम्ल जिनका निर्माण हमारे शरीर में ही विभिन्न भोज्य के पाचन के बाद होता है। एक ग्राम प्रोटीन से 4.1 किलो कैलोरी ऊर्जा प्राप्त होती है।

प्रोटीन के कार्य–

1. यह शारीरिक वृद्धि, निर्माण तथा विकास का महत्वपूर्ण कार्य करती है इसीलिये बढ़ती उम्र के बच्चों में खिलाड़ियों को स्तनपान कराने वाली तथा गर्भवती महिलाओं को सामान्य से अधिक प्रोटीन की आवश्यकता होती है।

2. शरीर में निरन्तर चलने वाली जैविक क्रियाओं पर अपना प्रभाव डालती है। ये प्रभाव प्रोटीन की कमी होने पर आसानी से देखे जा सकते हैं।

3. शरीर को शक्ति प्रदान करती है जिससे शरीर के कार्य करने की क्षमता दुरूस्त बनी रहें।

4. बालों को चमकदार, रेशम सा तथा घना बनाती है।

5. शरीर में काम आने वाले विभिन्न पाचक रसों तथा हार्मोन्स का निर्माण करती है, जैसे एमीनो अम्ल (Amino acid)।

6. शरीर की रोग निरोधक क्षमता का बनाये रखती है।

7. मुख्य ऊर्जा उत्पादक पदार्थों के अभाव में (जैसे वसा तथा कार्बोहाइड्रेट) प्रोटीन ऊर्जा उत्पादन का कार्य भी करती है।

8. यह दाँतों के क्षय को भी रोकती है।

9. रक्त में उपस्थित 'हीमोग्लोबिन' के निर्माण में सहायक होती है जिससे शरीर में रक्त की मात्रा नियंत्रित रहती है।

10. यह हड्डियों को मजबूत बनाये रखती है।

व्यायाम के लिए प्रोटीन क्यों महत्वपूर्ण है?

जब लोग 'प्रोटीन' तथा 'व्यायाम' एक ही वाक्य में सुनते हैं तो वे ज्यादातर वे अपने दिमाग में बॉडी-बिल्डरों की तस्वीरें बना लेते हैं जोकि अपने व्यायामों को अधिकतम रूप से करने हेतु विभिन्न प्रोटीन बारर्स तथा मिल्कशेखों का उपयोग करते है। प्रोटीन सभी व्यक्तियों के लिए महत्वपूर्ण होता है फिर चाहे वे कोई एक पेशेवर खिलाड़ी हो जो व्यायामशाला जाता हो, खेल स्पर्धाओं में हिस्सा लेता हो, दौड़ता हो तथा अन्य किसी व्यायाम गतिविधियों में हिस्सा लेता हो या महज एक सामान्य व्यक्ति।

सीधे शब्दों में कहे तो प्रोटीन मुख्य पौष्टिक तत्वों में से एक पौष्टिक तत्व है जोकि सभी व्यक्तियों के लिए एक स्वस्थ शरीर बनाए रखने के लिए अनिवार्य होता है। प्रोटीन शरीर से सम्बन्धित किसी भी आंतरिक या बाह्य क्षति की मरम्मत करने में मदद करता है। यह प्रतिरक्षा प्रणाली (Immune System) का समर्थन करता है तथा यह सुस्वास्थ्य (Wellness) की संपूर्ण अनुभूति प्रदान करता है। एक सेलुलर स्तर पर प्रोटीन का उपयोग सभी शारीरिक क्रियाओं, डी॰एन॰ए॰ के निर्देशों का पालन करना तथा आवश्यक जीवन कार्यों जैसे- रक्षा करने, संरक्षण करने तथा मरम्मत करने के लिए होता है।

7

विटामिन, खनिज तथा जल-अर्थ, वर्गीकरण तथा इनके कार्य

(Vitamins, Minerals, Water – Meaning, Classification and Its Function)

विटामिन (Vitamins)

ये बहुत ही सूक्ष्म मात्रा में मानव शरीर में उपस्थित होते हैं। ये सामान्य उपायचय के लिये आवश्यक होते हैं। ये यद्यपि ऊर्जा प्रदान नहीं करते परन्तु अन्य ऊर्जा प्रदान करने वाले पदार्थों के निर्माण तथा उनके सही उपयोग पर नियन्त्रण करते हैं। इसीलिये इंनकी शरीर में कमी होने पर शरीर त्रुटिपूर्ण उपायचयन के कारण रोगी हो जाता है, इसीलिये उन्हें वृद्धि-तत्व (Growth Factor) कहते है।

सन् 1881 में N.I. Lunin ने सर्वप्रथम विटामिनों की खोज की तथा इनके बारे में बताया कि स्वस्थ शरीर के लिये भोजन में अन्य पदार्थो के अतिरिक्त इन अज्ञात पदार्थों का भी सूक्ष्म मात्रा में होना अत्यन्त आवश्यक होता है।

मानव द्वारा अधिकांश विटामिन भोजन से ही प्राप्त होते हैं। विटामिन शब्द का अर्थ है जीवन के लिये आवश्यक। इनका निर्माण केवल पेड़-पौधे ही करते हैं तथा शरीर में इनका संचय बहुत कम मात्रा में होता हैं। इनकी अधिकांश मात्रा मूत्र के साथ निष्कासित होती रहती है। इसीलिये इन्हें प्रतिदिन भोजन से ग्रहण करना अत्यन्त आवश्यक होता है।

अभी तक लगभग बीस प्रकार के विटामिनों के खोज की जा चुकी है परन्तु इनमें से केवल 6 विटामिन ही मानव के लिये अति उपयोगी हैं। इन्हें

दो प्रमुख श्रेणियों में बाँटा जाता है।

1. **जल में घुलनशील** - जिसमें B, C, H विटामिन आते हैं।

2. **वसा में घुलनशील** - जिसमें A, D, E, K विटामिन आते हैं।

शरीर में ज्यादा मात्रा में उपस्थित विटामिन मूत्र के द्वारा शरीर से बाहर निकल जाते हैं।

विटामिन 'A'

विटामिन 'A' को रेटिनोल (Retinol) भी कहते हैं। यह पौधों द्वारा नहीं बनाया जाता अर्थात् भोज्य पदार्थों में इसका पूर्णतया अभाव होता है। स्वयं मानव शरीर में ही यकृत की कोशिकाओं में गाजर तथा अन्य सब्जियों से प्राप्त कैरोटिन पिगमेंट से इसका निर्माण होता है। यह कैरोटिन पिगमेंट नारंगी पीले रंग का होता है जो सर्वाधिक मात्रा में गाजर, मछली के तेल तथा यकृत में पाया जाता है।

प्राप्ति के स्त्रोत - यह मक्खन, अण्डे की जर्दी, मछली के तेल, तथा यकृत, मछली के मांस आदि से पर्याप्त रूप में पाया जाता है। इसके अलावा गाजर, टमाटर, गोभी, केला, आम, पपीता, अनानास आदि में भी पाया जाता है।

विटामिन 'A' के कार्य

1. रेटिनॉल शरीर की उचित वृद्धि के लिये आवश्यक होता है।

2. आँखों को स्वस्थ रखने के लिये अत्यन्त उपयोगी विटामिन है।

3. दाँतों के सही विकास में मदद करता है।

कमी से हानियाँ

1. आँखों में रतौंधी (Night Blindness) नामक रोग हो जाता है।

2. त्वचा कॉर्निया, आदि की कोशिकाऐं सूखने लगती हैं एवं एक पर्त के रूप में सड़ने लगती हैं। कॉर्निया के इस रोग को, क्जीरोथैल्मिया

(Xerophthelmia) कहते हैं।

3. शिशुओं की वृद्धि रूक जाती है।

4. विभिन्न ग्रंथियाँ निष्क्रिय हो जाती हैं, प्रजनन क्षमता कम हो जाती है।

5. गुर्दों में पथरी हो जाती है।

6. कमी से होने वाले अन्य रोग – Conjunctival Xerosis, Bitot's Spots, Corneal Xerosis, Keratomalacia.

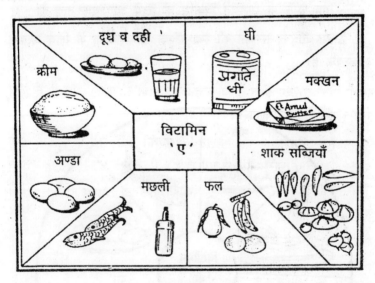

विटामिन 'ए'

विटामिन 'बी' कॉम्पलैक्स – जल में घुलनशील और नाइट्रोजन युक्त सर्वप्रथम ज्ञान विटामिन को विटामिन 'बी' कहा गया है। बाद में लगभग 10 ऐसे विटामिनों की खोज हुई और इन सबकों बी कॉम्पलैक्स का सामूहिक नाम दिया गया। उपापचय क्रियाओं में यह विटामिन सक्रिय रूप में भाग लेते हैं। प्रमुख बी कॉम्पलैक्स विटामिन निम्नलिखित होते हैं–

1. विटामिन B_1 थायमिन (Thiamine)- फुन्क द्वारा 1912 में इस विटामिन को खोजा गया। यह जल में पूर्णतः घुलनशील विटामिन होता है इस विटामिन को Thiamin भी कहते हैं।

प्राप्ति के स्त्रोत- थाईमीन की प्राप्ति के लिये खमीर (Yeast) गेहूँ, चावल अंकुरित बीज, सूखे मेवे, मूंगफली, सूअर का माँस, दूध, दही आदि उत्तम स्त्रोत है। तथा कुछ मात्रा में पिसे हुऐ अनाजों, हरी सब्जियों तथा फलों में भी पाया जाता है।

थाईमिन के कार्य-

1. यह शरीर के समुचित विकास के लिये आवश्यक तत्व है।

2. यह तंत्रिका संस्थान की स्वाभाविक क्रियाशीलता के लिये अत्यन्त आवश्यक है।

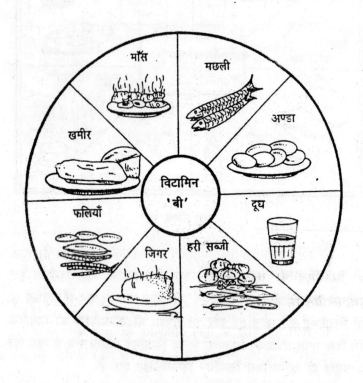

3. अपचय, अतिसार, उल्टी आदि पर नियंत्रण रखता है।

4. शरीर को रोगों से लड़ने की शक्ति प्रदान करता है।

5. यह कार्बोहाइड्रेट के पूर्ण पाचन, पोषण आदि में महत्वपूर्ण कार्य करता है।

विटामिन B_1 की कमी से हानियाँ-

1. हमारा तन्त्रिका संस्थान तथा पेशियों का कार्य बिगड़ जाता है, जिससे लकवे (Paralysis) की आशंका रहती है।

2. हृदय पेशियों के कमजोर हो जाने पर दिल की धड़कन बहुत मंद हो जाती है। अपच तथा कब्ज हो जाता है। इन्हीं लक्षणों को सामूहिक रूप से बेरी-बेरी (Beri-Beri) का रोग कहते है।

3. हमारी स्मरण शक्ति कमजोर हो जाती है।

4. गर्भवती स्त्रियों में इस विटामिन की कमी होने पर शिशु का सम्पूर्ण ढंग से विकास नहीं हो पाता।

5. इसकी कमी से Wernick's Encephalopathy नामक रोग भी होता है। विशेष रूप से उन्हें जो मदिरा का सेवन करते हैं।

विटामिन B_2 या G - इस विटामिन को 1935 में दूध में से खोजा गया था। यह गहरे पीले रंग का होता है, इसको राइबोफ्लेविन (Riboflavin) भी कहते हैं। यह वृद्धिकारक तथा स्वास्थ्यवर्धक होता है। उबालने पर प्राय: यह विटामिन नष्ट हो जाते है।

प्राप्ति के स्त्रोत - खमीर, गाय का दूध, यकृत, अण्डे की जर्दी, पपीता, पनीर, गेहूँ, बादाम, मिर्च, सोयाबीन आदि इसके मुख्य स्त्रोत हैं। कुछ मात्रा में फलों तथा सब्जियों में भी पाया जाता है।

राइबोफ्लेविन के कार्य-

1. यह शरीर की वृद्धि के लिये आवश्यक है।

2. यह विभिन्न एन्जाइमों के साथ मिलकर शरीर की विभिन्न क्रियाओं में भाग लेता है।

3. यह पोषक पदार्थों के उपापचय के लिये आवश्यक होता है।

4. पाचन शक्ति को सुदृढ़ बनाता है।

5. त्वचा के चिकना तथा कांतिमय बनाता है।

इसकी कमी से हानियाँ

1. इसकी कमी से होंठ फट जाते हैं। इस बिमारी को किलोसिस (Cheilosis) कहते है।

2. त्वचा रूखी हो जाती है।

3. पाचन शक्ति कमजोर हो जाती है, त्वचा व आँखों में जलन होती है।

4. रोगनिरोधक क्षमता में कमी आती है।

इस विटामिन की कमी से Cheilosis के अलावा Glossitis तथा Nasolabial Dyssebacia नामक रोग भी होते हैं।

विटामिन B_3 (Niacin), or Nicotinic Acid - यह पानी में घुलनशील, रंगहीन तथा स्वाद में कसैला होता है।

प्राप्ति के स्त्रोत - खमीर, यकृत, चावल, मूँगफली आदि सर्वोत्तम आहार है। इसके अलावा जौ, गेहूँ, मछली, अण्डा, सोयाबीन, हरा चना, दूध आदि में भी अच्छी मात्रा पायी जाती है।

नियासिन के कार्य

1. यह उपापचय में महत्वपूर्ण कार्य करता है।

2. यह बालों को स्वस्थ्य तथा घने रखता है।

3. पाचन क्रिया को सुचारू रखता है।

4. त्वचा को स्वस्थ रखता है।

कमी से हानियाँ - इसकी कमी से चर्मदाह, अर्थात् पेलाग्रा (Pellagra) रोग हो जाता है। इस रोग में भूख कम हो जाती है, शरीर दुर्बल हो जाता है, शारीरिक शक्ति क्षीण हो जाता है। पाचन क्रिया गड़बड़ा जाती है। अनिद्रा सिरदर्द की शिकायत रहती है। स्वाभाव में चिड़चिड़ापन आ जाता है, तथा तंत्रिका के अधिक क्षीण हो जाने पर रोगी पागल भी हो जाता है। इस Pellagra रोग को 3 D's के नाम से भी जाना जाता है क्योंकि 3 D's से तात्पर्य Diarrhoea, Dermatitis तथा Dementia से है।

विटामिन B_5 (Pantothenic Acid) - इस विटामिन का सम्बन्ध Adrenal Gland के Cortex के कार्यों से है।

विटामिन B_6 या (Pyridoxine) - यह जल में घुलित होता है।

प्राप्ति के स्त्रोत - खमीर, गेहूँ, यकृत, सोयाबीन, अण्डा, दूध, माँस, मछली, फलों तथा सब्जियों में अनाजों सूखे मेवों, मूँगफली, तिलहन, में उचित मात्रा में पाया जाता है।

इसके कार्य तथा इसकी कमी से हानियाँ-

1. यह लाल रक्त कणिकाओं के निर्माण में भाग लेता है।
2. शारीरिक वृद्धि के लिये आवश्यक विटामिन है।
3. चर्मरोगों से बचाता है।

इसकी कमी से रक्त ना बनने की स्थिति में एनीमिया (Anemia) रोग हो जाता है। परिणामस्वरूप शारीरिक वृद्धि रूक जाती है। मांसपेशियों में ऐंठन रहने लगती है। इसकी कमी से चर्मरोग, मंदबुद्धि, बाल सफेद आदि हो जाते हैं।

विटामिन B_{12} (Cyanocobalamin) - यह एक मात्र विटामिन होता है जिसमें कोबाल्ट, धातु, सहयोगी तत्व के रूप में कार्य करती है। यह रक्त निर्माण में विशेष सहयोग करता है।

प्राप्ति के स्त्रोत - यह शाक सब्जियों की अपेक्षा जन्तु भोज्य पदार्थों में अधिक मात्रा में पाया जाता है। यह माँस मछली, यकृत, अण्डा, दूध में प्रचुर मात्रा में मिलता है। अल्पमात्रा के रूप में यह पनीर, सोयाबीन, गेहूँ आदि में पाया जाता है।

इसके कार्य - यह अनेक उपापचयी क्रियाओं में सहयोगी तत्व की भूमिका निभाता है। रक्तनिर्माण में विशेष कार्य करता है।

इसकी कमी से हानियाँ-

1. रक्त क्षीणता (Anaemia) हो जाती है।
2. वृद्धि तथा विकास में गिरावट आती है।
3. इसकी कमी से मानसिक रोग भी हो जाते है।
4. इसकी कमी से जो Anaemia होता है उसे Megaloblastic Anaemia (Pernicious Anaemia) कहते हैं। इसकी कमी से Spinal Cord esa Demyelinating Neurological Lesions नामक रोग भी हो जाता है।

विटामिन सी - सबसे पहले इसी विटामिन की खोज की गयी थी। इसे एस्कोर्बिक एसिड (Ascorbic Acid) के नाम से भी जाना जाता है।

प्राप्ति के स्त्रोत - वस्तुतः खट्टे तथा ताजे फलों तथा सब्जियों में अधिक मात्रा में पाया जाता है। इसकी सर्वाधिक मात्रा आंवले में पायी जाती है। इसके बाद नींबू, मौसमी, संतरे, अमरूद, इमली, आम, सेब आदि में भी इसकी पर्याप्त मात्रा पायी जाती है।

विटामिन 'C' के कार्य-

1. विभिन्न ऊतकों में कोशिकाओं को परस्पर बाँधे रखता है।
2. अस्थियों के निर्माण में मदद करता है।
3. दाँतों के डेनटिन (Dentin) के निर्माण को सामान्य अवस्था में बनाये रखता है।

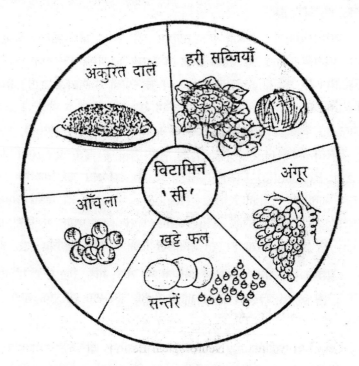

4. R.B.C. के निर्माण में भी सहायता करता है।

5. घावों को भरने में सहायता करता है।

6. शरीर की रोग निरोधक क्षमता को बढ़ता है।

कमी से हानियाँ - इसकी कमी से स्कर्वी (Scurvy) नामक रोग हो जाता है। यह रोग शरीर की किसी भी अवस्था में हो सकता है। स्कर्वी का सबसे महत्वपूर्ण प्रभाव घावों के ना भरने का होता है। छोटे से घाव को भरने में महीने लग जाते हैं। साथ ही अस्थियों व दाँतों की वृद्धि रूक जाती हैं। इससे अस्थियाँ कमजोर हो जाती है तथा टूटी अस्थि का जुड़ना कठिन हो जाता है। इसके अलावा शरीर की रोग निरोधक क्षमत्ता में कमी आती है पेशियाँ फटने लगती हैं। मसूड़े काले होकर फूलने लगते हैं तथा दाँत गिरने लगते हैं। खून की उल्टी होने लगती है, जोड़ों में सूजन हो जाती है, तीव्र

ज्वर हो जाता है।

विटामिन 'D' 'समूह' - विटामिन 'डी' समूह के अन्तर्गत लगभग दस विटामिन आते हैं। इस समूह में मुख्य विटामिन D_2 तथा D_3 हैं। विटामिन D_2 को Ergo Calciferol (ये पेड़-पौधों से प्राप्त होता है) तथा विटामिन D_3 को Cholecalciferol (यह सूर्य की रोशनी व पौधों से प्राप्त होता है) कहते हैं। विटामिन D समूह में $D_1, D_2, D_3, D_4,$ तथा D_5 आते हैं जिसमें विटामिन D_2 और D_3 ही मुख्य होते हैं। इसे 'एन्टीरिकेटिंक' (Anti-Rechantic) विटामिन भी कहते हैं। इसे धूप का विटामिन भी कहा जाता है। इसको Kidney Hormone भी कहते हैं। मानव अपनी त्वचा द्वारा पराबैंग किरणों (Ultraviolet Rays) के प्रभाव से विटामिन 'डी' का निर्माण करता है। यह विटामिन वसा के साथ एकत्रित रहता है।

प्राप्ति के स्रोत - मक्खन, मछली का तेल, मांस, जिगर, अण्डे की जर्दी, दूध आदि। वनस्पति भोज्य पदार्थों में यह नाम मात्र को पाया जाता है। सूर्य की पराबैंगनी किरणें भी इसका उत्तम स्रोत है।

कमी से हानियाँ - (1) बच्चों के विटामिन 'डी' की कमी होने प प्रायः सूखा रोग या रिकेटस (Rickets) हो जाता है। यह पाँच वर्ष से कम आयु वर्ग के बच्चों से अधिक पाया जाता है इसमें अस्थियाँ कमजोर तथा

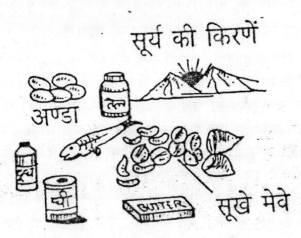

लचीली हो जाती है, मांसपेशियाँ कमजोर हो जाती हैं तथा हाथों-पैरों की अस्थियाँ टेढ़ी-मेढ़ी हो जाती है।

(2) व्यस्कों में प्रायः इसकी कमी से ऑस्टियोमलेशिया (Oesteomalacia) नामक रोग हो जाता है। इसे मृदुलस्थि रोग भी कहते हैं। अस्थियों का कोमल हो जाना, इस रोग का विशेष लक्षण है।

(3) इसकी कमी होने पर बच्चों में दाँत गिरने लगते है।

विटामिन 'E' - विटामिन 'ई' का दूसरा नाम एल्फाटोकोफेरॉल (Alphatocopherol)

है। यह वसा में घुलनशील विटामिन होता है। यह प्रजनन क्षमता के लिये आवश्यक विटामिन सिद्ध हुआ है अतः इसे बाँझपन रोधी (Antisterlity) विटामिन भी कहते है।

प्राप्ति के स्त्रोत - यह अधिकतर अनाजों, अंकुरित बीजों, फलों तथा सब्जियों में पाया जाता है। इनके अतिरिक्त, मांस, दूध, यकृत, मछली अण्डे में भी यह विद्यमान रहता है।

कार्य

(1) प्रमुख कार्य प्रजनन क्षमता में वृद्धि करना।

(2) अन्तः स्त्रावी ग्रंथियों को सुचारू रूप से कार्य करने के लिये यह विटामिन आवश्यक है।

कमी से हानियाँ-

(1) पुरूष तथा स्त्रियों में बांझपन आ जाता है।

(2) पेशियों की वृद्धि रूक जाती है।

(3) स्त्रियों में गर्भपात हो जाता है।

(4) पुरूषों में नपुंसकता आ जाती है तथा अंगघात (Paralysis) हो जाता है।

विटामिन 'K' - इसको नैफ्थेक्विनोन (Napthequinon) भी कहते हैं, यह रक्त का थक्का जमाने में मदद करता है तथा रक्त को बहने से रोकता है। इसीलिये इसे रक्तस्राव रोधी विटामिन (Anti Haemorrhogic) भी कहते है। यह पीले रंग का पदार्थ होता है।

प्राप्ति के स्रोत - पत्तागोभी, पालक, सोयाबीन, अंकुरित अनाजों तथा विभिन्न फूलों में अधिक मात्रा में होता है। दूध में तथा जन्तु भोज्य में कम मात्रा में पाया जाता है।

कार्य - यह विटामिन रक्त का थक्का जमाने के लिये आवश्यक होता है। क्योंकि यह प्रोथ्राम्बिन (Prothrombin) नामक रेशों संरचना के निर्माण में भाग लेता है।

कमी से होने वाली हानियाँ

(1) इसकी कमी से रक्त का थक्का नहीं जम पाता चोट लग जाने पर या घाव हो जाने पर अधिक रक्त बह जाने पर मूर्छा आ जाती है। इसमें रोग की मृत्यु तक हो सकती है।

(2) जिन व्यक्तियों में इस विटामिन की कमी पायी जाती है, उन व्यक्ति का ऑपरेशन आसानी से नहीं किया जा सकता है। क्योंकि अधिक रक्त बह जाने का डर बना रहता है।

खनिज
(Minerals)

हमारे शरीर को स्वस्थ और निरोग रख कर कार्य करने योग्य बनाये रखने के लिए भोजन में खनिज लवणों का होना आवश्यक होता है। खनिज लवण अनेक प्रकार के होते हैं, जिनमें से एक की भी कमी होने से शरीर स्वस्थ नहीं रहता और तरह-तरह की बीमारियाँ आ घेरती हैं। प्राय: सभी खनिज लवण हड्डियों, दाँत को मजबूत बनाने के साथ ही रक्त को शक्तिशाली बनाते हैं। अम्ल और क्षार संतुलन को ठीक रखते हैं। शरीर की वृद्धि और संचालन में सहायक होते हैं। प्राय: सभी अलग-अलग लवण की

अलग-अलग उपयोगिता होती है।

कैल्शियम, मैग्नेशियम, फॉस्फोरस, पोटाशियम और सोडियम पांच महत्वपूर्ण बुनियादी खनिज, शरीर के लिये आवश्यक हैं। महत्वपूर्ण सूक्ष्म मात्रिक तत्व क्रोमियम, तांबा, आयोडीन, लोहा, मैंगनीज, और जस्ता हैं। इसके अतिरिक्त सेलेनियम भी अच्छा स्वास्थ्य कायम रखने में एक महत्वपूर्ण भूमिका अदा करता है।

अन्य सूक्ष्म मात्रिक तत्व जैसे सल्फर, निकल, कोबाल्ट, फ्लूरीन ऑक्सीजन, कार्बन, हाइड्रोजन और नाइट्रोजन की भी हमारे शारीरिक स्वास्थ्य को कायम रखने में अपनी भूमिका है। कभी-कभी यह अनुभव नहीं किया जाता कि आधारभूत खनिज और सूक्ष्म मात्रिक तत्व जो हमारे आहार में पाये जाते हैं स्वास्थ्य के लिये उतने ही अनिवार्य हैं जितने विटामिन। लोहा खून के लिये और चूना हड्डियों के लिये सम्पूरक के रूप में महत्वपूर्ण भूमिकाएं अदा करता है।

आयोडिन की कमी से गलागण्ड और मन्द मैगनेशियम की कमी से कैन्सर हो जाता है। ऐसा प्रतीत होता है कि मैंग्नीज और क्रोमियम तथा हृदय रोग की व्यापकता के मध्य संबंध है। इसी प्रकार सामान्य रक्त शर्करा के स्तरों को बनाये रखने के लिये क्रोमियम की आवश्यकता है। तंत्र में जस्ते की कमी से गंजापन, भूख न लगना और यौन-दुष्क्रिय के परिणाम हो सकते हैं।

कैल्शियम

हड्डियों और दांतों के बनाने और रख-रखाव के लिये, पेशियों के सामान्य संकुचन के लिये हृदय की गति का नियमन करने के लिये और रक्त का थक्का बनाने के लिये इसकी आवश्यकता होती है। कैल्शियम जीवन-शक्ति और सहनशीलता बढ़ाता है, कोलसॅट्रल स्तरों का नियमन करता है, स्नायुओं के स्वास्थ्य के लिये अच्छा है और रजोधर्म विषयक दर्दों के लिये ठीक है। एन्जाइम का गतिविधि के लिये कैल्शियम की

आवश्यकता है। हृदय-संवहनी के स्वास्थ्य के लिये कैल्शियम, मैग्नेशियम के साथ काम करता है। रक्त के जमाव के द्वारा यह घावों को शीघ्र भरता है।

कुछ कैन्सरों के विरूद्ध भी यह सहायक होता है। कैल्शियम उदासी चिड़चिड़ापन, अनिद्रा और एलर्जी कम करता है। 27.9.86 के लान्सेट पर प्रकाशित अपने प्रपत्र में नीदरलैंड के ग्रोबेक और हॉफमैन इस निष्कर्ष पर पहुंचते हैं कि किंचित् बढ़े हुये रक्तचाप वाले युवक-युवतियों में कैल्शियम रक्तचाप को कम कर सकता हैं। गर्भवती महिलाओं, 60 से अधिक उम्र के पुरूषों, 45 से अधिक उम्र की स्त्रियों, धूम्रपान करने वालों और अधिक मदिरापान वालों को कम कैल्शियम का खतरा है।

बच्चों में सूखा रोग कैल्शियम की कमी का लक्षण है। विटामिन डी की विशेष रूप में आवश्यकता कैल्शियम के समावेशन के लिये होती है। विटामिन सी भी कैल्शियम के समावेशन में सुधार लाता है।

सम्पूरक के रूप में कैल्शियम कार्बोनेट भोजन के साथ अधिक अच्छे ढंग से समावेशित होता है। दूध और इसके उत्पाद दाले सोयाबीन, हरी पत्तीदार सब्जियाँ, नींबू जाति के फल, सार्डीन मटर, फलियाँ, मूंगफली, वाटरनट, सूर्यमुखी के बीज इस खनिज के महत्वपूर्ण स्त्रोत है। यदि आहार में पर्याप्त कैल्शियम न हो तो विविध शारीरिक प्रक्रियाओं के लिये आवश्यक कैल्शियम उस व्यक्ति की हड्डियों से लिया जाता है।

क्रोमियम (Chromium)

यह उच्च रक्तचाप पर नियंत्रण रखने में सहायता देता है और मधुमेह रोकता है। यह पेशियों को रक्त से शर्करा लेने और चरबीदार एसिड तथा कॅलस्ट्रॅल संश्लेक्षण को नियंत्रित करने में भी सहायता करता है। यह रक्त शर्करा के स्तरों को समतल रखता है। इसकी कमी से ऐसी स्थिति उत्पन्न हो जाती है जिसे मध्यम मधुमेह से कठिनाई से ही अलग पहचाना जा सकता है।

आयु के साथ क्रोमियम आपूर्तियाँ कम हो जाती है। शरीर में क्रोमियम का भंडार कठोर व्यायाम चोटों और शल्य चिकित्सा से भी कम हो जाता है। कुछ अनुसंधानकर्ता विश्वास करते हैं कि पर्याप्त क्रोमियम धमनियों को कड़े होने से रोकने में मदद कर सकता है। इसके स्त्रोत हैं: सम्पूर्ण अनाज, खमीर, खुमी, मक्के का तेल, चिकेन, शेल मछली जिगर और बीयर।

ताँबा (Copper)

ताँबा लोहे के समावेशन में मदद करता हैं यह उसी प्रकार लोहे के साथी के रूप में काम करता है जैसे पोटाशियम और सोडियम। एक जोड़े की तरह काम करते है। ताँबा लोहे को हीमोग्लोबिन में बदलने में मदद करता है। ताँबा तंत्र में लचीलापन पैदा करता है। ताँबा कोलस्ट्रल सम्बन्ध अब भली प्रकार स्थापित है।

ताँबे के स्तरों में असंतुलन समग्र कोलस्ट्रल बढ़ा देता है और एच. डी. एल. का अनुपात कम कर देता है। ताँबे की कमी से केन्द्रीय स्नायु-संस्थान में अव्यवस्थायं, रक्तहीनता और गर्भावस्था की समस्याएं उत्पन्न हो सकती हैं। ताँबे की अधिकता सेलेनियम के प्रभाव को अवरूद्ध कर सकती है जो कैंसर के विरूद्ध सुरक्षा प्रदान करता है। फल, सूखी फलियाँ, गिरीदार फल, मुर्गा-मुर्गी शेल मछली, गहरे रंग के चॉकलेट जिगर गुर्दे खमीर गेहूँ अंकुरित केले और शहद इस सूक्ष्म मांत्रिक तत्व के स्त्रोत है।

ऑयोडीन (Iodine)

ऑयोडीन थाइरॉइड ग्रंथि के सम्यक् कार्यविधि के लिये आवश्यक है जो शक्ति का पुर्ननिर्माण करती है, हानिप्रद कीटाणुओं को मारती है और इसके हॉरमोन थॉयरॉक्सीन की कमी पूरी करती है। ऑयोडिन मन और तन को शान्त करती है, तनाव कम करती है, आपके मस्तिष्क को सतर्क रखती है और आपके बाल, नाखून, दांत और त्वचा सर्वोतम हालत में रखती है।

ऑयोडीन की कमी से गर्दन के नीचे थॉयरॉयड की सूजन हो सकती है और हॉरमोन का उत्पादन बन्द हो सकता है जिससे शरीर के सभी

संस्थान अव्यवस्थित हो जायेंगे। इसकी कमी से मन्द मानसिक प्रतिक्रियायें, धमनियों का कड़ापन और मोटापा हो सकता है। यद्यपि सारे शरीर में केवल 10-12 मिलीग्राम ऑयोडीन होती है किन्तु इसके बिना जीवित रहना सम्भव नहीं है।

ऑयोडीन कोलस्ट्रल के रासायनिक संश्लेषण में सहायता करती है और धमनियों में कोलस्ट्रल चर्बी को भी जला डालती है। 19.5.90 के लान्सेट में प्रकाशित अपने प्रपत्र में जग्रेब विश्वविद्यलय के डॉ॰ कूसिक बताते है कि किस प्रकार 1953 से ऑयोडीन युक्त नमक के प्रवेश से यूगोस्लाविया में गलगण्ड का प्रसार नाटकीय रूप से कम हो गया।

संयुक्त राज्य अमेरिका (United States of America) के जर्नल ऑफ न्यूटिशन के फरवरी, 1989 अंक में प्रकाशित अपने प्रपत्र में डॉ. हेजेल और मानो ने पुष्ट किया है कि ऑयोडीन की कमी मानवों में मानसिक न्यूनताओं का मुख्य निवार्य कारण है। यदि शरीर में ऑयोडिन की अधिकता है, नाक में नमी अधिक होगीं पानी में ली गई क्लोरीन शरीर से ऑयोडिन को निकालने का कारण होती है। अधिक ऑयोडीन वाले आहार हैं मूली, शतावर, गाजर, टमाटर, पालक, आलू, मटर, खुमी, सलाद, प्याज, केला, स्ट्राबेरी, केल्प समुद्र से प्राप्त होने वाले आहार, अंडे की जर्दी, दूध , पनीर और कॉड-लीवर तेल। ऑयोडीन की कमी से उत्पन्न विकारों पर नियंत्रण के लिये अन्तर्राष्ट्रीय काउंसिल 1986 में यूनीसेफ (UNICEF) और आस्ट्रेलिया की सरकार के संदर्भ से तीसरी दुनिया के देशों को सहायता देने के लिये स्थापित की गई थी। भारत ने 1992 से पहले व्यापक ऑयोडीन युक्त नमक की नीति अपनाई थी।

लोहा (Iron)

लाल रक्त कोशिकाओं का हीमोग्लोबीन बनाने के लिये लोहे की आवश्यकता रहती है। फेफड़ों से शरीर की कोशिकाओं और ऊतकों तक ऑक्सीजन ले जाने के लिये भी इसकी आवश्यकता है। शरीर का कुछ

लोहा जिगर और तिल्ली में स्टोर किया जाता है। विटामिन बी के चयापचय के लिये भी लोहे की आवश्यकता होती है। लिंग और शरीर की क्रियात्मक स्थिति के अनुसार दैनिक आहार में केवल 2-4 एम जी लोहे की आवश्यकता है। विविध आहार के मदों की संरचना को देखते हुये उनमें पाये जाने वाले लोहे का उपयोग करने की शरीर की अवशोष्यिता सीमित है।

शरीर के संस्थान अनाजों में समाये हुये लोहे का केवल 5 से 10% ही सोख सकते है। हरी पत्तेदार सब्जियों से लोहे का सोख प्रतिशत बहुत अधिक है। आहार की मिश्रित संरचना पर भी सोख प्रतिशत निर्भर होता है। इन्हीं कारणों से खाद्य एवं कृषि संगठन/विश्व स्वास्थ्य संगठन द्वारा लोहे की दैनिक आवश्यकता 12-24 मिलीग्राम के बीच रखी गई है।

लोहे की कमी से उत्पन्न अनेमिया को ठीक करने के लिये आहार में इसकी बहुत अधिक आवश्यकता होगी। ऐसी स्थितियों में लौह सम्पूरकों या लोहे से पुष्टिकृत आहारों का आश्रय लिया जा सकता है। जन्म पर बच्चे के पास लोहे की केवल चार महीने की आपूर्ति होती है।

उस समय तक इसे अपने आहार से इसे निकालना प्रारम्भ कर देना होगा। लोहे की थोड़ी-सी कमी भी इसके बौद्धिक विकास को कम कर सकती है। रज:स्राव और गर्भावस्था में महिलाओं में लोहे की कमी हो जाती है।

कठोर व्यायाम से भी शरीर के लोहे में कमी होती है। वैसा ही मद्यपान है। कुछ आहार शरीर द्वारा अन्य आहारों से प्राप्त लोहे का उपयोग रोक देते है। लोहे की कमी श्वासहीनता, थकावट और कमजोर उत्पन्न कर सकती है।

इसकी अधिकता विषाक्ता उत्पन्न कर सकती है। लोहे के महत्वपूर्ण स्त्रोत है हरी पत्तेदार सब्जियाँ, मटर, फलियाँ, क्रिसमिस, अखरोट, नाशपाती, सम्पूर्ण अनाज, मूंग, मसूर, चौकर, बीज, सोयाबीन, मछली, मुर्गा, जिगर, गुर्दे।

मैग्नेशियम (Magnesium)

मानव-शरीर की प्रत्येक कोशिका में मैग्नेशियम का एक भाग होता है, चाहे कितना ही तुच्छ। सम्पूर्ण शरीर में मैग्नेशियम 50 ग्राम से कम होता है। शरीर के अन्दर कैल्शियम और विटामिन सी का संचालन करने, स्नायुओं और मांसपेशियों की उपर्युक्त कार्यशीलता के लिये और एन्जाइमों को सक्रिय बनाने के लिये भी मैग्नेशियम आवश्यक है। कैल्शियम-मैग्नेशियम सन्तुलन में अस्तव्यस्तता से स्नायु तंत्र दुर्बल हो सकता है।

फ्रांस में मिट्‌टी में मैग्नेशियम का अंश कम होने का सम्बन्ध कैन्सर की बहुलता से जोड़ा जाता है। कोपेनहैगेन के एक अध्यक्ष में जिनको हृदय का दौरा पड़ा था उनमें मैग्नेशियम के स्तर कम पाये गये। मैग्नेशियम के निम्न स्तरों और उच्च रक्त चाप में संतुष्ट सह-संबंध स्थापित किया गया है। निम्न मैग्नेश्यिम स्तर से मधुमेह भी हो सकता है। युरोलोजी के जर्नल की रिपोर्ट के अनुसार मैग्नेशियम और विटामिन बी-6 गुर्दे और गॉल-ब्लेडर की पथरी के खतरे के कम करने में प्रभावी थे।

कठोर दैहिक व्यायाम शरीर के मैग्नेशियम की सुरक्षित निधि को खत्म कर देते हैं और पेशियों के संकुचन को कमजोर कर देते हैं। कसरती लोगों को मैग्नेशियम सम्पूरकों की आवश्यकता है। एक ग्लास भारी पानी मैग्नेशियम के लिये खाद्य सम्पूरक है। भारी पानी में निरपवाद रूप से उच्च मैग्नेशियम अंश होता है। भारी का प्रयोग करने वाले क्षेत्रों में दिल के दौरे कम से कम होगें।

इसके अन्य महत्वपूर्ण स्रोत हैं सम्पूर्ण अनाज, दालें, गिरीदार फल, हरी पत्तीदार सब्जियाँ, डेरी उत्पाद और समुद्र से प्राप्त होने वाले आहार।

मैंगनीज (Manganese)

मैंगनीज का शरीर के सुरक्षा-तंत्रों से सीधा सम्बन्ध है। यह विविध एंजाइमों को सक्रिय करता है और विटामिन बी तथा 'ई' के उचित उपयोग में सहायता देता है। यह पाचन में मदद करता है, थकावट दूर करता है, रक्त

के थक्के बनाने और दूध पिलाने वाली माताओं में दूध के बनाने में मदद करता हैं।

मैंगनीज मधुमेह के लिये अच्छा है क्योंकि यह ग्लूकोज सहन शक्ति बढ़ाता है।

आमतौर से मैंगनीज की कमी मानवों में नहीं पाई जाती। इसकी अधिक मात्रा शरीर की लोहा सोखने की क्षमता कम कर देती है।

इसके स्त्रोत- काली चाय का एक सादा कप, गिरीदार फल, बीज, सम्पूर्ण अनाज चौकर, शेल मछली और अवयवों के मांस।

फॉस्फोरस (Phosphorus)

शरीर में कैल्शियम का अधिकांश कैल्शियम फॉस्फेट के रूप में होता है, अतः फॉसफोरस का उपयोग कैल्शियम के उपयोग से सम्बन्ध हैं। सामान्य हड्डी और दाँत की संरचना के लिये फॉस्फोरस की जरूरत होती है। कुछ एन्जाइमों को भी इसकी जरूरत होती है। जो भोजन को ऊर्जा में बदलते हैं। इसकी कमी के परिणाम हैः साधारण कमजोरी, हड्डी का दर्द और भूख की कमी। इसकी अधिकता कैल्शियम को समा लेने में बाधा पहुंचा सकती है।

हड्डी टूटने में फॉस्फोरस स्वस्थ होने की प्रक्रिया में शीघ्रता लाता है और घाव से कैल्शियम की हानि को रोकता है। फॉस्फोरस स्त्रायविक स्वास्थ्य में मदद करता है और गुर्दों को अपशिष्ट बाहर निकालने में सहायक होता है।

मैग्नेशियम या लोहे की बहुलता फॉस्फोरस के भंडारण को रोक सकती है। सफेद चीनी और उच्च वसा वाला आहार कैल्शियम-फॉस्फोरस सन्तुलन को बिगाड़ सकता है। प्रतम्ल हड्डियों की फॉस्फोरस आपूर्ति कम कर देती है। फॉस्फोरस सम्पूरक डॉक्टर की सलाह के बिना कभी मत लीजिये।

सम्पूर्ण अनाज और डबल रोटी, फलियाँ दालें, दूध और दूध के उत्पाद, बीज, गिरीदार फल, अंडे, मछली, मुर्गे और मांस इस खनिज के महत्वपूर्ण स्रोत हैं।

पोटाशियम (Potassium)

पोटाशियम मूल खनिज है। इसके बिना जिन्दगी नहीं रहेगी। पोटशियम हमेशा किसी एसिड के साथ पाया जाता है। खनिज की कमी वाली मिट्टी खनिज की कमी वाला आहार उत्पन्न करेगी। इस प्रकार के आहार का अन्तर्ग्रहण शरीर की कोशिकाओं से पोटाशियम लेने के लिये विवश करेगा। जिससे सम्पूर्ण शरीर-रसायन विक्षुब्ध हो जायेगा।

पोटाशियम की कमी विशेष रूप से गर्भवती महिलाओं में सूख हुआ कीचड़ या विशिष्ट प्रकार की मिट्टी भी खाने की ललक पैदा करती है। पोटाशियम पेशियों, स्नायुओं की सामान्य शक्ति हृदय की क्रिया और एन्जाइम प्रतिक्रियाओं के लिये आवश्यक है।

यह शरीर के तरल सन्तुलन को नियमित करने में सहायक होता है। इसकी कमी से स्मरण-शक्ति का ह्रास, पेशियों की कमजोरी, अनियमित हृदय गति और चिड़चिड़ापन हो सकते हैं। इसकी अधिकता से हृदय की अनियमिततायें हो सकती हैं।

एक घटना के अनुसार जहां एक महिला जो अपने लड़के का नाम भी याद नहीं कर पाती थी और अपनी एक इच्छा बिना रूके दस बार दुहराती थी, जब एक अस्पताल में पोटाशियम ड्रिप पर रखी गई तो 24 घंटे में उसकी सारी याद्दाश्त वापस आ गई और चिड़चिड़ाहट समाप्त हो गई। पोटाशियम कोमल ऊतकों के लिये वहीं है जो कैल्शियम शरीर के कठोर ऊतकों के लिये है।

पोटाशियम कोशिकाओं के भीतर और बाहर के तरलों का विद्युत अपघटनों सन्तुलन बनाये रखने के लिये भी महत्वपूर्ण है। आयु के साथ पोटाशियम का अन्तर्ग्रहण भी बढ़ना आवश्यक है। पोटाशियम की कमी

मानसिक सतर्कता के अभाव, पेशियों की थकावट, विश्राम करने में कठिनाई, सर्दी, जुकाम, कब्ज, मतली, त्वचा की खुजली और शरीर की मांस-पेशियों में ऐंठन के रूप में प्रतिबिम्बित होती है।

सोडियम का बढ़ा हुआ अन्तर्ग्रण शरीर की कोशिकाओं में से पोटाशियम की हानि को बढ़ा देता है। अधिक पोटाशियम से रक्त नलिकाओं की दीवारें कैल्शियम निक्षेप से मुक्त रखी जा सकती है। विकसित देशों में सेब के आसव का सिरका पोटेशियम का एक उत्तम स्त्रोत है।

एक चम्मच सेब के आसव के सिरके को एक गिलास पानी में मिलाइये और इसकी धीरे-धीरे चुस्की लीजिये। यह शरीर की वसाओं को जलाने में मदद करता है। गायों पर किये गये प्रयोगों में सेब के आसव के सिरके से गायों में गठिया समाप्त हो गया और दूध का उत्पादन बढ़ गया। पोटाशियम सोडियम को रक्तचाप बढ़ाने से रोकता है। मूत्रवर्धकों का सेवन, दस्त, पसीना आना, जिगर की बीमारी, 3 कप काफी, या 2 पेग शराब सब अलग-अलग पोटाशियम की कमी उत्पन्न कर सकते है। पोटाशियम के महत्वपूर्ण स्त्रोत है- सूखा हुआ बिना मलाई के दूध का पाउडर, गेहूँ के अंकुर, छुहारे, खमीर, आलू, मूंगफली, बन्दगोभी, मटर, केले, सूखे मेवे, नारंगी और अन्य फलों के रस खरबूजे के बीज मुर्गे, मछली और सबसे अधिक पैपरिका और सेब के आसव का सिरका।

सेलेनियम (Selenium)

यह प्रति उपचाय के रूप में काम करता है। यह सबसे प्रभावशाली प्रति उपचायक खनिज है। यह शरीर को हानिंप्रद मुक्त मूलकों से छुटकारा दिलाने में मदद करता है जो चर्बीयुक्त ऊतकों के ऑक्सीकरण के परिणामस्वरूप होते है। यह रक्त के थक्के बनने से रोकता है। प्रतिरक्षक तंत्र बढ़ाता है और जीव विषों के प्रभावों को व्यर्थ कर देता है। यह बुढ़ापे की प्रतिक्रियाओं को धीमी करता है।

जिगर की सुस्वस्थता कायम रखने के लिये विटामिन 'ई' के साथ

सेलेनियम आवश्यक है। सेलेनियम की कमी कैन्सर और हृदय रोग में जोखिम का कारक मानी जाती हे। सेलेनियम कैन्सर दूर रखने की सच्ची आशा दिलाता है। कई देशों के सेलेनियम और कैन्सर प्रतिमानों का मानचित्रण कर लिया गया है। सेलेनियम कैंसर संबंध का साक्ष्य अत्यधिक है। फिनलैंड में वैज्ञानिकों ने 11,000 व्यक्तियों को देखा। उन्होंने पाया कि सेलेनियम के निम्न रक्त स्तर वाले व्यक्ति हृदय रोग से तीन गुणा अधिक मृत्यु की सम्भावना वाले थे। चीन में हृदय की पेशी की खराबी से होने वाला रोग उन क्षेत्रों में फैला हुआ था जहां खनिज सेलेनियम के निम्न स्तर पाये गये थे। सेलेनियम की कमी वाली मिट्टी सेलेनियम की कमी वाले खाद्य उत्पन्न करती थी।

सेलेनियम सम्पूरण के परिणामस्वरूप यह रोग प्रायः समाप्त कर दिया गया है। 1984 में प्रकाशित एक अध्ययन ने बताया कि निम्न रक्त सेलेनियम वाले व्यक्तियों को कैन्सर होने का अधिक खतरा है।

स्त्रोत

शतावर, फूलगोभी, अजमोद, खीरा, लहसुन, प्याज, खुंभी, मूली, खमीर सम्पूर्ण अनाज, समुद्र से प्राप्त होने वाले खाद्य, जिगर, गुर्दा, मांस, ब्राउन चावल में सफेद चावल से 12 गुना सेलेनियम होता है; सम्पूर्ण गेहूं की डबल रोटी में सफेद डबल रोटी से तीन गुना। शोधन करने और देर तक पकाने से सेलेनियम नष्ट हो जाता है। सम्पूरक केवल डॉक्टरी सलाह पर लिये जाने चाहिदे। अधिक सेलेनियम वाले आहारों पर ध्यान केन्द्रित कीजिये।

सोडियम (Sodium)

सोडियम शरीर की कोशिकाओं के अन्दर और बाहर पानी के सन्तुलन के बनाये रखने में सहायक होता है। इसकी कमी से पेशियों में ऐंठन, एडेमा हो सकता है, किन्तु इसकी अधिकतता से हानिकारक परिणाम जैसे उच्च रक्तचाप, गुर्दे की बीमारियों, जिगर का सूत्रणरोग और संकुलन संबंधी हृदय

रोग हो सकते है। सोडियम मूत्र और विशेषत: पसीने से सोडियम क्लोराइड के रूप में निकलता है।

कभी-कभी आहारों में जैव सोडियम आवश्यकता की पूर्ति के लिये पर्याप्त नहीं होता। अत: सोडियम क्लोराइड या खाने का नमक भोजन में शामिल करना पड़ता है। इसका मुख्य स्त्रोत है संसाधित आहार, मांस और स्वयं सामान्य नमक। सोडियम की कमी से डरने की आवश्यकता नहीं है। इसकी बहुलताओं से वचिये।

जस्ता (जिंक) (Zinc)

जस्ता शरीर में कई एन्जाइमों के लिये सह-घटक के रूप में कई कार्य करता है। यह ऊतकों के सामान्य कार्य में सहायता करता है और शरीर में प्रोटीन और कार्बोज के संभालने के लिये आवश्यक है। जस्ते की कमी मद्यपान आहार के परिष्कार कम प्रोटीन के आहार जुकाम गर्भावस्था और रोग के कारण हो सकती है।

जस्ते की कमी जिगर से विटामिन 'ए' के मोचन को कम कर देती है। इस प्रकार की कमी के परिणाम हो सकते है। स्वाद और भूख की कमी घाव भरने में विलम्ब गंजापन वृद्धि में विलम्ब, हृदय रोग मानसिक रोग विलम्बित यौन परिपक्वता और प्रजनन संबंधी दुष्क्रिया। कुछ मध्य पूर्व के देशों में बौनापन का कारण आहार में जस्ते की कमी माना जाता है।

जस्ता अपेक्षाकृत अविषाक्त है। आंतों में शरीर के लिये अनावश्यक जस्ते की अतिरिक्त मात्रा को समाप्त करने के लिये कार्यकुशल यंत्र रचना है। आयु के साथ जस्ते की अतिरिक्त मात्रा को समाप्त करने के लिये कार्यकुशल यंत्र-रचना है। आयु के साथ जस्ते की कमी की संभावना बढ़ती है। एक अध्ययन में जब कुछ नवयुवकों में केवल दो महीनों के लिये जस्ते की कमी थी, उनके बालों की वृद्धि धीमी हो गई।

लाल और सफेद् रक्त कोशिकायें कम हो गई, उनके स्वाद का संवेदन घट गया और वे संक्रमणों के प्रति अधिक प्रवृत हो गये। फरवरी, 1990 के

क्लिनिकल न्यूट्रिशन के अमरीकी जर्नल में एक लेख में संकेत किया गया था कि जिंकु सम्पूरण के निम्न स्तर भी तांबे और लोहे के उपयोग में बाधा उपस्थित करते है और एच.डी.एल. कोलस्ट्रॅल संकेन्द्रण पर प्रतिकूल प्रभाव डालते है।

स्त्रोत

सम्पूर्ण अनाज, फलियां, सूखा मलाई उतारा हुआ दूध, संसाधित पनीर, संसाधित पनीर, खमीर, गिरीदार फल, बीज, गेहूँ के अंकुर, चौकर, बिना पॉलिस किया हुआ चावल, पालक, मटर, कॉटेज पनरी, समुद्र से प्राप्त होने वाला आहार, मुर्गे, अंडें। सम्पूर्ण गेहूँ के आटे के उत्पादों में सफेद आटे की अपेक्षा चार गुना अधिक जिंक होता है। अब कुछ भारी धातुओं के संबंध में भी कहा जा सकता है।

अल्युमीनियम (Aluminium)

मस्तिष्क के अन्दर गहराई में कुछ स्नायु-रेशों तक अपना मार्ग बनाते हुये यह एक मानसिक रोग उत्पन्न करता है। यह धातु सस्ते संक्षरित करने वाले अल्युमीनियम के बर्तनों से आती है जिनका प्रयोग कुछ लोग करते हैं या अल्युमीनियम की पन्नी से प्राप्त होती हे जब चटनी, खट्ठे रसों, सिरका आदि क्षारीय खाद्यों पर प्रयोग की जाती है।

सीसा (Lead)

पाइपों और रंगलेपों का सीसा एक लम्बे समय से अधिक समस्या उत्पन्न कर सकता है। शरीर हड्डियों और ऊतकों में सीसे का भंडारण करता है। सीसे की अतिमात्रा वमन और सम्मूर्च्छा का कारंण भी बन सकती है। सीसे के उच्च स्तर शरीर की कोशिकाओं के लिये ऑक्सीजन की सुलभता में बाधा डालते हैं।

पारा (Mercury)

यह हमारी धमनियों की दीवारों को काट देता है, जन्म दोष और कई

मनोवैज्ञानिक रोगलक्षण उत्पन्न कर देता है।

अरगजी

यह उच्च रक्तचाप और फुफुस तथा गुर्दों की बीमारियों से सम्बद्ध है। अरगजी प्रतिरक्षा तंत्र को क्षतिग्रस्त कर देता है।

आहरीय रेशा

आहारीय रेशा वह उपादान है जो पौधों में कोशिकाओं की दीवारें बनाता है यह अपाच्य अंग है। यह एन्जाइमों द्वारा भंग नहीं किया जा सकता और शरीर के द्वारा अवशोषित नहीं होता। इस कारण पहले यह अनुमान किया जाता था कि इसका कोई आहार संबंधी मूल्य नहीं है, अतः इसे फेंका जा सकता है। तथापि इसमें महत्त्वपूर्ण यांत्रिक एवं अन्य विशेषतायें हैं।

उदाहरण के लिये यह पानी को रोक कर रखता है और इस प्रकार सुनिश्चित करता है कि मल सूखे नहीं और कब्ज न पैदा करें। आंतों में मुक्त संचलन सूजन और विषाक्त पदार्थों के जमा होने के जोखिम को कम करता है। रेशा दो प्रकार का होता है-पानी में घुलनशील और पानी में न घुलने वाला। सब्जियां, गेहूँ और अधिकतर अनाजों में घुलनशील रेशे की अपेक्षा अघुलनशील रेशा अधिक होता है। जई, जव फलियां और फलों में अधिक घुलनशील रेशा होता है।

अघुलनशील रेशे पाचन में मदद करते हैं और कब्ज कम करते हैं। घुलनशील रेशे सीरम कलॅस्ट्रल एच. डी. एल. का अनुपात बढ़ाते हैं। उच्च रेशेवाले आहार वजन कम करने में सहायक होते हैं। इस प्रकार के खाद्य पदार्थों को अधिक समय तक चबाना पड़ता है और यह फुरसत से खाना जिस मात्रा में आहार लिया जाता है उससे अधिक सन्तोष प्रदान करता है।

उच्च रेशे वाले आहार पचाने में अधिक ऊर्जा खर्च होती है। रेशा इन्सुलिन के स्तरों को कम करता है। इन्सुलिन से भूख बढ़ती है। इस प्रकार

आहारों में उच्च रेशा भूख कम करता है। इसके अतिरिक्त उच्च घुलनशील रेशे वाले आहार पेट में ज्यादा देर रहते हैं और पेट भरे होने का अहसास देते हैं। ऊपर के सब कारणों से व्यक्ति का झुकाव उच्च रेशे वाला आहार कम लेने का और वजन कम करने का होता है। ब्रिस्टल विश्वविद्यालय के डॉ॰ केन हीटन विश्व चिकित्सा में लिखते हुये स्पष्ट करते हैं, रेशा इस बात में बेजोड है कि यह सन्तुष्ट है करता है किन्तु कैलोरी की आपूर्ति नहीं करता।

आप स्वयं सेब के रस का एक ग्लिास पीकर और दो सेब खाकर इसकी परीक्षा कर सकते हैं। सेब आपको भर देते हैं; रस आपको खाने के लिये तैयार स्थिति में छोड़ता है। रस और सेबों के बीच का अंतर केवल तीन ग्राम रेशा है। यह आश्चर्यजनक किन्तु सत्य है कि एक सामान्य खाने वाला सेब 98.5% सेब का रस है जो मात्र 1.5% रेशे के द्वारा एक साथ पकड़ में रहता है। और मजबूत तथा ठोस बना दिया जाता है। रेशा किस प्रकार छका देता है यह ठीक-ठीक ज्ञात नहीं है। किन्तु शायद आंशिक रूप से इसका कारण खाद्य संरचना पर इसका दृढ़ीकरण प्रभाव है। जब सेबों को पूरी के रूप में बनाया जाता है, वे सम्पूर्ण फल की अपेक्षा कम सन्तोष देते है। डॉ. हीटन ने इस विचार का परीक्षण किया कि रेशा हमें अपनी आवश्यकता से अधिक खाने से निरूत्साहित करता है। सात सप्ताह के पश्चात अपरिष्कृत आहार पर रहने वाले सारे स्वयं सेवकों का वजन कम हो गया। रेशा मल की बनावट पर असर डालता है और इसे अधिक भारी भरकम बनाता है।

यह अधिक मुलायम हो जाता है। पाखाना जितना भारी भरकम होगा, आंतों से निकलने में उसे उतना ही कम समय लगेगा। गेहूँ की चौकर पाखाने का भार बढ़ाने में उसी मात्रा के गाजर या बन्द गोभी के रेशे से दूनी प्रभावशील है। इन्हीं कारणों से हिप्पोक्रेटीज ने कहा था सम्पूर्ण अनाज की डबल रोटी आंत को साफ कर देती है। संयुक्त राज्य अमेरिका में रेशे की औसत दैनिक खपत 25 ग्राम से कम है।

विकासशील देशों में यह अधिक है और विशिष्ट वर्गों में 25 ग्राम से लेकर उन देशों के दूर-दराज कोनों में किसानों में 90 ग्राम तक है। अमरीकी हृदय संस्थान राष्ट्रीय कैन्सर संस्थान और राष्ट्रीय विज्ञान एकादमी सब उच्च चर्बीयुक्त आहारों के स्थान पर उच्च रेशे वाले आहारों की जोरदार सिफारिश करते है, तथापि उच्च रेशे वाले आहार शारीरिक रूप से निष्क्रिय और शयाग्रस्त लोगों को नहीं लेना चाहिये। रेशा सम्पूरक लम्बे समय के लिये भी बिलकुल सुरक्षित माने जाते है।

रेशा- सम्पूरक पानी सोख लेते हैं और पेट भरे हुये होने का अहसास कराते हैं। अतः इन्हें लेने वालों को जो अपना वजन घटाना चाहते है, भोजन के पहले या भोजन के साथ लेना चाहिये और जो लोग अपना वजन नहीं घटाना चाहते उन्हें अपने बड़े खाने के बाद लेना चाहिये। आहरीय रेशा अनुसन्धान में अग्रणी डेनिस बरकिट के अनुसार एक उच्च वसा वाला भोजन हमेशा कम रेशे वाला आहार होता है।

और एक उच्च रेशे वाला आहार सदा कम वसायुक्त आहार होता है। 15-12-1989 के ब्रिटिश मेडिकल जर्नल पर दिया हुआ है कि एक उच्च रेशे वाले आहार की प्रवृति उच्च रक्तचाप वाले रोगियों के रक्तचाप को कम करने की होती है। 1977 के विलनिकल न्यूट्रीशन का अमरीकी जर्नल पर संकेत करता है कि अनुसंधान ने दिखा दिया है कि पेक्टिन, फलों के छिलकों, सब्जियों और सूर्यमुखी के बीजों में पाया जाने वाला रेशा, रक्त के कोलसट्रल स्तरों को कम कर देगा। डी॰ बरकिट 1974 के अमेरिकन मेडिकल एसोसियेशन के जर्नल पर अपने प्रपत्र में कहते हैं कि उच्च रेशे वाले और कम वसा वाले आहार मुलायाम नम और ढेर सारी विष्ठा उत्पन्न करते है, जोर लगाने की आवश्यकता समाप्त कर देते हैं और न केवल कब्ज बल्कि हेमोरायड और बेरियोकोज शिराओं के रोक और उपचार में बहुत सहायक होते है।

कोलस्ट्रॉल (Cholesterol)

कोलस्ट्रॉल शब्द यूनानी शब्दों कोल अर्थात पित और स्टेरियोज अर्थात् ठोस से बना है। कॅलस्ट्रॅल एक मोमी, पीला-सफेद पदार्थ है जो अधिकतर जिगर में पैदा होता है। यह एक मूल अणु है जो समस्त प्राणी जीवन में एक अनिवार्य भूमिका अदा करता है।

कॅलस्ट्रॅल हमारी कोशिका दीवारों में अत्यावश्यक तत्व है। यह एक बिल्डिंग ब्लॉक है जो शरीर के द्वारा शरीर की उद्योगशाला को चलाने के लिये अत्यन्त आवश्यक उपादान बनाने हेतु प्रयोग किया जाता है। कॅलस्ट्रॅल हमारे जीवित बने रहने के लिये अनिवार्य है। हमारे स्नायुओं के पृथक्करण और कोशिकाओं की झिल्लियां तथा हॉरमोन भी बनाने के लिये इसकी आवश्यकता है। एक स्वस्थ मानव शरीर में कोलस्ट्रल जो मस्तिष्क, स्नायु, पेशियों और वसा-ऊतकों का भाग है, 140 से 160 मिलीग्राम के बीच स्थिर रहता है।

लगभग 20-25 मिलीग्राम कोलस्ट्रॅल जिगर, आंतों और रक्तपलाविका में चयापचय प्रक्रियाओं में सक्रिय रहता हे। कॅलस्ट्रॅल मानव शरीर में आहार से मिलता हे। यह आंतों के द्वारा अवशोषित होता हे। सारी कमियां शरीर को स्वयं पूरी करनी होती है। 200 मिली ग्राम से नीचे के कोलस्ट्रल स्तर अच्छे है।

200-240 मिलीग्राम के बच्चे के स्तरों पर निगाह रखनी आवश्यक है। और 240 से अधिक के स्तर ऊंचे है और उन्हें डॉक्टरी सावधानी की आवश्यकता है। कोलस्ट्रल के संबंध में उच्च जोखिम के कारक लगभग वही है जो दिल के दौरे की स्थिति में होते हैं। ये हैं: 1. अनुवांशिकता, 2. आयु 3. पुल्लिंग 4. धूम्रपान 5. उच्च रक्तचाप 6. अत्यधिक मोटापा 7. मधुमेह 8. परिसंचरण संबंधी विकार और, 9. व्यायाम न करना जिसका परिणाम होता है निम्न एच. डी. एल.। महिलाओं को महिला हॉरमोन एसट्रोजेन द्वारा संरक्षण प्रदान किया जाता है।

रजोनिवृति के पश्चात् जब रज:स्त्राव के साथ अपशेषों का निष्कासन नहीं होता और जब एस्ट्रोजन की आपूर्ति कम हो जाती है, उच्च कोलस्ट्रॅल स्तरों और दिल के दौरे के जोखिम बढ़ जाते है। कोलस्ट्रॅल रक्त प्रवाह में बराबर आता रहता है। इसके तीन रूप हैं।

अत्यन्त नीची सघनता वाली लिपेप्रोटीन निम्न सघनता वाली लिपोप्रोटीन और उच्च सघनता वाली लिपोप्रोटीन। अत्यन्त निम्न सघनता वाली लिपोप्रोटीन हृदय धमनी के स्वास्थ्य पर प्रभाव डालती प्रतीत नहीं होती, निम्न सघनता वाली लिपोप्रोटीन मुख्य अपराधी है जो धमनियों में निक्षेप बढ़ाती है और धीरे-धीरे रक्त का मार्ग बन्द कर देती है।

उच्च सघनता वाली लिपोप्रोटीन रक्षक एवं सहायक प्रतीत होती है। कोलस्ट्रॅल रणनीति की दो भुजायें होनी चाहिये, एक निम्न सघनता वाली लिपोप्रोटीन को कम करना और दूसरी उच्च सघनता वाली लिपोप्रोटीन बढ़ाना। एलोपैथ भी कहते है कि कोलस्ट्रॅल पर विजय पाने के लिये आहार सर्वोतम औषधि है। विश्वास किया जाता है कि पांच सौ में से केवल एक रोगी में आहार नियत्रंण द्वारा कोलस्ट्रल स्तरों को ठीक नहीं किया जा सकता।

जापान में अपेक्षाकृत दिल का दौरा अज्ञात है क्योंकि परम्परागत जापानी आहारों में कोलस्ट्रॅल निम्न सघनता वाली लिपोप्रोटीन के स्तर बहुत नीचे रखे जाते है। निम्न सघनता वाली लिपोप्रोटीन स्तरों को कम करने के लिये कोलस्ट्रल वाले आहारों से बचना चाहिये। यह स्थापित हो चुका है कि घुलनशील रेशा कोलस्ट्रल निम्न संघनता वाली लिपोप्रोटीन के साथ बंध जाता है और उस कोलस्ट्रल के साथ निकल जाता है। अत: उस रणनीति का दूसरा भाग घुलनशील रेशों के साथ पदार्थों का लेना है। अघुलनशील रेशें कोलस्ट्रल के साथ नहीं बंधते और इसे निकालने में सहायक नहीं होते। जई की चौकर, सेब और सूखी फलियों में घुलनशील रेशों का अच्छा अनुपात होता है और इसीलिये वे निम्न सघनता वाली लिपोप्रोटीन कोलस्ट्रल को कम करने में सामान्य रूप से प्रभावशाली है।

घुलनशील रेशे वाले अन्य खाद्य पदार्थों के उदाहरण है। मक्का, नींबू वाली पेक्टिन, सूर्यमूखी के बीज। तीसरे कुछ आहार एलडीएल कोलस्ट्रल स्तरों को कम करने वाले जाने जाते हैं। उदाहरण:

1. डॉक्टर एमिल गिन्टर ने एक लम्बे समय के प्रयोग में पाया कि प्रतिदिन 300 मिलीग्राम विटामिन सी उच्च प्रारम्भिक वाचन वाले व्यक्तियों के सीरम कोलस्ट्रल स्तरों को बहुत कम कर देता है किन्तु औसत वाचन वाले व्यक्तियों के पर इसका कोई प्रभाव नहीं पड़ता। इस प्रयोग की रपट विटामिन न्यूट्रिशन रिसर्च के अन्तर्राष्ट्रीय जर्नल की जिल्द पर की गई।

2. कहवा कोलस्ट्रल स्तरों को बढ़ाता है। यह ज्ञात नहीं है कि यह कैफीन का परिणाम है या कहवा में किसी अन्य तत्व का। जितना अधिक सम्भव हो कहवा से बचना चाहिये।

3. विटमिन नियासिन कुल कोलस्ट्रल कम करता है और अच्छे एच. डी. एल. कोलस्ट्रल को बढ़ाता है।

4. न्यूट्रिशस डायटेटिक्स के इंडियन जर्नल के अक्टूबर, 1986 के अंक में सुश्री आरती दीवान तथा अन्य के एक प्रपत्र के अनुसार धूम्रपान की आदत सीरम कोलस्ट्रल और रक्तचाप के स्तरों को बहुत बढ़ा देती है। तथा एच. डी. एल. स्तरों को कम कर देती है।

5. 1977 की इन्टरनल मेडिसिन न्यूज में प्रकाशित डॉ. राश की रिर्पोट की स्थापना है कि लेसिथिन से रोगियों के लम्बे समय के ईलाज का परिणाम होता है। निम्न सीरम लिपिड और निम्न कोलस्ट्रल। क्लिनिकल न्यूट्रिशन के अमरीकी जर्नल में तथा कुछ अन्य जर्नलों में प्रस्तुत अन्य अध्ययनों ने भी पुष्टि की है कि सोयाबीन लेसिथिन में कोलस्ट्रल कम करने वाले प्रभाव होते हैं।

6. क्रोमियम और मैग्नेशियम बढ़े हुये रक्त कोलस्ट्रल स्तरों को कम करते है।

7. संतृप्त वसायें मुख्य अपराधी हैं। इनसे बचना चाहिये। असंतृप्त

वसाओं का उपभोग भी संयम के साथ करना चाहिये। कम वसा और उच्च रेशे वाला आहार लेना चाहिये-शुद्ध शाकाहारी भोजन, जिसमें संतृप्त वसा से केवल 8-10% कैलरी हो, अधिक अच्छा है।

फल और सब्जियाँ अधिक लीजिये। सम्पूर्ण दूध के स्थान पर मलाई उतारा हुआ दूध लीजिये। कच्चे मांस और चिकन के स्थान पर मछली लीजिये। उच्च सघनता वाली लिपोप्राटीन बढ़ाने वाली दूसरी रणनीति के संबंध में पोषण वैज्ञानिक पुष्टि करते है कि एच. डी. एल. कोलस्ट्रल बढ़ाने के लिये मानव को ज्ञात सर्वोतम वस्तु है वातापेक्षी व्यायाम।

घूमना वातापेक्षी व्यायामों में सबसे अच्छा माना जाता है। 1989 के लान्सेट पर मुन्दन के राइस और अन्यों का एक प्रपत्र पुष्टि करता है कि एच. डी. एल. कोलस्ट्रल को बढ़ाने में व्यायाम का प्रभाव और व्यायाम तथा हृदय धमनी के रोग के बीच विपरीत सम्बन्ध सुस्थापित है और विविध प्रक्रियाओं का परिणाम हो सकता है। एक स्वस्थ व्यक्ति के लिये एल. डी. एल. 130 मिलीग्राम से कम और कुल कोलस्ट्रल एच. डी. एल. से भाग देने पर 4.5 से कम का अनुपात होना चाहिये। आवश्यक वस्तु है एच. डी. एल.। यह अनुपात जितना कम होगा, सम्पूर्ण तंत्र उतना ही अधिक स्वस्थ होगा।

जल
(Water)

शरीर का दो-तिहाई हिस्सा जल रूप है। हमारे शरीर में कुछ ऐसे ठोस-रासायनिक द्रव्य होते हैं जिन्हें अपनी क्रियाओं को पूर्ण करने के लिए किसी तरल पदार्थ की आवश्यकता होती है। जिसमें वह आसानी से घुल कर तरल हो जाएं। इसके लिए जल एक प्रमुख तरल द्रव्य है। ऐसे ठोस एवं तरल द्रव्य (जल) के मिश्रण को विलायक द्रव्य कहते हैं। जल हमारे शरीर की ऊष्णता व शीतलता को संतुलित करता है। हमारे शरीर में से जल का व्यय मल, मूत्र, उच्छवसन आदि के रूप में होता है जिसकी पूर्ति हम पानी, अन्य पेय पदार्थ, फल, सब्जी आदि के निरन्तर सेवन से कर सकते हैं।

जल को यद्यपि लघु पोषकों में रखा गया है किन्तु इसकी आवश्यकता बड़ी मात्रा में होती है, अर्थात् दो लीटर प्रतिदिन, ताकि रक्त से जीव-विषों (टॉक्सिन) को निष्कासित किया जा सके। यह शरीर के तापमान को नियंत्रित करने में भी मदद करता है। जल एक अत्यन्त महत्त्वपूर्ण पोषक है। यह शरीर के लगभग सभी कार्यों का हिस्सा है।

– जल शरीर के तापमान का नियमन करता है। पोषकों को ऊतकों तक पहुँचाता है।

– शरीर के अवशिष्ट को निष्कासित करता है।

– शरीर के अंगों को चिकनाई तथा सहारा देता है।

– आहार को जज़्ब करने और पचाने में सहायक है।

शरीर के जलीकरण तथा उसके सभी अंगों की उचित कार्यशीलता के लिये, पोषण विशेषज्ञों के अनुसार प्रतिदिन दो लीटर जल का ग्रहण करना आवश्यक है। निर्जलीकरण से उबकाई, चक्कर आने की अनुभूति तथा कमज़ोरी का ख़तरा होता है। 15 प्रतिशत पानी की क्षति जानलेवा हो सकती है।

8

व्यायाम के दौरान जलयोजन (हाइड्रेशन) की भूमिका, जल संतुलन, पोषण-दैनिक कैलोरी
(Role of Hydration During Exercise, Water Balance, Nutrition — Daily Caloric Requirement and Expenditure)

व्यायाम के दौरान जलयोजन (हाइड्रेशन) की भूमिका
(Role of Hydration During Exercise)

चाहे तुम एक व्यावसायी एथलीट हो या एक सामान्य कसरत करने वाले व्यक्ति, तुम्हें इस बात का विशेष तौर पर ध्यान रखना चाहिए कि व्यायाम से पहले तथा बाद में जल-स्तर सटीक मात्रा में होना चाहिए। मानव शरीर में 70% जल विद्यमान है, जल ही हमारे शरीर के तापमान को नियमित करता है तथा हमारे जोड़ों (Joints) को सशक्त व चिकना बनाए रखता है जिसके कारण हम कोई भी शारीरिक गतिविधि या क्रियाएं करने में सक्षम होते हैं। जल से ही हमारे शरीर को सभी पोषक तत्व मिलते हैं जिससे हमारे शरीर को ऊर्जा मिलती है तथा हम स्वस्थ रहते है। यदि हमारा शरीर ठीक प्रकार से हाइड्रेटिड नहीं होगा तो हम उच्चस्तरीय प्रदर्शन कर पाने में सक्षम नहीं होंगे। अव्यवस्थित रूप से शरीर में हाइड्रेशन की स्थिति में हमें थकान, मांसपेशियों में ऐंठन, चक्कर आना तथा दूसरे कई लक्षण दिखाई देने लगेंगे।

शरीर में उचित रूप से हाइड्रेशन की अवस्था को जांचने का एक एक साधारण व सरल उपाय यह है कि अपने मूत्र की जांच कराएं। यदि आपका मूत्र लगातार रंगविहीन अथवा हल्का पीला है तो इसका मतलब यह है कि तुम्हारा शरीर उचित रूप से हाइड्रेटिड है। जबकि दूसरी तरफ यदि आपका

मूत्र गहरे पीले रंग या एम्बर-रंग का है तो यह निर्जलीकरण (Dehydration) का एक महत्वपूर्ण लक्षण है।

निर्जलीकरण (Dehydration) के लक्षण

निर्जलीकरण की अवस्था तब आती है जब हम तरल पदार्थ ग्रहण करने की अपेक्षा अधिक त्यागते है। जब हमारे शरीर में जल पर्याप्त मात्रा में नहीं होगा तब ऐसी अवस्था में हम उचित प्रकार से कार्य नहीं कर सकते। निर्जलीकरण की अवस्था सौम्य से कठोर हो सकती है। निर्जलीकरण के लक्षण निम्नलिखित तरह के हो सकते हैं:-

– चक्कर आना या चंचलता की भावना महसूस होना

– मतली या उल्टी होना

– मांसपेशी में ऐंठन होना

– शुष्क मुंह होना

– पसीना कम आना

– दिल की धड़कन तेजी से होना

निर्जलीकरण के घातक लक्षणों में मानसिक भ्रम, कमजोरी, तथा चेतना की क्षति जैसी स्थितियां शामिल हो सकती हैं। हमें ऐसे लक्षणों तथा स्थितियों के समय तुरन्त आपातकालीन चिकित्सीय देखभाल की सहायता लेनी चाहिए।

जल संतुलन
(Water Balance)

जल जीवन के लिए तथा शरीर में हाइड्रेशन बनाए. रखने के लिए आवश्यक है। शरीर में उचित व व्यवस्थिति रूप से हाइड्रेशन स्तर होने पर ही हम शारीरिक तथा मानसिक रूप से स्वस्थ व प्रदर्शन कर सकने की स्थिति में होते हैं। मानव शरीर मुख्य रूप से जल से ही बना है। शरीर में पानी की मात्रा उम्र के साथ घटती रहती है, यह शिशुओं में 75% तथा

व्यस्कों में 60% तक घटती है। यद्यपि हम भोजन के बगैर 50 दिनों तक जिन्दा रह सकते है परन्तु जल के बिना, यहां तक की शीत जलवायु में भी केवल कुछ ही दिन जिन्दा रह सकते हैं। सामान्य तौर पर सभी व्यक्ति पर्याप्त मात्रा में जल पीते है, परन्तु विशिष्ट जनसंख्या समूह जैसे वयोवृद्ध, या व्यायाम करने के दौरान तरल पदार्थ का सेवन महत्वपूर्ण हो सकता है।

दैनिक जल व्यय

जल लगातार हर समय त्वचा के माध्यम से और सांस द्वारा हमारे शरीर को छोड़ देता है जिसकी मात्रा प्रति दिन 700 मिली॰ होती है। हम और एक 100 मि॰ली॰ मल द्वारा, लगभग 1.5 लीटर मूत्र द्वारा तथा 200 मि॰ली॰ सामान्य पसीने द्वारा जल को अपने शरीर से त्यागते हैं। इसलिए हमें इस शीतोष्ण जलवायु में जिन्दा रहने के लिए 2.5 लीटर पानी की आवश्यकता प्रति दिन पड़ती है। व्यायाम करने तथा तापमान बढ़ने से पसीना अधिक बहता है, जिसके कारण जल की कमी होती है, इसलिए हमारे शरीर को और अधिक तरल पदार्थों की आवश्यकता पड़ती है। बीमारी के दौरान तथा दस्त लगने की स्थिति में शरीर में बड़ी तेजी से जल स्तर घटता चला जाता है।

निर्जलीकरण (Dehydration) के प्रभाव

निर्जलीकरण की अवस्था से सिरदर्द होना, थकान होना तथा एकाग्रता की कमी जैसे लक्षण उत्पन्न होते हैं। यह समस्या विशेष रूप से उम्र बढ़ने के साथ बढ़ती है, वृद्ध व्यस्क सौम्य निर्जलीकरण (Mild Dehydration) के प्रति कम संवेदनशील होते हैं, वे कम पानी पीते है तथा रि-हाइड्रेट करने के लिए लम्बा समय लेते है। मानसिक प्रदर्शन की गिरावट सौम्य युवा व्यस्कों में भी होती है। बच्चे पसीने द्वारा ठंडा रहने के प्रयत्न में अधिक जल त्यागते हैं। इसलिए यह सुनिश्चित कर लिया जाएं कि बच्चे गर्म मौसम में पय पदार्थों का अधिक सेवन करें तथा निर्जलीकरण की अवस्था से बचा जा सके।

शरीर में जलयोजन (हाइड्रेशन) बनाए रखने के लिए पर्याप्त मात्रा में

पय पदार्थों का सेवन करना

हमें अपने शरीर में उचित जल-स्तर बनाए रखने के लिए पर्याप्त मात्रा में पानी पीना चाहिए। हमारे शरीर में चयापचय की प्रक्रिया द्वारा हम लगभग 250 मिलीलीटर तथा और 750 मिलीलीटर जल हमें अपने भोजन द्वारा मिलता है। अतः शेष 1.5 लीटर जल हमें पेय पदार्थों द्वारा प्राप्त होता है।

सभी जल-युक्त पेय पदार्थ कुल जलयोजन (हाइड्रेशन) के लिए अपना योगदान दे सकते हैं, इनमें फल रस, शीतल पेय, चाय, कॉफी, मादक पेय पदार्थ जैसे - बीयर की ही तरह शुद्ध पानी शामिल है। यह देखा गया है कि जब तरल पदार्थ की आवश्यकता अधिक होती है तब पेय पदार्थ की अभिरूचि और भी महत्वपूर्ण हो जाती है।

पोषण-दैनिक कैलोरी
(Daily Caloric Requirement and Expenditure)

संपूर्ण स्वास्थ्य के लिये हर वर्ग का पोषक तत्त्व अनिवार्य है। इन ब्रहत्त पोषकों में से एक की भी कमी शारीरिक और मानसिक-भावात्मक बढ़त एवं विकास को कमज़ोर कर देगी, रोगों के प्रतिरोध का अभाव होगा, ऊर्जा की कमी होगी और प्राणों का अंत भी हो सकता है। हमारा शरीर कुशलतापूर्वक कार्य कर सके इसके लिये उसे सभी छः श्रेणियों के पोषकों की आवश्यकता होती है।

हमारे शरीर को पोषकों की आवश्यकता ऊर्जा के लिये भी होती हैं। पोषकों के अध्ययन में ऊर्जा को कैलोरी में नापा जाता है। शरीर की कोशिकायें आहार में पोषकों का इस्तेमाल ऊर्जा के लिये करती हैं ताकि सभी ज़रूरी कार्य संपन्न किये जा सकें जैसे बढ़त तथा मरम्मत।

जिस प्रक्रिया से आहार ऊर्जा में एवं निर्माण सामग्री में परिवर्तित होता है उसे चपापचय (बुनियादी मेटाबोलिज़्म) कहते हैं। गतिविधि के अनुसार मानव शरीर भिन्न गति से चपापचय करता है। सबसे धीमी गति के चपापचय की आवश्यकता तब होती है जब हमारे शरीर के बुनियादी कार्य

जैसे- श्वसन, रक्त संचरण, तापमान नियमन आदि विश्राम की स्थिति में होते हैं।

उच्च स्तरीय शारीरिक तथा मानसिक गतिविधि को अधिक ऊर्जा की आवश्यकता होती है। उदाहरण के लिये, शारीरिक श्रम, दौड़ने तथा तैरने जैसे खेलों के लिये ज़्यादा कैलोरी की आवश्यकता होती है। कुर्सी पर बैठकर पढ़ने के लिये कम कैलोरी चाहिए होती है। अतः जो लोग व्यायाम करते हैं उनको व्यायाम न करने वालों की अपेक्षा अधिक कैलोरी की आवश्यकता होती है। इनमें से अधिकांश कैलोरी कॉर्बोहाइड्रेट तथा चर्बी/वसा के चपाप्चय से आती है। जल एक और पोषक तत्त्व है जिसकी व्यायाम करने वालों को बड़ी मात्रा में आवश्यकता होती है क्योंकि व्यायाम के दौरान पसीने के रूप में बहुत-सा पानी शरीर के बाहर निकल जाता है।

एक गर्भवती स्त्री या स्तनपान कराने वाली स्त्री को अतिरिक्त पोषकों की आवश्यकता होती है। गर्भावस्था के दौरान ग्रहण किये जा रहे आहार की गुणवत्ता तथा मात्रा का प्रभाव भ्रूण को स्वस्थ बना सकता है। जन्म के बाद भी माँ को समुचित पोषण लेना चाहिये। समुचित पोषण इस बात को सुनिश्चित करता है कि स्तनपान करने वाले शिशु की वृद्धि तथा विकास के लिये सभी पोषक तत्त्व मिल रहे हैं।

संतुलित आहार की संकल्पना

संतुलित आहार सभी अनिवार्य पोषकों को समुचित मात्रा में प्रदान करने के साथ ही शरीर की ऊर्जा की आवश्यकता की आपूर्ति के लिये पर्याप्त कैलोरी भी प्रदान करता है।

जिस भोजन में अच्छे स्वास्थ्य के लिये चार भिन्न समूहों के आहार संतुलित रूप से शामिल हों उसे संतुलित आहार की तरह परिभाषित किया जा सकता है, जैसे-

1. **मांस तथा मांस के विकल्प समूह**- मांस और मांस के विकल्प समूह में मांस, मुर्गा, मछली, गिरियां, फलियां जैसे मटर एवं बीन्स शामिल हैं। इस समूह का मुख्य पोषक तत्त्च प्रोटीन है। इस समूह के आहारों में

कुछ चर्बी/वसा तथा कार्बोहाइड्रेट हो सकते हैं। यह लौह तथा अन्य खनिज़ों के साथ विटामिनों का अच्छा स्त्रोत है। मांस तथा उनके विकल्प समूह के आहार हमें ऊर्जा देते हैं और रक्त, पेशियां तथा शरीर के अन्य ऊतकों को बनाने में सहायता करते हैं।

2. दूध तथा दूध के उत्पाद समूह- दूध तथा दूध के उत्पादों में दूध किसी भी रूप में शामिल है- वसा रहित, कम वसा वाला, दही, ग़ैर वसा का सूखा दूध। आईसक्रीम, चीज़, पनीर भी इसी समूह में आते हैं। इस समूह के उत्पाद मज़बूत अस्थियां, दांत तथा पेशियां बनाने में मदद करते हैं। यह समूह कैल्शियम का मुख्य स्त्रोत है तथा प्रोटीन एवं विटामिनों का भी अच्छा स्त्रोत है। इस समूह द्वारा चर्बी और जल की आपूर्ति भी होती है।

3. फल तथा सब्जियों का समूह- फल और सब्जियों का समूह कॉर्बोहाइड्रेट प्रदान करता है तथा अनेक विटामिनों और खनिजों का अच्छा स्त्रोत है। यह हमारे भोजन में पानी भी जोड़ता है। इस समूह के आहारों में अत्यंत अधिक कॉर्बोहाइड्रेट तथा बहुत कम चर्बी होती है, अतः अपने नाश्ते (स्नैक्स) आप इस सबसे अधिक स्वास्थ्य वाले समूह से चुनिये।

4. ब्रेड तथा अन्न समूह- ब्रेड तथा अन्न समूह में अनाजों जैसे गेहूँ, चावल और ओट के बने हुये उत्पाद आते है। इन उत्पादों में ब्रेड, बिस्कुट, कॉर्नमील, जई, मेकरोनी, नूडल्स तथा चावल शामिल हैं। साबुत अनाज या समृद्ध किये अनाज के उत्पाद भी विटामिनों, लौह तथा अन्य खनिजों के अच्छे स्त्रोत हैं। ये उत्पाद हमारे आहार में कॉर्बोहाइड्रेट तथा प्रोटीन भी जोड़ते हैं।

5. चर्बी तथा मिष्ठान्न समूह- अच्छे स्वास्थ्य के लिये चर्बी और मिष्ठान्न समूह की मात्रा को सीमित रखना चाहिये। चर्बी तथा मिष्ठान्न समूह में मक्खन, मार्जरीन, सलाद ड्रेसिंग तथा अन्य चर्बियां और तेल, केन्डी, चीनी, जैम, जेली, शर्बत, अन्य मीठे पेय, मिठाईयाँ आदि आहार शामिल हैं। इसी समूह में मैदे से बनी ब्रेड और पेस्ट्री भी शामिल हैं। चर्बी तथा मिष्ठान्न समूह अधिकांशतः रिक्त कैलोरी ही देता है- इस समूह के आहारों में पोषक तत्त्वों की मात्रा कम होती है। किंतु इस समूह के कई

आहारों में कैलोरी की मात्रा काफी अधिक होती है।

सभी समूहों के पोषक तत्त्वों का प्रतिनिधित्व इस अनुपात में होना चाहिये कि सभी पोषकों की आवश्यकताओं की आपूर्ति समुचित प्रकार से हो जाये। कुछ अतिरिक्त पोषक हिफाजत से तनाव की स्थितियों में प्रयोग में आने चाहिये अर्थात् संतुलित आहार के घटकों में प्रोटीन, कॉर्बोहाइड्रेट, चर्बी, खनिज, विटामिन तथा तरल पदार्थ शामिल होंगे।

एक संतुलित आहार में रेशे भी होने चाहिये। यह आँतों के काम को नियंत्रित करते हैं, पेट भरा होने की अनुभूति पैदा करते हैं तथा कोलोन के कैंसर का प्रतिरोध करते हैं। पोषकों और रेशों के कार्य तथा महत्त्व की व्याख्या पिछले अध्यायों में की जा चुकी है।

बड़ी मात्रा में चीनी, नमक तथा सैचुरेटेड वसा से परहेज़ करना चाहिये। संतुलित आहार की कुंजी हमारे आहार की विविधता तथा जो भी हम खाते हैं उसमें संयम है। संतुलित आहार शारीरिक तथा मानसिक-भावात्मक फिटनेस तथा उसके रख रखाव का एक महत्वपूर्ण अंग हैं। खाना न खाना या अधिक कैलोरी वाले खाने को उसका स्थानापन्न बनाना, एक समझदारी वाले खाने की जगह कम पौष्टिक स्नैक की चीज़े खाना, हमें कम ऊर्जा या धैर्य का एहसास करायेगा।

संतुलित आहार का महत्व

एक स्वास्थ्यपूर्ण जीवन के लिये कोई एक एकल आहार हमें सभी आवश्यक पोषक तत्त्व नहीं दे सकता है। हमें एक संतुलित आहार के लिये चार बुनियादी समूहों में से हर एक से विविध आहार लेने चाहिये तथा चर्बी और मिष्ठान्न को सीमित मात्रा में ग्रहण करना चाहिये। ऐसा आहार हमें स्वस्थ रहने के लिये सभी है तथा शरीर की चर्बी बढ़ाये बिना हमारी ऊर्जा की आवश्यकताओं के लिये पर्याप्त कैलोरी प्रदान करता है। एक संतुलित भोजन साबुत अनाजों, फलों, सब्जियों और गिरियों के रूप में हमारी रेशों की आपूर्ति को भी समुचित रूप से पूरा करता है। आहारीय रेशे या राशि वनस्पतियों के वे रेशे हैं जिन्हें हमारा शरीर पचा नहीं सकता है। पाचन तंत्र से गुज़रने के दौरान रेशों की वृत्ति पानी को जज़्ब करने की होती है। इससे

पेट भरा भरा लगता है और हम कम खाते हैं। यह आँतों के कार्य का नियमन है तथा कोलोन के कैंसर से बचने में भी मदद करता है।

कैलोरी अंतर्ग्रहण और व्यय

कैलोरी अंतर्ग्रहण- कैलोरी अंतर्ग्रहण की गणना तीन दिन तक लिये गये सभी आहारों तथा कैलोरी तालिका से मेल खाती, हर परोसे गए आहार की कैलोरी की संख्या का लेखा रखकर आसानी से की जा सकती है। गणना ध्यान से करनी चाहिये ताकि कैलोरी का कोई भी स्त्रोत- चाय या काफी, दूध और चीनी, नाश्ते की चीज़ें या बड़ी खुराक उपेक्षित न रह जाये। उपभोग किये गये भोजन में अंतर्ग्रहण की गई कैलोरी की गणना, ऊर्जा का प्रतिशत तथा विटामिन और खनिज की मात्रा जानने के लिये एक आहार विशेषज्ञ से कम्प्यूटर द्वारा विश्लेषण कराया जा सकता है।

कैलोरी व्यय- जब हम कोई गतिविधि करते हैं तो हम कैलोरी को भस्म या खर्च करते हैं। कैलोरी के व्यय का अनुमान शारीरिक गतिविधि तथा बी.एम.आर. के आधार पर किया जा सकता है। उदाहरण के लिये, एक कॉलेज जाने वाली लड़की जिसके शरीर का वज़न 55 किलो है तथा वह मध्यम स्तर की शारीरिक गतिविधि में व्यस्त है तो उसका बी.एम.आर. 1290 होगा जिसके परिणाम स्वरूप वह प्रतिदिन 1935 कैलोरी भस्म करेगी। कैलोरी व्यय की गणना तालिका-1 में प्रस्तुत की गई है।

तालिका-1

दैनिक कैलोरी व्यय की गणना

निष्क्रिय	**हल्के रूप से सक्रिय**	**सक्रिय**
अत्यंत निष्क्रिय व्यवसाय,	घर में हल्की गतिविधि,	सक्रिय व्यायाम,
लगभग सारे दिन बैठे रहना	यदाकदा व्यायाम व्यायाम	नियमित श्रमसाध्य
1.3 × बी.एम.आर.	1.5 × बी.एम.आर.	1.7 × बी.एम.आर.

कोई चाहे तो कैलोरी अंतर्ग्रहण और व्यय की गणना इंडियन काउन्सिल ऑफ मेडिकल रिसर्च द्वारा दी गई व्याख्या के अनुसार भी कर सकता है। यह तालिका-2 में वर्णित की गई है।

भारतीयों के लिए सुझाए गए आहारीय आँकड़े

वर्ग	विवरण	औसत	शुद्ध ऊर्जा शारीरिक वजन	प्रोटीन कि. कैलोरी/ प्रतिदिन	वसा ग्रा॰ प्रतिदिन	कैल्शियम ग्रा॰ प्रतिदिन	लोहा मिग्रा॰/ प्रतिदिन	विटामिन ए किग्रा॰ प्रतिदिन	बी करोटिन	थियामिन mg/d	रिबो- फ्लेविन mg/d	निकोटिन एसिड mg/d	पाइरि- टॉक्सिन mg/d	एस्कोरबिक एसिड mg/d	फॉलिक एसिड mg/d	विटामिन ठ-12 Ug/d
नवजात	0-6 माह	5.4	108/kg	2.05/kg		500		350	1200	55 ug/d	65 ug/d	710 ug/d	01			
	6-12 माह	8.6	98/kg	1.65/kg						50 ug/d	60 ug/d	650 ug/d	04	2.5	25	0.2
बालक	1-3 वर्ष	12.2	1240	22	25	400	12	400	1600	0.6	0.7	8	0.9		30	0.2-1.0
	4-6 वर्ष	19	1690	30			18	400	1600	0.9	1	11	0.9	40	40	
	7-9 वर्ष	26.9	1950	41			26	600	2400	1	1.2	13	1.6		60	
बालक	10-12 वर्ष	35.4	2190	54	22	600	34	600	2400	11	1.3	15	1.6	40	70	0.2-1.0
बालिका	10-12 वर्ष	31.5	1970	57			19			1	1.2	13				
बालक	13-15 वर्ष	47.8	2450	70	22	600	41	600	2400	1.2	1.5	16	2	40	100	0.2-1.0
बालिका	13-15 वर्ष	46.8	2060	65			28			1	1.2	14				
बालक	16-19 वर्ष	57.1	2640	78	22	500	50	600	2400	1.3	1.6	17	2	40	100	0.2-1.0
बालिका	16-19 वर्ष	49.9	2060	63			30			1	1.2	14				
पुरुष	स्थानबद्ध	60	2425	60	20	400	28	600	2400	1.2	1.4	16	2	40	100	1
	मध्यम सक्रिय		2875							1.4	1.5	18				
	अधिक सक्रिय		3800							1.6	1.9	21				
महिलाएँ	स्थानबद्ध	50	1875	50	20	400	30	600	2400	0.9	1.1	12	2	40	100	1
	मध्यम सक्रिय		2225							1.1	1.3	14				
	अधिक सक्रिय		2925							1.2	1.5	16				
	गर्भवती महिलाएँ	50	3225	65	30	1000	38	600	2400	1.4	1.7	18	2.5	40	100	2
	स्तनपान कराने वाली महिलाएँ															
	0-6 माह		3475	75						1.5	1.8	20				
	6-12 माह	50	3325	68	45	1000	30	600	2400		1.7	19	2.5	80	150	1.5

Source: Nutrient Requirements and Recommended Dietary Allowances for Indian ICMR (1999)

कैलोरी अंतर्ग्रहण

प्राय: कहा जाता है कि प्रतिदिन 365 दिनों तक अतिरिक्त 100 कैलोरी ग्रहण करने से हर साल लगभग 5 किलो वज़न बढ़ जाता है।

– 100 कैलोरी ग 365 = 36500 कैलोरी

– 7000 केलोरी प्रति 1 किलोग्राम चर्बी = 5.2 किलो ग्राम

यदि प्रतिदिन 500 कैलोरी की कमी है तो कोई भी व्यक्ति सप्ताह में ½ किलो और हर महीने में 2 किलो वज़न घटा सकता है। यह कमी किसी भी हालत में 1000 कैलोरी प्रतिदिन से आगे नहीं जानी चाहिये। यदि यह सीमा नियमित रूप से पार की जाती रही तो इसका नतीजा थकान, बेचैनी तथा रोग-प्रतिरोध की क्षमता में गिरावट में होगा।

निष्क्रिय या कम सक्रिय लोगों की तुलना में भारी शारीरिक गतिविधि में संलग्न खिलाड़ियों को ज़्यादा आहार की आवश्यकता होती है (लेमन, 1998)। एक स्थानबद्ध वयस्क स्त्री या पुरूष का कैलोरी का व्यय लगभग 1800 से 2800 कैलोरी प्रतिदिन होता है। प्रशिक्षण या प्रतियोगिता के माध्यम से की गई शारीरिक गतिविधि दैनिक ऊर्जा के व्यय को 500 से > 1000 कि. कैलोरी/ घंटा के हिसाब से शारीरिक फिटनेस, अवधि तथा खेल की तीव्रता के अनुसार बढ़ा देती है। अत: खिलाड़ियों को अपने आहार की मात्रा अपनी ऊर्जा के दैनिक व्यय के अनुसार बढ़ा लेनी चाहिये। इससे उनकी ऊर्जा की मांग की आपूर्ति हो जायेगी। यह बढ़ी हुई आहार की मात्रा ब्रहत्त पोषकों (कार्बोहाइड्रेट, प्रोटीन तथा चर्बी) और लघु पोषकों (विटामिन, खनिज तथा द्रव्य पदार्थों) की दृष्टि से संतुलित होनी चाहिये।

इकाई-3
पोषण तथा भार प्रबन्धन
(Nutrition and Weight Management)

9

भार प्रबन्धन का अर्थ, आधुनिक युग में भार प्रबन्धन की अवधारणा, भार प्रबन्धन को प्रभावित करने वाले कारक तथा भार प्रबन्धन का महत्व

(Meaning of Weight Management, Concept of Weight Management in Modern Era, Factor Affecting Weight Management and Values of Weight Management)

भार प्रबन्धन का अर्थ
(Meaning of Weight Management)

आदर्श वज़न पाने के लिये नियमित व्यायाम तथा सही आहार अत्यंत महत्वपूर्ण हैं। जैसे जैसे उम्र के साथ जिम्मेदारियां बढ़ती हैं, और शारीरिक गतिविधियां कम हो जाती हैं, चर्बी से जुड़ा मोटापा बढ़ जाता है। यदि जीवन की गुणवत्ता तथा आयु की अवधि में कोई सकारात्मक अंतर लाना है तो सही खाने पर निगरानी और अधिक व्यायाम करने के लिये एक निश्चयपूर्ण अनुशासित रवैया अपनाना होगा।

मोटापे से निपटने के लिये खाने के विकारों एवं उनसे उपजे रोगों से बचने के लिये व्यावसायिक सलाह के आधार पर व्यक्ति के अनुसार प्रबंधन का एक कार्यक्रम विकसित करना चाहिये। इन कार्यक्रमों को गढ़ने के लिये वजन प्रबंधन के बुनियादी तरीक़ों को ध्यान में रखना होगा।

वजन प्रबंधन के कार्यक्रम वैज्ञानिक, विस्तृत तथा अपनाने में आसान होते हैं। ये एक व्यक्ति को पोषण, ऊर्जा तथा फिटनेस के साथ बिना किसी

तरह का भी समझौता किये हुये, एक आदर्श बी.एम.आई. हासिल करना संभव बनाते हैं। भले ही व्यक्ति का लक्ष्य वज़न को बढ़ाना या घटाना ही क्यों न हो। ऊर्जा के अंतग्रर्हण करने के बुनियादी सिद्धातों, संतुलन और कैलोरी व्यय की चर्चा पिछले प्रसंग में की जा चुकी है।

आधुनिक युग में भार प्रबन्धन की अवधारणा
(Concept of Weight Management in Modern Era)

अपने शरीर के वज़न का प्रबन्धन करना कोई आसान बात नहीं है। बहु-कार्य के इस आधुनिक युग में परिवार का पालन तथा पूरा समय कार्य करना, ठीक तरह से भोजन करना तथ्ज्ञा नियमित रूप से व्यायाम करना एक चुनौतीपूर्ण प्रयास है। एक स्वास्थ्य संवर्धन के निवारक चिकित्सा क्लिनिक के केन्द्र में आपके स्वास्थ्य और सुस्वास्थ्य को बहाल करने के कई तरीके हैं। यदि आप अपने शरीर में से कुछ अवांछित पाउंड कम करना चाहते है अथवा आपकी स्थिति ऐसी है जिसे एक गंभीर चिकित्सा प्रतिक्रियाद की आवश्यकता है तो आपके लिए स्वास्थ्य संवर्धन के निवारक चिकित्सा क्लिनिक एक सही विकल्प है।

भार अभिविन्यास
(Weight Orientation)

यह जानकारीपूर्ण सत्र उन सभी व्यक्तियों के लिए एक आरंभ अंक है जो अपना वजन कम करने के प्रति इच्छुक है। यह हमारे विभिन्न वज़न प्रबन्धन कार्यक्रमों का वर्णन करने के लिए बनाया गया है तथा यह कार्यक्रम हमें हमारी आवश्यकताओं के अनुसार उचित कार्यक्रम का चुनाव करने में मदद करेगा।

आधुनिक युग में मोटापा एक गंभीरतम स्वास्थ्य संबंधी चिन्ता का विषय बन गया है। वज़न घटाने के कार्यक्रमों से सर्वोत्तम परिणाम पाने के लिये व्यक्ति को अपनी जीवनशैली को परिवर्तित करना चाहिये । सबसे अच्छा नुस्खा यह है कि अगर आप खुद अपने हाथों से काम कर सकते हैं तो मशीन का इस्तेमाल मत कीजिये। इससे आप न केवल ऊर्जा को

बचायेंगे, बल्कि प्रदूषण कम करने के साथ साथ कुछ ज्यादा कैलोरी भी खर्च करेंगे। जीवन-शैली बदलने के लिये दो चीजों की सलाह दी जाती है- टहलना तथा साइकिल चलाना। मोटापे का ईलाज कराने की अपेक्षा मोटापे से बचाव अधिक प्रभावशाली है।

संतुलित भोजन का अर्थ अच्छे स्वास्थ्य व इच्छित भार के लिए पर्याप्त पौष्टिक तत्व ग्रहण करना है। अच्छा पोषण कई प्रकार से प्राप्त किया जा सकता है। यह आदर्श अलग-अलग देशों और अलग-अलग व्यक्तियों के लिए भिन्न होगा। अच्छे पोषण का अर्थ है-अच्छा खाना व व्यय करना। मीट, मछली, अंडे, दूध के पदार्थ, साबुत अनाज, ब्रैड, फल-सब्जियां, टिन बंद आहार व फ्रोजन सभी कुछ खाने से अच्छे पोषक तत्व प्राप्त होते हैं।

अच्छी खाने की आदतें भोजन की उत्तम योजना, खाने में विविधता व ठीक प्रकार से पकाने पर प्राप्त होती है। अच्छा पोषण बाजार से दुकान से भोजन खरीदने पर प्राप्त होता है। नहीं तो यह खाने की धुन के पक्के लोगों के विश्वास पर निर्भर है। खाने के धुनी लोगों द्वारा दी गई गलत सुचना या कभी-कभी हानिकारक सुझावों से जनता को सावधान रहना चाहिए। गलत सूचना के आधार पर भोजन में कमी न करे।

वज़न प्रबंधन में व्यायाम की भूमिका अत्यंत महत्त्वपूर्ण है। गतिविधि में वृद्धि होने से कैलोरी का व्यय बढ़ जाता है जिसके कारण एक नकारात्मक कैलोरी संतुलन हासिल किया जा सकता है। व्यायाम की तीव्रता, अवधि तथा बारंबारता के बढ़ाने से कैलोरी का खर्च बढ़ जाता है। पौषणीय सिद्धांतों पर आधारित डाइट के नुस्खे या कैलोरी पर रोक जिनका जिक्र पीछे किया जा चुका है, उन्हें ज़्यादा फायदे के लिये जोडा़ जा सकता है। नियमित एरोबिक व्यायाम (दौड़ना, तैरना, लंबी अवधि का ऐरोबिक्स) के साथ भारोत्तोलन के व्यायामों (ताकत या प्रतिरोध प्रशिक्षण जैसे वज़न उठाना, जिम के अनेक व्यायाम) के जुड़ने से अस्थि-पंजर की पेशियों के लिये चर्बी भस्म करना संभव हो जाता है क्योंकि ऊर्जा पेशियों के क्षय को कम करेगी जो निश्चित रूप से कैलोरी पर रोक लगाने से संभव है।

व्यायाम के दैनिक सत्रों के अतिरिक्त कैलोरी को व्यय करने के और भी अनेक रास्ते हैं। काम पर चलकर या साइकिल से जाना, लंच, कॉफी ब्रेक या डिनर के बाद टहलना या साइकिल चलाना कुछ ऐसी गतिविधियां है जो कैलोरी के खर्च को बढ़ा सकती हैं। दिन के दौरान थोड़ा समय निकाल कर थोड़े थोड़े समय के लिये जीने चढ़ने या रस्सी कूदने के व्यायाम किये जा सकते हैं। इस विधि से वजन घटाने की प्रक्रिया को 25 से 50% तक तेज किया जा सकता है। इस प्रकार व्यक्ति अधिक चुस्त हो जाता है और 500 कैंलोरी आसानी से भस्म करके 15 दिनों में एक किलो तक वजन घटा सकता है।

1 ग्राम वसा	=	9.3 कैलोरी
1 ग्राम कार्बोहाइड्रेट	=	4.1 कैलोरी
1 ग्राम प्रोटीन	=	4.3 कैलोरी

वज़न घटाने के लक्ष्यों को प्राप्त करने के लिये प्रतिदिन ऊर्जा के अंतर्ग्रहण करने के लिये निम्न सलाह दी जाती है-

– 80 प्रतिशत कार्बोहाइड्रेटस (जटिल) से

– 10 प्रतिशत चर्बी से

– 10 प्रतिशत प्रोटीन से

एक संयमित डाइट निम्न पर आधारित की जा सकती है-

– 60 प्रतिशत कार्बोहाइड्रेस से

– 25 प्रतिशत चर्बी से

– 15 प्रतिशत प्रोटीन से उपयुक्त मात्रा में विटामिन, खनिज तथा जल के साथ।

भार प्रबन्धन को प्रभावित करने वाले कारक
(Factors Affecting Weight Management)

वजन नियंत्रण को प्रभावित करने वाले निम्नलिखित कारक हैं:-

1. वजन घटाने के लिये यथार्थवादी लक्ष्यों का चुनाव करना चाहिए

कार्यक्रम अपनी पटरी पर चलता रहे इसलिये लक्ष्यों को पहले से तय कर लेना महत्वपूर्ण है। लक्ष्य दीर्घ अवधि या लघु अवधि के हो सकते हैं। दीर्घ कालीन लक्ष्य शरीर की चर्बी के वांछित प्रतिशत को पाना है (10% से 20% पुरूषों के लिये तथा 15% से 25% स्त्रियों के लिये)। शरीर की चर्बी का एक बीच का प्रतिशत वांछनीय है। लघु अवधि के वजन घटाने के लक्ष्यों को प्रति सप्ताह किलोग्राम वजन घटाने पर एकाग्र होना चाहिये।

2. भोजन में संतुलित पोषण को ध्यान में रखते हुये कैलोरी को घटाना या बढ़ाना चाहिए

— कार्बोहाइड्रेटस से भरपूर तथा वसा में कम वाला आहार कैलोरी का एक वांछनीय नकारात्मक संतुलन बनायेगा। कुल कैलोरी में चर्बी से 30% से कम की कैलोरी, दैनिक चर्बी के चपापचय से चर्बी के कम अंतर्ग्रहण को सुनिश्चित करेगी।

— आहार की कोई भी योजना जो समुचित पोषण के साथ समझौता करती है, सही योजना नहीं हो सकती है। इस बात का ध्यान रखना चाहिये कि आहार में कैलोरी के घटने के बाद भी आवश्यक पोषण सुरक्षित रहे।

— आहार ऐसा होना चाहिये जिसे जीवन पर्यंत चलाया जा सके। यह वजन को स्थायी रूप से स्थिर रखेगा।

— खाने में रूचि बनाये रखने के लिये और भूख को शांत करने के लिये आहार में खाद्यान्नों की विविधता होनी चाहिये।

— आहार जीवनशैली से मेल खाता होना चाहिये तथा आसानी से

उपलब्ध होना चाहिये।

– आहार स्वस्थ भोजन के सिद्धांतों के अनुसार होना चाहिये।

ऊर्जा का 500 कैलोरी का नकारात्मक दैनिक संतुलन प्रति सप्ताह 0.45 किलो या एक पाउंड वज़न कम करेगा। कैलोरी की सही सही गणना तथा भोजनों का ध्यानपूर्वक आयोजन महत्त्वपूर्ण है।

3. परितृप्ति महसूस करने के लिये अधिक कार्बोहाइड्रेट तथा कम वसा का ग्रहण करना चाहिए।

– जिन खाद्यान्नों में पोषक तत्त्व कम और कैलोरी ज़्यादा हैं उनसे परहेज़ करना चाहिये - जैसे चीनी। कम कैलोरी वाले खाद्यान्नों को लेने की सलाह देनी चाहिये, जैसे फल, सब्जी, साबुत अनाज आदि।

– मक्खन कम खाइये तथा कम चर्बी वाले मांस का चयन कीजिये जैसे मुर्गा, मछली, चर्बी रहित मांस। तली हुई चीज़ों से बचिये। उबली, बेक या माईक्रोवेव में पकाई हुई चीज़ों को खाइये। यदि आपको तेलों का इस्तेमाल करना ही है तो मोनोअनसैचुरेटेड तेलों का इस्तेमाल करिये जैसे मूंगफली का तेल या जैतून का तेल।

– कम वसा वाला दूध और पनीर बेहतर है।

– नमक का इस्तेमाल सीमित होना चाहिये। नमक की जगह मसाले वाले तड़कों को अपनाइये।

– मदिरा के पेयों से बचिये।

– आहार (डाइट) से परितृप्ति का स्तर अत्यंत महत्वपूर्ण है। इससे संतुष्टि तथा भला चंगा होने की अनुभूति होती है। समुचित मात्रा में रेशे वाले फल और सब्जियां, साबुत अन्न तथा दालें संतुष्टि प्रदान करती है और ग्रहण किये जाने वाले आहार की मात्रा घटाती हैं।

– मोटापे के साथ अगर सूजन (इडीमा), उच्च रक्त-चाप तथा रक्तसंयुक्त हृदय रोग (कनजेस्टिव हार्ट) न जुड़ा हो तो तरल द्रव्यों और

नमक पर रोक लगाने की कोई आवश्यकता नहीं है।

– पेय में मीठा मत मिलाइये।

– राशि बढ़ाने वाले तत्त्वों का इस्तेमाल कर सकते हैं जैसे मैथिलसेल्यूलोज़ और इसबगोल। इनसे कोई नुकसान नहीं पहुंचता और पचाये जा सकने वाले ऐसे पदार्थ हैं जिनसे भोजन की राशि बढ़ जाती है। कुल ग्रहण किये जाने वाले भोजन की मात्रा घटाकर ये वज़न घटाने में मदद कर सकते हैं।

4. परिवार के भोजनों से अनुकूलित तथा दामों में वाजिब होना चाहिए।

जो भी आहार आप अपनाते हैं उसकी सामग्री आसानी से आसपास से ही उपलब्ध होनी चाहिये और जेब पर भी भारी नहीं पड़नी चाहिये। एक लंबे समय तक असाधारण व महँगी सामग्री को खरीदना मुश्किल पड़ेगा। इसका परिणाम डाइट के अंत में हो सकता है।

5. आहार ऐसा होना चाहिये जिसका अनुकरण बाहर खाते वक्त भी हो सके।

वज़न को स्थिर बनाये रखने के लिये बाहर खाना खाना बिल्कुल बंद कर देने से आपकी रणनीति असफल हो जायेगी। किसी एक विशेष वस्तु को खाने के लिये लालायित होना प्रायः एक डाइट योजना के अंत का आरंभ होता है। डाइट में कार्बोहाइड्रेट्स तथा कम चर्बी वाली वस्तुओं को चुनने के लिये पर्याप्त विकल्प होने चाहियें।

6. कैलोरी के व्यय को बढ़ाने के लिये, पेशीं समूह की राशि में वृद्धि करने के लिये या स्थिर रखने के लिये व्यायाम का एक कार्यक्रम होना चाहिए।

7. व्यायाम का एक कार्यक्रम बनाना चाहिए जिसका लक्ष्य पेशी को बनाये रखना या उसके समूह की वृद्धि करना हो।

पेशीय फिटनेस का लक्ष्य शरीर के चर्बी रहित वज़न को बढ़ाना है। मध्यम स्तर के प्रतिरोध वाले 8 से 10 व्यायामों की 15 से 25 की बारंबारता के एक समुच्चय (सेट) की सलाह दी जाती है। इस तरीके से एक व्यक्ति अपनी पेशी समूह को बनाये रख पायेगा तथा चपापचय की गति को विश्राम दे पायेगा जो वजन प्रबंधन की सफलता के लिये बहुत जरूरी है।

8. खाने की अभिरचना (पैटर्न) को बदलने के लिये व्यवहार में संशोधन करना चाहिए।

ज़्यादा खाना खाने से रोकने के लिये पहले उस व्यवहार को पहचानना होगा जो एक लंबे समय में परिवार या परिवेश के प्रभावों द्वारा सीखा गया है। शरीर को गठन देने के लिये इस व्यवहार को अलग करके उसे बदली हुई परिस्थितियों के अनुसार संशोधित करना चाहिये। इस लक्ष्य को प्राप्त करने के लिये निम्न के अनुसार चलना होगा –

– एक या दो सप्ताह तक दैनिक गतिविधियों का एक ब्यौरा रखिये।

– अपने को वजन की मशीन पर तौलने के बाद कुछ प्रेरक योजनायें बनाइये।

– आहार संबंधी अभिरचना की जांच बहुत गौर से करनी चाहिये।

– वास्तविक क्षुधा और समय बिताने के लिये लगी भूख में अंतर करना चाहिये और उनसे उसी के अनुसार निपटना चाहिये। जब भूख न लगी हो तब खाने से बचना चाहिये। कैलोरी निर्देश के अनुसार भोजन को छोटी मात्राओं में लेना चाहिये। एक और तरकीब अपनाईये- छोटी प्लेट का इस्तेमाल कीजिये।

– विश्लेषण कीजिये कि क्या आपके आवश्यकता से ज़्यादा खाने और गतिविधियों के बीच कोई संबंध है, उदाहरण के लिये टीवी देखना और स्नैक (नाश्ता) खाना।

– विश्लेषण कीजिये कि क्या कोई विशेष कमरा नाश्ता (स्नैक्स)

खाने के साथ जुड़ा है। उस विशेष कमरे में (रसोई या डाइनिंग कमरा) जब बैठे हों तो धीमी गति से खाना सीखिये।

– दिन के उस समय तथा भूख के उस स्तर के प्रति सतर्क रहिये जब आप आवश्यकता से अधिक खाते हैं।

– उन लोगों को पहचानिये जिनकी संगत में आप जरूरत से ज़्यादा खाते हैं, उनसे खाने के समय बचिये।

– कैलोरी घटाने के लिये परिवार के लिये बनाये गये भोजन को पकाने की प्रविधियों को बदलिये। कम वसा तथा स्टार्च का प्रयोग कीजिये। लगभग 40% कैलोरी वसा से आती है।

– किसी पार्टी या उत्सव में जाने के पहले कम कैलोरी वाला आहार ले लें, ताकि उस विशेष सामाजिक परिवेश में ज़्यादा खाना खाने से बच सकें।

– घर से बाहर खाते समय सरलता से तैयार की हुई चीज़ों को चुनिये। तले-भुने खाने से बचिये। डेज़र्ट के लिये हलवा, खीर, पेस्ट्री या पुडिंग की जगह फल चुनिये।

– एक स्वस्थ तथा कम कैलोरी वाले खाने की आदत को विकसित करना सीखिए। कैलोरी की मात्रा को सीमित रखने का तात्पर्य है कि यह कमी कभी 1000 कैलोरी प्रतिदिन से ज़्यादा नहीं होनी चाहिये।

– वज़न घटाने की उचित गति ½-1 किलोग्राम प्रति सप्ताह है।

– समझदारी के व्यायाम कार्यक्रम के साथ उच्च स्तर की कार्बोहाइड्रेट डाइट सर्वोत्तम ऊर्जा आहार है।

– जब वज़न घटना बंद हो जाता है, तब निरुत्साहित मत होइये। यह चर्बी घटने से संग्रहित पानी के कारण होता है। व्यायाम को बढ़ाकर फिर से आरंभ कीजिये।

– चर्बीयुक्त खाने पर ताबड़तोड़ टूटने से बचिये। दिन के अन्य

भोजनों तथा अगले दिन के भोजन को इसी के अनुसार अनुकूलित कीजिये, अर्थात् एक बार अगर कुछ ज़्यादा ही जमकर खा लिया है तो अगले भोजनों को घटाकर इस गलती की भरपाई कीजिये।

– खाते वक्त टी.वी. मत देखिये। फालतू बातचीत भी मत करिये।

– उन डाइट योजनाओं से बचिये जो आनन-फानन में आपके वजन को घटाने का वायदा करते हैं या 'जो चाहते हैं सभी खाईये'', 'पानी की डाइट', 'मदिरापान करने वालों की डाइट', 'ऊंचे स्तर की प्रोटीन डाइट', इत्यादि। वास्तव में आलोचनात्मक संपादकीय तथा मेडिकल पत्रिकाओं की चेतावनियों की तुलना में इस तरह के लुभावने शीर्षक तथा चटक पंक्तियां ज़्यादा लोगों का ध्यान आकर्षित करती हैं। जो लोग तुरंत परिणाम का वायदा करते हैं उनसे सतर्क रहिये। ऐसी जगहों पर खाने से बचिये जो विज्ञापित करते हैं, 'आप जितना चाहें खाइये, वरना अपना पैसा वापस ले जाईये' या बुफे (स्वाहार - जिसमें खाना अपने आप लिया जाता है)।

– अगड़मबगड़म खाने से बचिये। अगर जब मर्जी है तब कुछ न कुछ खाना ही है तो कम कैलोरी वाली चीज़ें खाइये जैसे गाजर या मूली। जटिल कॉर्बोडाइड्रेट्स को आजमाईये। मिष्ठान्न की जगह कम कैलोरी वाला पेय लीजिये या फल खाइये। चाय या कॉफी के कुछ कप कम कर दीजिये। बिस्कुट का बहिष्कार कर दीजिये।

– ड्रेसिंग, टॉपिंग, ग्रेवी तथा सॉस का परित्याग कर दीजिये।

– जब तक एक कौर खत्म न हो जाये दूसरे को तैयार मत कीजिये।

– भोजन को पूरी तरह छोड़िये मत या भोजनों के बीच में बड़ा अंतराल मत रखिये। इससे रक्त में शर्करा का स्तर गिर जायेगा, ग्लायकोजन की भरपाई में कमी आयेगी, पोषकों के कम अंतर्ग्रहण से सुस्ती बढ़ जायेगी।

– खाने की आदतों को तुरत-फुरत नहीं बदलना चाहिये।

– तय किये लक्ष्य के अनुसार नियमित व्यायाम कीजिये।

– वज़न घटाने की सफलता के लिये अपने को गैरखाद्यान्न चीज़ों से पुरस्कृत कीजिये जैसे घूमने के लिये जाईये, सीडी खरीदिए, इत्यादि।

– जीवन पर्यन्त वज़न नियंत्रित करने के लिये सकारात्मक ढंग से सोचिये इससे आपका आत्मविश्वास एवं उत्साह बरकरार रहेगा।

– वज़न घटाने के कार्यक्रमों से सर्वोत्तम परिणाम पाने के लिये व्यक्ति को अपनी जीवनशैली को परिवर्तित करना चाहिये । सबसे अच्छा नुस्खा यह है कि अगर आप खुद अपने हाथों से काम कर सकते हैं तो मशीन का इस्तेमाल मत कीजिये। इससे आप न केवल ऊर्जा को बचायेंगे, बल्कि प्रदूषण कम करने के साथ साथ कुछ ज्यादा कैलोरी भी खर्च करेंगे। जीवन-शैली बदलने के लिये दो चीजों की सलाह दी जाती है- टहलना तथा साइकिल चलाना।

– अपने प्रिय खेल में पुनः रूचि लेकर उसे अपने जीने का ढ़ंग बना सकते हैं। फुटबॉल खेलने के अपने पुराने जूते तलाशिये या बैडमिन्टन/टेबिल टेनिस का रैकेट निकालिये। इससे न केवल आपका जीवन समृद्ध होगा, अपितु आप दिखने में भी बेहतर लगेंगे।

भार प्रबन्धन का महत्व
(Importance of Weight Management)

आज के इस आधुनिक मशीनरी युग में अपने शरीर के बढ़ते वज़न को घटाना बहुत-से व्यक्तियों के लिए एक कठिन चुनौती है। इस संदर्भ में भार प्रबन्धन एक महत्वपूर्ण कारक है जो वज़न कम करने में एक महत्वपूर्ण भूमिका निभाता है। मधुमेह से पीड़ित व्यक्तियों के स्वास्थ्य के लिए भार प्रबन्धन तथा व्यायाम विशेष रूप से महत्वपूर्ण भूमिका निभाते हैं। व्यायाम करने से रक्त में शर्करा की मात्रा का स्तर को संतुलन करने में सहायता मिलती है, व्यायाम शुरूआती टाइप 2 मधुमेह की रोकथाम करने तथा ग्लाइसेमिक नियंत्रण करने में महत्वपूर्ण भूमिका निभाते हैं। यदि आपको पहले से ही टाइप 2 मधुमेह है तो नियमित रूप से व्यायाम करना

इंसुलिन का उपयोग करने के लिए आपके शरीर की क्षमता में सुधार करेगा तथा वज़न घटाने तथा मोटापे को दूर करने में आपकी मदद करेगा तथा एक स्वस्थ जीवन यापन करने में कारगर सिद्ध होगा। यदि आप मोटे है, तो ऐसे में वज़न कम करने के द्वारा आप अपने मधुमेह को नियंत्रित रख सकते हैं। वास्तव में टाइप 2 मधुमेह से ग्रस्त कुछ व्यक्ति वज़न कम करने के पश्चात् केवल आहार द्वारा ही अपने रक्त शर्करा के स्तर का प्रबन्धन कर सकते है।

खेल पोषण के क्षेत्र में किये गये कुछ अनुसंधानों से यह प्रमाणित होता है कि वज़न घटाने के लिए सबसे अच्छा तरीका है व्यायाम तथा शारीरिक गतिविधियों द्वारा वज़न कम करना। शारीरिक वज़न कम होने से हृदय रोग की संभावनाएं बहुत कम रह जाती है क्योंकि वज़न कम होने से आपका रक्तचाप और कोलेस्ट्रॉल स्तर निम्न हो जाता है। यहां तक कि 5-10% मध्यम शरीर के वज़न में कमी भी आपको किसी भी जोखिम कारकों से दूर रखेगी। एक आहार विशेषज्ञ की सहायता से आप एक स्वस्थ आहार की रणनीतियों को अपना सकते है तथा स्वस्थप्रद जीवन यापन कर सकते है। जब तुम्हें मधुमेह जैसा रोग हो जाता है तब तुम इस रोग पर नियंत्रण रखने के लिए कई कदम उठाते है तथा स्वस्थ्य रहने के हर संभव प्रयास करते है। उन सब प्रयासों में से एक अपने शरीर का भार प्रबन्धन करना भी है जोकि बहुत महत्वपूर्ण होता है।

10

बी०एम०आई० (बॉडी मास इंडेक्स) की अवधारणा, मोटापा तथा इसके खतरे, तुरन्त वज़न घटाने की काल्पनिक धारणा, तथा मिताहार (डाइटिंग) बनाम भार नियंत्रण के लिए व्यायाम

(Concept of BMI (Body Mass Index), Obesity and Its Hazard, Myth of Spot Reduction, and Dieting Versus Exercise for Weight Control)

बी०एम०आई० (बॉडी मास इंडेक्स) की अवधारणा (Concept of BMI (Body Mass Index))

बी०एम०आई० (बॉडी मास इंडेक्स) अथवा क्यूटीलेट सूचकांक (Quetelet Index) एक व्यक्ति के मॉस (वज़न) तथा ऊंचाई में से लिये गये मूल्य होते हैं। बी०एम०आई० बॉडी मास इंडेक्स के रूप में परिभाषित किया गया है जिसे शरीर की ऊंचाई के वर्ग से भाग किया जाता है तथा जिसे सार्वभौमिक रूप से किग्रा/एम2 की इकाईयों में व्यक्त किया जाता है तथा परिणामस्वरूप जिसे वज़न के लिए किग्रा. तथा ऊंचाई के लिए मीटर में मापा जाता है। बी०एम०आई० (बॉडी मास इंडेक्स) को एक तालिका अथवा चार्ट द्वारा भी निर्धारित किया जा सकता है। प्राय: बी०एम०आई० बड़े पैमाने पर वज़न और ऊंचाई को समोच्च रेखाओं अथवा रंगों द्वारा भिन्न बी०एम०आई० श्रेणियों के लिए प्रदर्शित करते हैं। बी०एम०आई० का उपयोग माप की दो भिन्न इकाईयों में किया जाता है।

बी॰एम॰आई॰ एक व्यक्ति में ऊतक मास (मांसपेशी, चर्बी और हड्डी) की मात्रा को निर्धारित करने का प्रयास है तथा बी॰एम॰आई॰ के मूल्यों के परिणाम के अनुसार ही एक व्यक्ति को कम वज़न, सामान्य वज़न, अधिक वज़न, या मोटा आदि श्रेणियों में श्रेणीबद्ध किया जा सकता है। हालांकि कुछ पोषण विशेषज्ञों में कुछ मतभेद है कि बी॰एम॰आई॰ पैमाने पर श्रेणियों के मध्य विभाजित रेखाओं को कहां पर रखा जाएं। आमतौर पर स्वीकारनीय क्रमबद्ध हैं- कम वज़न: 18.5 से नीचे, सामान्य वज़न: 18.5 से 25, अधिक वज़न: 25 से 30, तथा स्थूल (मोटा): 30 से अधिक।

मोटापे का आकलन

1. आँखों द्वारा निरीक्षण

एक आदमी को देखकर ही बताया जा सकता है कि वह मोटा है कि नहीं। यह एक साधारण अवैज्ञानिक तरीक़ा है, पर यह इतना ज़रूर स्पष्ट कर देता है कि एक व्यक्ति के मोटापे का आकार नाशपाती जैसा है या सेब जैसा है। इसका कारण चर्बी के शरीर का कुछ अंगों में जमा हो जाना है। जब चर्बी उदर क्षेत्र में जमा होती है तो आकार सेब जैसा हो जाता है। यह आकार पुरूषों में बहुत आम है क्योंकि उनमें नितंब की तुलना में धड़ का अनुपात ज़्यादा होता है। ऐसे लोग आसानी से हृदय-धमनियों की समस्याओं का शिकार बन सकते है। जब चर्बी नितंब और जाँघों के क्षेत्र में जमा होती है तो शरीर का आकार नाशपाती जैसा दिखाई देता है। यह स्त्रियों में आम हैं क्योंकि नितंब के अनुपात में उनका धड़ छोटा होता है। यह बनावट मधमेह के ख़तरे को बढ़ा देती है। आकलन का एक और सीधा तरीक़ा अपने पैरों की उंगलियों को बिना बाधा देख पाना है।

शरीर का वज़न

निर्वस्त्र, खाली पेट मानव शरीर का वज़न ही शरीर का वज़न कहलाता है। शरीर का वज़न ऊँचाई, बनावट और लिंग पर निर्भर करता है। आगे दी गई आई.सी.एम.आर. की तालिकायें स्त्रियों (तालिका-1) तथा पुरूषों

(तालिका-2) के लिये लंबाई तथा वज़न के मानक स्तर दिखलाती है।

तालिका-1
स्त्रियों के लिये लंबाई तथा वजन की तालिका

लंबाई		वजन (किलोग्राम)		
मीटर	फीट	छोटा ढांचा	मध्यम ढांचा	बड़ा ढांचा
1.49	4'11"	47.2–50.4	49.9–53.5	53.1–57.6
1.52	5'0"	47.6–51.3	50.8–54.4	54.0–58.5
1.55	5'1"	48.5–52.2	51.7–55.3	54.9–59.4
1.57	5'2"	49.9–53.5	53.1–56.7	56.2–61.2
1.60	5'3"	51.3–54.9	54.4–58.1	57.6–62.6
1.63	5'4"	52.6–56.7	56.2–59.9	59.4–64.4
1.65	5'5"	54.0–58.1	57.6–61.2	60.3–65.8
1.68	5'6"	55.8–59.9	59.0–63.5	62.6–68.0
1.70	5'7"	57.2–61.7	60.8–65.3	64.4–69.9
1.73	5'8"	58.5–63.1	62.2–66.7	65.8–71.7
1.75	5'9"	60.3–64.9	64.0–68.5	67.6–73.5
1.78	5'10"	61.7–66.7	68.8–70.7	69.0–75.3
1.80	5'11"	63.1–68.0	67.1–71.7	70.3–76.7

तालिका-2
पुरूषों के लिये लंबाई तथा वजन की तालिका

लंबाई		वजन (किलोग्राम)		
मीटर	फीट	छोटा ढांचा	मध्यम ढांचा	बड़ा ढांचा
1.57	5'2"	52.6-56.7	56.2-60.3	59.4-64.4
1.60	5'3"	54.0-58.1	57.6-61.7	60.3-65.3
1.63	5'4"	55.3-59.9	59.0-63.5	62.2-67.6
1.65	5'5"	57.2-61.7	60.8-65.3	64.0-69.4
1.68	5'6"	58.5-63.1	62.2-66.7	65.8-71.2
1.70	5'7"	60.3-64.9	64.0-68.5	67.6-73.5
1.73	5'8"	61.7-66.7	65.8-70.7	69.4-75.3
1.75	5'9"	63.5-68.5	67.6-72.6	71.2-77.1
1.78	5'10"	65.3-70.3	69.4-74.4	73.0-79.4
1.80	5'11"	67.1-72.1	71.2-76.2	74.9-81.7
1.83	6'	69.0-74.4	73.0-78.5	76.7-83.9
1.85	6'1"	71.2-76.7	75.3-80.7	78.9-86.2
1.88	6'2"	73.9-79.4	77.6-83.5	81.2-88.9
1.90	6'3"	76.2-81.7	79.8-85.7	83.5-91.6

ये स्तर मोटापे के बिल्कुल सही सूचक नहीं है, क्योंकि यह जरूरी नहीं है कि इस तालिका में दिये हुये बढ़े हुये वजन वाले व्यक्ति में चर्बी की अधिकता हो। इसी प्रकार, यह भी जरूरी नहीं है कि जिस व्यक्ति का वजन सामान्य है उसमें चर्बी की अधिकता नहीं होगी। उसके शरीर में चर्बी ज्यादा और पेशीय ऊतक कम हो सकते हैं।

अन्य युक्ति

सामान्य वजन बिना उपकरण के शरीर के वज़न को जानने का एक और नुस्खा है। कद को सेंटीमीटर में नापें और उसमें से 100 को घटा दे। यह सामान्य वजन कहलाता है। स्त्रियों का आदर्श वजन सामान्य वज़न से 15 प्रतिशत कम होना चाहिये तथा पुरुषों का आदर्श वजन सामान्य वज़न से 10 प्रतिशत कम होना चाहिये।

2. शरीर-चर्बी का प्रतिशत

शरीर के वज़न के अनुपात में चर्बी ही शरीर की चर्बी का प्रतिशत है। यह केवल शरीर के कुल वज़न की तुलना चर्बी की माप से करता है। इस वज़न में अस्थियां तथा अवयव भी शामिल होते हैं।

- **हाईड्रोस्टैटिक तौल (जल-स्थैनिक तौल)** शरीर की चर्बी का प्रतिशत नापने की एक विश्वसनीय प्रविधि है। चूंकि इसमें महंगे उपकरण की आवश्यकता होती है तथा पूरी कार्यविधि लंबे समय की मांग करती है इसलिये इसका व्यापक इस्तेमाल प्रयोगशालाओं के बाहर नहीं होता है। यह शरीर का वज़न ज़मीन तथा पानी के हौज़ दोनो में ही लेता है। फिर दोनों वज़नों से एक सरल फार्मूले द्वारा शरीर की चर्बी का प्रतिशत निकाल लिया जाता है।

- **स्किनफोल्ड द्वारा (त्वचा की तह द्वारा शरीर की चर्बी का प्रतिशत)** नापना एक सस्ती प्रविधि है। त्वचा की तह को तर्जनी और अंगूठे से पकड़कर व्यास मापक परकार से शरीर के विभिन्न स्थानों की माप ली

जाती है। ये स्थल ट्राईसेप्स (तीन शाखाओं वाली पेशी), उदर, श्रोणीय के ऊपर वाला भाग (सुपराइलियक), सीना, जाँघ, पिण्डली और स्केपुला (कंधे की हड्डी) हैं। अध्ययन के उद्देश्य के अनुसार इन स्थानों का विभिन्न संयोजनों में चयन किया जा सकता है। सब मापों को जोड़कर विशेष तालिकाओं के माध्यम से शरीर की चर्बी के प्रतिशत की गणना की जाती है।

3. बॉडी मॉस इन्डेक्स (बी.एम.आई.)

लोगों को श्रेणियों में विभाजित करने की एक उपयोगी युक्ति है–मोटे न होने से अत्यंत मोटे होने तक। यह उन लोगों की पहचान कराती है जो प्राण घातकता ओर रूग्णता के उन संकटों के निकट है जिनका संबंध मोटापे से है। बॉडी मॉस इंडेक्स मूलरूप से क्वेटलेट द्वारा 1971 में विकसित किया गया था। इसमें शरीर का वज़न लंबाई के अनुपात में नापा जाता है जिसमें किलोग्राम वजन (कि॰ग्रा॰) को लंबाई (मी.) से भाग देकर अभिव्यक्त किया जाता है।

$$\text{बी.एम.आई.} = \frac{\text{वज़न (किग्रा.)}}{\text{लंबाई (मी.)}^2}$$

उदाहरण के लिए, यदि एक व्यक्ति का वज़न 61.8 किलोग्राम है और लंबाई 1.60 मीटर है तो उसका बी.एम.आई. 24.1 किलोग्राम/मीटर^2 होगा। बी.एम.आई. के स्तरों की सूची तालिका–3 में दी गई है।

तालिका-3

वयस्कों में बॉडी मॉस इंडेक्स (बी.एम.आई.)

बी. एम. आई. (कि.ग्रा./ मी.^{2})	व्याख्या
< 19	ऊर्जा की बेहद कमी
19–23	स्वस्थता के दायरे में
24–27	हाशिये पर
27–30	मोटापा
> 30	अत्यधिक मोटापा
> 40	प्राण-घातकता तथा रूग्णता

यह विश्व स्वास्थ्य संगठन के द्वारा किया गया वर्गीकरण है जो 19-23 के दायरे को स्वस्थता के क्षेत्र में रखता है। इसे तालिका-4 में प्रस्तुत किया गया है।

तालिका–4
वयस्कों में बॉडी मॉस इंडेक्स (बी.एम.आई.)

बी. एम. आई.	सामान्य						अधिक वज़न					मोटा/स्थूल										अत्यधिक मोटापा/स्थूलता														
	19	20	21	22	23	24	25	26	27	28	29	30	31	32	33	34	35	36	37	38	39	40	41	42	43	44	45	46	47	48	49	50	51	52	53	54
लंबाई इंचशरीर-वज़न (कि. ग्रा.)																																				
58	41	44	45	48	50	52	54	56	59	61	63	65	67	70	72	74	76	78	80	82	85	87	89	91	93	95	98	100	102	104	106	109	111	113	115	117
59	43	45	47	50	52	54	56	58	60	63	65	67	70	72	74	76	79	81	83	85	88	90	92	95	96	99	101	103	105	108	110	112	115	117	119	121
60	44	46	49	51	54	56	58	60	63	65	67	70	72	74	76	79	81	84	86	88	90	93	95	98	100	102	105	107	109	111	114	116	119	121	123	125
61	45	48	50	53	55	58	60	62	65	67	70	72	75	77	79	82	84	86	89	91	94	69	99	101	103	105	108	110	113	115	118	120	122	125	127	130
62	47	50	52	55	57	60	62	65	67	70	72	75	77	80	82	85	87	89	92	94	97	99	102	104	107	109	112	114	116	119	121	124	126	129	131	134
63	49	51	54	56	59	61	64	66	69	72	84	77	80	82	85	87	90	92	95	97	100	102	105	108	110	113	115	118	120	123	126	128	130	133	136	138
64	50	53	55	58	61	64	66	69	71	74	77	79	82	86	87	90	93	95	96	100	103	105	108	111	114	116	119	121	124	127	130	132	135	137	140	143
65	52	55	57	60	62	65	68	71	74	76	79	82	85	87	90	93	95	98	101	104	106	109	112	115	117	120	123	125	12	131	134	136	139	142	145	147
66	54	56	59	62	65	67	70	73	76	79	81	85	87	90	93	95	96	101	104	107	110	112	115	118	121	124	126	129	132	135	138	140	143	146	149	152
67	55	58	61	64	66	70	72	75	78	81	84	87	90	93	96	99	101	105	107	110	113	116	119	122	125	125	127	130	133	136	142	145	148	150	154	156
68	57	60	63	65	69	72	75	78	80	84	86	90	92	95	98	101	105	107	110	113	116	119	122	125	128	128	131	134	137	140	146	149	152	155	158	161
69	58	61	65	68	70	74	77	80	83	86	89	92	95	98	101	105	107	110	114	117	120	123	126	129	132	132	135	138	141	145	##	154	157	160	163	166
70	60	63	66	70	73	76	79	82	85	89	92	95	98	101	104	107	110	114	117	120	123	126	130	133	136	136	139	142	145	149	155	158	161	165	168	171
71	62	65	68	71	75	78	81	85	88	91	95	98	101	104	107	110	114	117	120	124	127	130	133	137	140	140	143	146	150	154	160	163	166	169	172	175
72	64	67	70	74	77	80	84	87	90	94	97	100	104	107	110	114	117	120	124	127	130	134	137	140	144	144	147	150	154	157	164	167	170	174	177	180
73	65	69	72	75	79	83	86	90	93	96	100	103	107	110	114	117	120	124	127	131	134	137	141	145	148	148	151	155	157	161	169	172	175	179	182	185
74	67	70	74	78	81	85	88	92	95	99	102	106	110	113	116	120	124	127	130	134	136	141	145	148	152	155	159	163	166	170	173	177	180	184	187	191
75	69	73	76	80	84	87	91	95	98	102	105	109	113	116	120	124	127	130	134	138	141	145	149	152	156	160	163	167	170	174	178	181	185	189	192	196
76	71	75	78	82	86	90	93	97	100	105	108	112	115	120	123	127	130	134	138	142	145	149	153	156	160	164	168	171	175	179	183	186	190	194	196	201

मोटापा तथा इसके खतरे
(Obesity and Its Hazard)

मोटापे के संबंध में पूर्वधारणा को दो बातें बढ़ावा देती है- फैशन और स्वास्थ्य। फैशन और मोटापे तथा स्वास्थ्य और मोटापे में कोई भी योग्य नहीं है। आमतौर पर मोटापा अधिक कैलोरी ग्रहण करने का परिणाम है, जिसका संबंध अधिक खाने व कम व्यायाम करने से है।

मोटापा अधिक खाने व ऊर्जा खर्च करने में संतुलन स्थापित करने का विषय है। कई लोगों ने ऐसा असंतुलित कार्यक्रम बना लिया है। क्रिया कम होने के साथ-साथ भीतर एकत्रित कैलोरी भी कम होती है। अन्य लोग सावधानी से कम भोजन ग्रहण करके, क्रियाशीलता बढ़ाकर एक संतुलन कायम रखते हैं।

खाने की आदत व खाने को तैयार करने की विधि से लोगों व किसी वंश के सांस्कृतिक आदर्शों का ज्ञान होता है। कुछ आरंभिक सभ्यताएं जीवित रही और फली-फूली क्योंकि उनके खाद्य स्वभाव संबंधी आदर्श उनकी आवश्यकताओं के मानसिक स्तर के अनुकूल थे। अन्य सभ्यताएं पृथ्वी से समाप्त हो गई क्योंकि व जीवित रहने के लिए समुचित पौष्टिक आदर्श अपनाने में असमर्थ व असफल रहे।

किसी के समक्ष खाने-पीने का प्रस्ताव रखना सदा से अतिथ्य-सत्कार का प्रतीक माना जाता है। यह हमारे सामाजिक मूल्यों का परिचायक है। बाजार, कॉफी शाप और क्लब जैसे स्थानों पर, शायद इसके अलावा अन्य स्थानों पर भी एकत्र होना भूख को शांत करने की अपेक्षा सामाजिक संबंधों को बढ़ाने की इच्छा प्रकट करता है।

केवल सामाजिक संपर्क ही महत्वपूर्ण नहीं है बल्कि कुछ विशेष खाद्य पदार्थों का विशेष अर्थ होता है। पुरस्कार के रूप में खाए जाने वाले फल मिठाई आदि की खाने की इच्छा को दबाना दंड का रूप ले लेता है। हमारी जानकारी के अनुसार किसी भी बच्चे को अच्छे या बुरे होने पर

पुरस्कार या दंडस्वरूप खाने के लिए अतिरिक्त पदार्थ के रूप में गाजर कभी भी नहीं दी जाती।

मनुष्य अधिक खाकर व पेट को ठूँसकर भरकर जीने के लिए हथियार के रूप में प्रयोग में लाता है। एक रिपोर्ट के अनुसार एस्कीमो शिकारी एक दिन में 17,700 कैलोरी तक ग्रहण कर सकता है। एस्कीमो में भोजन की न्यूनता का निश्चित समय तक होता है। अधिक खाने की आवश्यकता निरंतर भोज्य सामग्री ग्रहण करने से समाप्त हो जाती है। तकनीकी रूप से विकसित देशों में खाद्य तकनीक रूप से विकसित देशों में खाद्य तकनीक रूप से विकसित देशों में खाद्य तकनीक, सुधरी परिवहन व्यवस्था घर में भंडारण-सुविधा तथा कार्य-सुरक्षा के कारण अकाल के समय अधिक खाने जैसी आदत समाप्त होती जा रही है। इस प्रकार अधिक खाने की आदत पर रोक लगी है। कुछ सामाजिक मूल्यों में परिवर्तन के कारण और कुछ धार्मिक विश्वास के कारण व्रत, उपवास करने को बल मिला है।

सामाजिक प्रथा व खाद्य पदार्थों की उपलब्धता के अतिरिक्त, कुछ विशेष व्यक्तियों द्वारा भोजन ग्रहण को प्रभावित करने के अन्न कारण भी है। कई लोगों की जांच करने पर पाया गया कि बार-बार अधिक खाकर भूख शांत करने का प्रयास करना असुरक्षा की भावना से जुड़ा है। लोग जीवन में खाने की सुविधा से वंचित है, वे ऐसी स्थिति में अधिक खा लेते है, जब सहारे की कमी अनुभव करते हैं। इसी प्रकार वे अभिभावक जिन्होंने युवावस्था में गरीबी का सामना किया हो, अपने बच्चों को सब कुछ खिलाने की इच्छा से उन पर दबाव डालते हैं।

ग्रहण किया गया भोजन व खर्च की गई ऊर्जा मिलकर शरीर के भार को संतुलित रखते हैं। खाद्य आदतों में गुणवता व संख्या के आधार पर स्थापित हो जाने के बाद बदलाव लाना मुश्किल है। आयु बढ़ने के साथ-साथ क्रियाशील रहने की आदत में बदलाव आंता है किन्तु यह बढ़ने के स्थान कम होता जाता है। खाने की खपत आयु बढ़ने के साथ-साथ

बढ़ती जाती है क्योंकि अधिक कमाने की शक्ति व आनंद पाने की इच्छा बढ़ जाती है। पहले अधिक भार होना, फिर मोटापा आना दोनों आपस में जुड़े हुए हैं।

जीवन बीमा के आँकड़ों व साधारण निरीक्षण के आधार पर व्यक्ति का भार 20 व 30 आयु में मध्य बढ़ता है। यह मनुष्य की क्रियाशीलता में बदलाव से प्रभावित होता है। खेल में घटती भागीदारी श्रम बचाने के तरीके भी इसके कारण हैं। श्रम बचाने के साधनों ने गृहिणियों कार्यभार को काफी हद तक हल्का कर दिया है। बढ़ते हुए बच्चे का पालन-पोषण आज भी एक तनाव भरा कार्य है इसलिए स्त्रियों का बढ़ा हुआ भार बच्चों के बड़े होने के साथ-साथ घट जाता है।

बीमा कंपनियां मृत्यु संख्या के अध्ययन के आधार पर जीवन के 20 से 30 वर्ष की आयु के भार में बढ़त न होने की वकालत करती है। इस नियम के आधार पर खून के निर्माण व दबाव कर अध्ययन करके सुझाव दिया गया कि स्त्री व पुरूष का भार, ऊँचाई के अनुसार होना चाहिए।

अंतिम निर्णय के रूप में अधिक भार की परिभाषा देते हुए कहा गया कि यदि स्त्री व पुरूष का भार, ऊँचाई के अनुपात से 20 प्रतिशत से अधि क है तो वह मोटापे की श्रेणी में रखा जाए।

वर्तमान वर्षों में कुछ खोज करने वालों ने मोटापा मापने के लिए शरीर के भार की अपेक्षा त्वचा की परतों का प्रयोग किया है। इसके लिए अग्रबाहु व कंधे के निचले हिस्से का नाप लिया गया। एक अन्य विधि के अनुसार, कुछ खोज केन्द्रों में शरीर के मोटापे की जाँच करने के लिए पानी के नीचे शरीर का भार किया गया। व्यवहारिक रूप से स्वयं मापना व शीशे में देखना ही मोटापे को पहचानने के लिए पर्याप्त है।

जब पर्याप्त प्रमाण संकेत करे कि परिवारों में मोटापा दिखने लगा है तब उसकी उत्पति व वातावरण संबंधी कारण जानना कठिन होता है। पशुओं के अध्ययन के अनुसार वंश उत्पति पर आधारित मोटापा स्थायी

होता है। यदि मोटापा बचपन में ही घेर ले तो उसे नियंत्रित करना सबसे कठिन होता है, इसके लिए बच्चों को मोटापे से बचाने के लिए वातावरण प्रदान करना महत्वपूर्ण है।

हमने अपने मित्रों के मुख के कई बार सुना है कि मैं वही खाता हूँ जो वह खाता है लेकिन मैं मोटा हूँ और वह पलता है। आइए पांच व्यक्तियों के संबंध में इस बात पर विचार करे। ये पांचों एक समान डीलडौल के है और किसी को भी अपने कार्य में शारीरिक ऊर्जा खर्च नहीं करनी पड़ती है। प्रत्येक का इच्छित भार 154 पौंड है। अपने नियंत्रित भोजन से वे सभी 2400 कैलोरी प्राप्त करते हैं। भोजन का चुनाव खाने के लिए सभी आवश्यक पौष्टिक तत्व प्रदान करता है।

श्रीमान ए अपने भोजन की 2400 कैलोरी व्यय करते है। वह बहुत कम भोजन के मध्य कुछ खाते हैं। श्रीमान बी भी अपना नियमित भोजन खाते हैं किन्तु नाश्ते में सूअर का मांस और अंडा लेना पसंद करते हैं। वह दूध के स्थान पर क्रीम मीट की तरी व अपने आलू पर मक्खन लगाना पसंद करते हैं। वे अपने सैंडविच व सलाद में मेयानिज को शामिल करते है। उनका भोजन नाश्ते को छोडकर बिलकुल श्रीमान ए के समान है। लेकिन नाश्ते में किया गया जरा सा बदलाव, उनके भोजन में 1000 कैलोरी बढ़ा देता हैं और श्रीमान बी का भार बढ़ाने के लिए वह बहुत है।

श्रीमान सी भी श्रीमान ए की तरह खाते हैं। अन्तर केवल यह है कि वह रात्रि भोजन से पहले कुछ पीकर विश्राम करना पसंद करते है। शाम के समय भी वह दो या अधिक गिलास बीयर पीना पसंद करते है। इससे भी उनके भोजन में 1000 कैलोरी बढ़ जाती है।

श्रीमान डी अपनी प्रतिदिन की 2400 कैलोरी के अतिरिक्त कुछ कोल्ड ड्रिंक व सोते समय पैग आदि नमकीन के साथ लेते हैं। वह भी श्रीमान ए की अपेक्षा 1000 कैलोरी अधिक लेते है लेकिन फिर भी श्रीमान डी का भार 154 पौंड ही है। ऐसा इसलिए क्योंकि उन्होंने अपनी क्रियाशीलता बढ़ा

ली है। वह एक दिन में कई मील पैदल चलते हैं, व्यायाम करते हैं, लान की घास काटते हैं और संभव हो तो साइकिल चलाते हैं।

यह उदाहरण स्पष्ट करते हैं कि जरा सा अतिरिक्त भोजन, हमारे आहार में भिन्नता ला देता है और व्यायाम उस अतिरिक्त भोजन के प्रभाव को समाप्त कर देता है। श्रीमान ई भी श्रीमान ए के समान ही खाना खाते है। वह कम मक्खन व मेयानिज प्रयोग में लाते हैं, कम वसायुक्त दूध ग्रहण करते हैं, भोजन के पश्चात केवल स्ट्राबैरी खाते है। इस प्रकार प्रतिदिन 600 कैलोरी कम करके उन्होंने अपने उसे 10 पौंड के अतिरिक्त भार को कम कर लिया है, जो उन्होंने श्रीमान बी की तरह खाना-खाकर बढ़ा लिया था।

1930-1940 के मध्य तक शरीर भार नियंत्रित करने के लिए केवल शरीर भार नियंत्रित करने के लिए केवल खान-पान संबंधी आदतें सुधारने पर ही बल दिया जाता था। पिछले 10 वर्षों में शरीर का भार नियंत्रित करने के लिए व्यायाम का महत्व समझा गया और इसका प्रभावशाली प्रयोग, खान-पान पर प्रतिबंधों के साथ संतोषजनक दिखा।

इसके विस्तार में जाएं तो माध्यम गति से व्यक्ति को प्रतिदिन एक घंटा पैदल चलना चाहिए, तीव्र गति से डेढ़ घंटा चलना व डेढ़ घंटा नृत्य करना चाहिए। इन क्रियाओं में लगभग 560 कैलोरी खर्च होती है।

इस प्रकार जो व्यक्ति 2400 कैलोरी ग्रहण करके अपना भार बनाए रखता है वह इन क्रियाओं के द्वारा 560 कैलोरी तक खर्च कर सकता है। यदि वह भोजन के द्वारा 2400 कैलोरी के स्थान पर 1840 कैलोरी ग्रहण करेगा तो उसके भोजन में कुछ अंतर आ जाएगा। यदि वह 1840 कैलोरी खाने के साथ अतिरिक्त व्यायाम भी करे तो 1220 कैलोरी घटा लेगा। इस प्रकार वह बिना अतिरिक्त क्रिया के 1200 कैलोरी वाला भोजन ग्रहण करने के समान होगा।

नगरीकरण व औद्योगीकरण के द्वारा रातोंरात खाने-पाने की आदत में बदलाव आया है। कॉफी व एक ब्रैडपीस का जल्दी में किया गया नाश्ता,

हल्का दोपहर का खाना व रात को भली प्रकार खाना व कम या बिना शारीरिक क्रिया के शाम बिताना प्रतिदिन का क्रम हो गया है। पशुओं पर किये गए प्रयोग दिखाते हैं कि दिन में एक या दो बार अधिक खाकर संभोग करने वाले रोगी की अपेक्षा दिन में कई बार थोड़ा-थोड़ा खाने वाले का कोलेस्ट्रोल कम हो जाता है।

कुछ मोटे लोग रात को खाने वालों की श्रेणी में आते हैं। ये लोग शाम के समय थोड़ा-थोड़ा करके पांच छह बार कुछ न कुछ खा लेते हैं और जब तक वे सोने जाते हैं तब तक शाम को खाए गए भोजन की अधिकांश कैलोरी व्यय कर चुके होते हैं। खाने के इस तरीके, बाध्य होकर खाने के तरीके की मानसिकता बदलने की आवश्यकता है।

कई गृहणियों की खाने की आदत का वर्णन विशेषकर यदि परिवार में बच्चे हो, इस प्रकार किया जा सकता है। उदाहरण के लिए श्रीमति एल. एम. को ले। वह 40 वर्षीय व अपने आदर्श शरीर भार से 20 किलोग्राम अधिक भारी है। उनके छह, आठ व दस वर्ष के तीन बच्चे है। वह कई वर्ष से भार घटाने का प्रयास कर रही है। किन्तु एक या डेढ़ किलो से अधिक वजन नहीं घटा पाती और उसे भी वजन घटने के लगभग महीने के अन्दर पुनः प्राप्त कर लेती है। वह नाश्ते में बिना क्रीम व चीनी के दो कप कॉफी और एक ब्रैड पीस लेती है। दोपहर के समय कुछ नहीं खाती या केवल एक सैंडविच लस्सी के साथ लेती है, शाम का भोजन बिना आलू व मीठे के साथ लेती है। इस प्रकार लगभग 2000 कैलोरी होती है। किन्तु सावधानी से देखने पर इन तथ्यों का ज्ञान होता है:-

1. सबके लिए नाश्ता बनाते समय वह एक या दो सूअर के मांस के टुकड़े खा लेती हैं या बच्चों द्वारा न खाए गए टुकड़े खा लेती है।

2. बच्चों द्वारा अधिकार प्लेट में छोड़ा गया ब्रैड, जैम वह खा लेती है।

3. सुबह किसी मित्र के आ जाने पर वह उसके साथ बिना क्रीम की चाय व बिस्कुट ले लेती है।

4. दोपहर के समय चाय या कोल्ड ड्रिंक लेती है।

5. श्रीमती एल. एम. कुछ चॉकलेट व नमकीन, मेवे, लिविंग रूप में सदा रखती है जिसे वह बच्चों व अचानक कार्य में व्यस्तता के समय वह स्वयं भी इन्हें खा लेती हैं।

6. यदि बच्चे 5.30 बजे खिलाया गया तला मुर्गा या अन्य मांसाहारी व्यंजन पूरा न खाएं तो वह बचा भोजन खा लेती है।

7. 7.00 बजे रात के भोजन से पहले वह पति का पीने में साथ देती है।

8. सोने से पहले जब वह रसोई के बंद दरवाजे जांचती है तो रात्रि भोजन में कुछ मीठा न खाने के कारण वह एक गिलास दूध कुछ कुरकुरी चीजों के साथ लेती हैं या पति का बीयर पीने में साथ देती है।

कुछ लोग सफलतापूर्वक अपना भार कम या बिना सलाह के घटा सकते हैं किन्तु कुछ को पूरी तरह सलाह की आवश्यकता होती है।

यह देखा गया है कि जो व्यक्ति आदर्श भोजन ग्रहण करते हैं उन्हें अपना आहार घटाने में कम कठिनाई होती है। किन्तु जो लोग भोजन को असामान्य तरीके से विभाजित करके खाते हैं या जो एक समय में अधिक खाते हैं उन्हें अधिक मुश्किलों का सामना करना पड़ता है।

शारीरिक रूप से सुगठित व नियंत्रित शरीर के लिए नियमित व्यायाम का महत्त्व जानना आवश्यक है। इस क्षेत्र में अधिक खोज करनी चाहिए कि लोग इस प्रकार क्यों खाते हैं, विशेष रूप से बच्चों और किशोरों में अच्छी खाद्‌य आदतें विकसित करनी चाहिए।

मोटापे का ईलाज कराने की अपेक्षा मोटापे से बचाव अधिक प्रभावशाली है।

संतुलित भोजन का अर्थ अच्छे स्वास्थ्य व इच्छित भार के लिए पर्याप्त पौष्टिक तत्व ग्रहण करना है। अच्छा पोषण कई प्रकार से प्राप्त किया जा

सकता है। यह आदर्श अलग-अलग देशों और अलग-अलग व्यक्तियों के लिए भिन्न होगा। अच्छे पोषण का अर्थ है-अच्छा खाना व व्यय करना। मीट, मछली, अंडे, दूध के पदार्थ, साबुत अनाज, ब्रैड, फल-सब्जियां, टिन बंद आहार व फ्रोजन सभी कुछ खाने से अच्छे पोषक तत्व प्राप्त होते हैं।

अच्छी खाने की आदतें भोजन की उत्तम योजना, खाने में विविधता व ठीक प्रकार से पकाने पर प्राप्त होती है। अच्छा पोषण बाजार से दुकान से भोजन खरीदने पर प्राप्त होता है। नहीं तो यह खाने की धुन के पक्के लोगों के विश्वास पर निर्भर है। खाने के धुनी लोगों द्वारा दी गई गलत सुचना या कभी-कभी हानिकारक सुझावों से जनता को सावधान रहना चाहिए। गलत सूचना के आधार पर भोजन में कमी न करे।

हम जानते हैं कि सुरक्षात्मक भोजन जैसे दूध, पनीर, खट्टे फल, टमाटर आदि का प्रयोग बढ़ गया है। विटामिन 'डी' के साथ, विटामिन 'ए' के साथ मार्गरीन, थाइमाइन के साथ शुद्ध अनाज व आटा, नायसिन रिबोफ्लेविन आदि को शामिल करने से ग्रहण किये गए विटामिन बढ़ जाते हैं।

जनसंख्या के बढ़ते अनुपात में स्पष्ट रूप से बेहतर आहार, अपर्याप्त पौष्टकता में सुधार उस समय आवश्यक है जब विशेषकर गर्भावस्था, स्तनपान, किशोरावस्था और बड़ी आयु के लोगों के साथ पौष्टिक आहार की समस्या हो।

सबसे महत्वपूर्ण पौष्टिकता की समस्या को सामना वे लोग करते हैं जो देश के स्वास्थ्य में रूचि रखते हैं और मोटापा कम करने के लिए सुरक्षात्मक उपाय अपनाते हैं। खाने की आदतों का अर्थ और महत्व समझकर उनके सुरक्षात्मक उपायों को लागू करना। इसी के द्वारा इस समस्या को हल किया जा सकता है।

शारीरिक तंदुरूस्ती क्या है?

अक्सर यह प्रश्न पूछा जाता है कि शारीरिक तंदुरूस्ती क्या है? यह

प्रश्न शीघ्र ही विवाद उत्पन्न कर देता है, इसका कोई सबके द्वारा स्वीकार्य उत्तर या परिभाषा वर्तमान में नहीं है। चिकित्सक के अनुसार शारीरिक तंदुरूस्ती का अर्थ है बीमारी का न होना भार उठाने वाले के लिए शारीरिक तंदुरूस्ती का अभिप्राय बढ़ी हुई, सुगठित मांसपेशियों है। स्वास्थ्य व शारीरिक सुंदरता बढ़ना या निश्चित समय में निश्चित दूरी तय करना है।

शारीरिक तंदुरूस्ती का अर्थ ठीक नाड़ी गति अर्थात् दिल, फेफड़ों व रक्त की सही अवस्था है। इस प्रकार की योग्यता सर्वाधिक महत्वपूर्ण है क्योंकि इन सभी अंगों पर मनुष्य का जीवन निर्भर है। बीमारी से मुक्ति व सुगठित मांसपेशियों होना ही काफी नहीं है। नाड़ी की सही गति की पर्याप्त व्यवस्था के बिना कोई भी मनुष्य शारीरिक रूप से योग्य नहीं होता। किन्तु आप कैसे जान सकते हैं कि कब इस उत्तेजक प्रश्न तक पहुंचा जाए।

निष्क्रियता से बढ़ती मोटे बच्चों की समस्या

वज़न घटाने में कैलोरी नियंत्रित भोजन के साथ, योजनाबद्ध कार्यक्रम बच्चे की अधिक सहायता करेगा। किन्तु केवल योजनाबद्ध सक्रियता से बच्चे का वजन शीघ्र नहीं घटेगा।

जनता स्वास्थ्य के हावर्ड विद्यालय में, पौष्टिकता के प्रोफेसर, जीन मेयर के अध्ययन के अनुसार मोटे बच्चे अन्य बच्चों की अपेक्षा कम क्रियाशील होते हैं।

4 मिनट के मध्यांतर में 3-5 मिनट की अवधि के लिए तस्वीरें खींचने के लिए कैमरा लगाया गया। अलग-अलग खींची गयी 28,000 अलग-अलग तस्वीरों की जांच की गई।

टेनिस के समय ली गई फिल्म दिखती है कि औसतन एक साधारण बालक कुल अवधि का 20 प्रतिशत निष्क्रिय रहा, जबकि मोटा बालक कुल अवधि का 55 प्रतिशत निष्क्रिय रहा। डॉक्टर मेयर के अनुसार सक्रिय खिलाडी गेंद के पीछे भागता है जबकि उसकी प्रतियोगी केवल वापस आने वाली गेंद का सामना करते है।

वॉलीबाल में मोटे बच्चे की तरफ से कम सक्रियता दिखाई देती है। सामान्य वजन से अधिक वजन वाले खिलाडी़ कुल समय का लगभग 82 प्रतिशत निष्क्रिय रहते है, साधारण खिलाड़ी तुलनात्मक रूप से 54 प्रतिशत निष्क्रिय रहते है। मोटापे की परतें तुरन्त क्रियाशील होने की अपेक्षा गेंद के आने का इंतजार करती है।

तैरने के समय, अधिक भारी बच्चे 72 प्रतिशत समय गतिहीन रहते हैं। डॉक्टर मेयर के अनुसार वे केवल पानी में खड़े रहते है। इसके विपरीत साधारण बालक केवल एक चौथाई समय गतिहीन रहते है।

समकालीन समाज में व्यायाम की भूमिका

शारीरिक निष्क्रियता आधुनिक समाज की प्रमुख समस्या बन गई है। जब इसमें मोटापा, वसायुक्त भोजन सिगरेट पीना और तनाव जुड़ जाते है। तब यह दिल व फेफड़ों की बीमारी की घटनाएं बढ़ने व उसकी चेतावनी देने वाले बन जाते है। यह सही है कि इन बीमारियों के कई अन्य कारण भी है किन्तु निष्क्रियता बढ़ने का इसमें महत्वपूर्ण हाथ है। खोजें सिद्ध करती है कि व्यायाम सुरक्षात्मक व सुधार की अनमोल दवा है। आधुनिक चिकित्सा वैज्ञानिक शारीरिक दशा व प्रशिक्षण कार्यक्रमों के संबंध में वर्तमान ज्ञान से संतुष्ट नहीं हैं-इस विषय में अधिक जानकारी पाने की आवश्यकता है। स्वास्थ्य व शारीरिक शिक्षा प्रदान करने वाले शिक्षकों से आधुनिक वैज्ञानिक तकनीक अपनाने तथा उससे संबंधित आंकड़ें उपलब्ध कराने की उम्मीद की जाती है।

स्वास्थ्य व शारीरिक शिक्षा के समकालीन विशेषज्ञ अपने अनुभवों के कारण अत्यधिक मांग में हैं, ऐसा पहले कभी नहीं हुआ। उदाहरण के लिए आज कई बड़े उद्योग प्रशिक्षित, उच्च शिक्षा प्राप्त स्वास्थ्य शिक्षकों को अपने यहां कार्यरत कर्मचारियों की उत्पादक क्षमता को बढ़ाने व मोटापा कम करने वाले शारीरिक कार्यक्रम लागू कर सके। दिल संबंधी बीमारी में सुधार कार्यक्रम लागू करने के लिए रोगियों के लिये चिकित्सक प्रयत्न कर रहे है। सुरक्षात्मक दवा कार्यक्रम के तहत वयस्क लगातार जॉगिंग के विषय

में भी अनेक प्रश्न पूछते हैं। इन सभी कार्यक्रमों में, शारीरिक योग्यता प्रमुख नाम है और सभी विशेषज्ञ स्वास्थ्य व शारीरिक शिक्षा के इस उत्तरदायित्व को सहन करते हुए, लोगों के अनेक प्रश्नों का उत्तर दे रहे हैं और विकास के लिए कार्य कर रहे हैं।

योग्यता कार्यक्रम का विकास कैसे करे?

हृदय के रक्तचान संबंधी दशा को सुधारने वाला एकमात्र व्यायाम एरोबिक व्यायाम के नाम से जाना जाता है। अधिक मात्रा में ऑक्सीजन प्राप्त करने के लिए व्यायामों को लागू करना अत्यंत आवश्यक है। दौड़ना, साइकिल चलाना, पैदल चलना और तैरना इसके उदाहरण है। इन व्यायामों की मांग के अनुसार शरीर का अधिक ऑक्सीजन ग्रहण करना आवश्यक हो जाता है। जब योग्यता का यह लक्ष्य प्राप्त कर लिया जाता है तब हृदय का रक्तचाप सुधर जाता है। और ऑक्सीजन ग्रहण करने का कार्य अधिक सुचारू रूप से कार्य करने लगता है। इसके लिए कई तरीके अपनाए जा सकते है। उदाहरण के लिए पैदल चलना, लंबी दूरी तय करके कम गति से साइकिल चलाना थोडी दूरी तक करते हुए दौड़ना या तेजी से साइकिल चलाना।

व्यायाम का कार्यक्रम एक केन्द्रीय पद्धति का प्रयोग करके सभी आयु के लोगों द्वारा अपनाया जा सकता है। सीमित समय में कम ऊर्जा व्यय करने वाले व्यायाम अधिक प्रभावशाली सिद्ध होगा। निश्चित किए गए बिन्दु ऊर्जा व्यय को विविध प्रकार से बढ़ाते है। इस प्रकार यदि दूरी स्थिर रहे तो व्यायाम की गति बढ़ाई जा सकेगी। अन्य क्रियाओं को भी व्यायाम में शामिल किया जा सकेगा यदि वे एरोबिक व्यायाम के रूप में हो।

इस केन्द्रीय पद्धति को प्रयोग से केवल एक था दो प्रकार के व्यायाम से जुड़ा प्रगतिशील व्यायाम कार्यक्रम शुरू किया जा सकता है। फिर भी इस प्रकार का कोई भी व्यायाम कार्यक्रम शुरू करनें से पहले कुछ चिकित्सा संबंधी जांच की जानी चाहिए। 30 वर्ष से कम आयु के लोगों को यदि कोई विशेष चिकित्सकीय समस्या न दो तो साधारण शारीरिक परीक्षण एक वर्ष

के भीतर करवाना आवश्यक है।

शारीरिक योग्यता की जाँच

शारीरिक योग्यता की उपर्युक्त मात्रा की जांच सभी साधनों से सम्पन्न प्रयोगशाला में ही ठीक प्रकार से की जा सकती है। किन्तु यह आवश्यक बड़ी संख्या में लोगों की शारीरिक योग्यता जांचने के लिए अव्यवहारिक है। इसके लिए शारीरिक योग्यता की जांच करने व उसे प्रयोगशाला के साध नों से संबंधित करने की आवश्यकता हे। कई वर्ष से समय-समय पर आयोजित किये जाने वाले परीक्षण संकेत करते है कि 12 मिनट का परीक्षण सर्वोत्तम सम्बन्ध प्रदान करता है। इस विषय का चिकित्सकीय दृष्टि से मूल्यांकन किया गया व फिर पूछा गया कि 12 मिनट में कितनी दूरी तक करने में वे आरामदायक अनुभव करते है। दूरी के आधार पर शारीरिक योग्यता को एक से पांच वर्गों में विभाजित किया गया है।

17 वर्ष से कम आयु के विद्यार्थियों के कुछ अध्ययन किये गए। कैलीफोर्निया के 149 विद्यार्थी पर किये गए अध्ययन से यह सामने आता है कि 62 प्रतिशत छात्र 12 मिनट में 1.5 मील से अधिक नहीं भाग पाते। कनिष्ठ व वरिष्ठ विद्यालय के सामान्य लड़कों के लिए, इस खोज के आध ार पर 12 मिनट में 1.5 मील दूरी तक करना आवश्यक है। इसकी तुलना में 13.30 मिनट में 1.5 मील तय करना लड़कियों के लिए उचित है। यह आँकड़े यह दिखाने के लिए पर्याप्त है कि 600 यार्ड और एक मील दौड़ना हृदय के रक्तसंचार की योग्यता से बहुत कम जोड़ा जाता है।

प्राथमिक आरंभिक विद्यालय शारीरिक शिक्षा

बच्चे के बढ़ने और विकास के अध्ययन से हम जान सकते है कि बच्चा आरंभिक विद्यालय में जो वर्ष बिताता है, विशेषकर आंरभ के वर्ष, वह उसके मूल प्रवृति, व्यवहार व चाल के आदर्श निर्धारित करते है, जो सारा जीवन उनके साथ चलते है। अमरीका की एक शारीरिक शिक्षा की संस्था ने विवेचन के बाद उल्लेख किया कि एक अभिवावक और एक

शारीरिक शिक्षक, दोनों के विषय में, में अपने बच्चे को आंरभिक विद्यालय में दी जाने वाली शारीरिक शिक्षा की गुणवता को लेकर चिन्तित हूँ और मैं इसलिए भी चिन्तित हूँ कि मैं जानता हूँ कि मेरे बच्चे के अनुभव अनोखे नहीं हैं। मैं अपने बच्चें की शारीरिक शिक्षा में इस स्तर पर जो वस्तुएं चाहता हूं वे सभी मैं शारीरिक शिक्षक के रूप में अन्य बच्चों के लिए चाहता हूं। वे प्रमुख बातें जो मेरे लिए महत्वपूर्ण है, निम्न हैं-

1. मैं चाहता हूँ कि उसे विभिन्न शारीरिक क्रियाओं में भाग लेने का अवसर मिले, जब तक क्रियाओं के लिए उसकी आवश्यकता और उसकी क्षमता अंतहीन न दिखने लगे।

2. मैं चाहता हूं कि उसे विभिन्न क्रियाओं में भाग लेकर अपनी इच्छा पूरी करने का आनंद मिले। वह केवल दूर से क्रियाओं को देखती न रहे।

3. मैं चाहता हूं कि विभिन्न खेलों व क्रियाओं में भाग लेकर वह स्वयं सामाजिक और मनोवैज्ञनिक लाभ प्राप्त कर सके।

4. मैं चाहता हूं कि विद्यालय में विभिन्न स्तरों पर उसने जो कुछ पढ़ा उसे चुनौती के रूप में ले, किन्तु मुख्य रूप से मैं चाहता हूं कि वे पढ़े।

5. मैं चाहता हूं कि वह समझे कि खेल व शारीरिक क्रियाओं का जीवन में महत्वपूर्ण स्थान है। इनका लड़कों के समान, लड़कियों के लिए भी महत्वपूर्ण है।

6. मैं अपनी बच्ची की शिक्षिका को अनुभव करवाना चाहता हूं कि शारीरिक शिक्षा महत्वपूर्ण है क्योंकि मेरी बेटी समझती है कि जो उसकी शिक्षिका के लिए महत्वपूर्ण है और उसका महत्वपूर्ण नहीं है।

मैं चिन्तित हूं क्योंकि अपने निरीक्षण के दौरान मैंने इनमें से कुछ बातें अपनी बेटी के साथ घटते देखी और अनुभव किया कि बहुत कम आरंभिक विद्यालयों में ऐसी बातें दिखाई देती है। मैंने उसे पंक्ति में खड़े होकर अपनी बारी की प्रतीक्षा करते देखा जो शायद पूरे पीरियड़ में केवल एक बार आती थी। मैंने उसके शारीरिक शिक्षा के पीरियड के दौरान, उसके शिक्षक को

देखा जो खेल के मैदान में कक्षा को संभालना नहीं जानता था। मैंने बच्चों को मध्यावकांश के समय प्राकृतिक ढंग से खेलते देखा और पाया कि उनका भागना, दौड़ना एक दूसरे के साथ प्रतियोगिता करना अध्यापक बच्चों की इन विविध क्रियाओं की प्राकृतिक इच्छा की पूरा करने में असफल रहते है और तब मैंने अनुभव किया कि आंरभिक अध्यापक का मुख्य रूप से खेलों से जुड़ी सामाजिक व वर्ग में बंटी विद्या से संबंध होना चाहिए।

तुरन्त वज़न घटाने की काल्पनिक धारणा
(Myth of Spot Reduction)

वजन घटाने की घोर इच्छा कई लोगों को चरम पद्धतियों को अपनाने के लिये विवश कर देती है जो अवांछनीय है। उनमें से कुछ हैं-

सनकी डाइट

दुकानों की अल्मारियों में वज़न घटाने वाले तमाम खाद्यान्न आपको मिलेंगे। विभिन्न प्रकार की डाइट सुझाने वाले भी अनेक मिल जायेंगे। इनका अनुसरण करने वाले भी मिल जाते हैं। लेकिन केवल थोड़े समय के लिये ही। यह उत्पाद वास्तव में लोकप्रिय नहीं हो पाते हैं क्योंकि इनके दावे झूठे साबित होते हैं। ये उत्पाद और डाइट अवैज्ञानिक हो सकते हैं तथा इनमें पोषकों की कमी हो सकती है। इन उत्पादों के अतिरिक्त परिणाम हो सकते हैं जो हर बार वज़न घटाने की कोशिश को और मुश्किल बना देते है। इनसे व्यवहार में कोई परिवर्तन नहीं आता है।

उपवास

यह एक कठोर पद्धति है। उपवास कैलोरी पर रोक लगाने का अंतिम चरण है। यह एक दिन में 450 ग्राम वज़न घटाने की गांरटी देता है। लेकिन इसका परिणाम अम्लोपचय (एसिडोसिस), उच्च रक्त-चाप होना, बी॰एम॰आर॰ तथा चरम उदाहरणों में हृदय की पेशी के क्षय के कारण मृत्यु तक होता है। इसका प्रयोग डॉक्टर की कड़ी निगरानी में अत्यंत मोटे व्यक्तियों के लिये किया जाता है।

विशेष वस्त्र तथा बॉडी रैप - ये शरीर के कुछ विशेष अंगों का वज़न या आकार घटाने के लिये प्रयुक्त किये जाते हैं। इससे शरीर का भी कुछ वज़न घट जाता है लेकिन वज़न का यह थोड़ा सा भी घटना प्राय: शरीर से पानी के लोप होने के कारण होता है। अत: इस तरह का वजन घटना अल्पकालीन होता है। इसके नकारात्मक परिणाम होते हैं- अलमान, पक्षाघात, दृष्टिभ्रांति, मनोविकृति।

शल्य क्रिया - शैल्यक तकनीकों में जबड़ों को तार से बांधना, चर्बी को चूषण पंप के द्वारा निकालना, आंतों से एक और रास्ता निकालना आदि शामिल हैं। ये तकनीकें ज़्यादातर अत्यंत मोटे लोगों के लिये इस्तेमाल की जाती हैं। ये भी अतिरिक्त गंभीर परिणामों को जन्म देती हैं।

मिताहार (डाइटिंग) बनाम भार नियंत्रण के लिए व्यायाम
(Dieting Versus Exercise for Weight Control)

व

व्यायाम के द्वारा शरीर में परिवर्तन

नियमित रूप से व सही ढंग से व्यायाम करने से हृदय की कार्य क्षमता बढ़ती है। विश्राम व व्यायाम के समय रक्त प्रवाहित करने की शक्ति बढ़ने के साथ-साथ हृदय मजबूत बनता है।

1. इसका स्पष्ट परिणाम हृदय के विश्राम करने में कभी के रूप में दिखता है-प्रबल शारीरिक अवस्था कार्यक्रम के पहले व बाद में हृदय के विश्राम करने की इन का प्रमाण दिखाई दिया। लगातार खेलने वाले खिलाड़ी के लिए विश्राम के समय हृदय की धड़कन का एक मिनट में 40 होना असामान्य नहीं है।

2. लगातार व नियमित व्यायाम का लाभदायक प्रभाववाहक नलियों की स्थिति को सुधरता है जिसके द्वारा रक्त शरीर के अन्य भागों तक पहुंचता है। दिल तक रक्त पहुंचने में सुधार होना सर्वाधिक महत्वपूर्ण है, यह हृदय दौरे में बाधक बन उसका खतरा कम करता है।

3. सुधरा रक्त परिभ्रमण रोगी की स्थिति को कुछ सुरक्षा प्रदान करता है और उस हृदय रोगी की सहायता करता है जो पूर्व स्थिति में आने के कार्यक्रम में सक्रिय रूप से भागीदार है।

4. नियमित व्यायाम से वायु ग्रहण करने की क्षमता बढ़ती है। साधारणत: फेफड़े में बाधक बीमारी और श्वास संबंधी मांसपेशियों का लगातार कमजोर पड़ना उच्चस्तरीय श्वास लेने की आवश्यकता दिखता है, इसको लिए सहनशील होना आवश्यक है। व्यायाम फेफड़ें व श्वास संबंध ी मांसपेशियों में अनुमानित परिवर्तन लाता है उनके कमजोर रूप को सुध ारता है व एक प्रकार से दवा का काम करता है:-

5. व्यायाम का सबसे अधिक उत्साहित करने वाला परिणाम व्यक्ति के व्यक्तित्व के सुधार के रूप में दिखाई देता है। व्यायाम अवनति, उदासी व चिंता को कम करने तथा अपने व्यक्तित्व को सुधारने का विषय है।

6. व्यायाम करने वाले पहले से अच्छे लगते है। इसलिए उनका व्यक्तित्व सुधरता है। वे अपना भार कम कर लेते है और यहाँ तक कि कुछ इंच उनके शरीर में से कम हो जाते हैं। यदि व्यायाम के साथ सीमित खान-पान का कार्यक्रम भी जोड़ दिया जाएं तो कमर, नितंब व जांघ जैसे शरीर के हिस्सों से कुछ इंच कम किए जा सकते हैं। उनकी चिंता में कभी आ जाती है क्योंकि वे अच्छा अनुभव करने लगते है। वास्तविकता में वे इसलिए स्वस्थ अनुभव करते हैं क्योंकि वे किसी प्रकार से बीमार नहीं थे। चिंता से युक्त व्यक्ति में धीरे-धीरे आने वाले सुधार को लगातार जांच से देखा जा सकता है।

क्या नियमित व्यायाम का शैक्षिक प्रदर्शन से संबंध है? यह एक अन्य उत्तेजल प्रश्न है जिसका शीघ्रता से उत्तर नहीं दिया जा सकता। कुछ जांचकर्ता विश्वास करते हैं कि व्यायाम के द्वारा सूक्ष्म कमी में सुधार लाया जा सकता है। वास्तव में एक विद्यार्थी व्यायाम के द्वारा अधिक बुद्धिमान बनने के स्थान पर अधिक सतर्क बनता है जिससे वह अपने स्तर को सुधार सकता है।

व्यक्तिगत शारीरिक क्रियाएँ

नमयन! पेड़ से नीचे उतर जाओ। निपुण। झाड़ पर मत चढ़ो। निपुण उन वाहनों की तरफ देखो। नमयन के घर के बाहर एक छोटा सा झाड़ से घिरा अहाता है। कमरे के अभाव और माँ के डर के कारण उसके भागने, कूदने और चढ़ने जैसे कामों पर प्रतिबंध है जिन्हें वह करना चाहता है व जिसकी उसे जरूरत भी है। किन्तु वह उन बालकों की अपेक्षा भाग्यशाली है जिन्हें एक पेड़ व खुले अहाते की इच्छा व आवश्यकता है। नमयन व सभी बच्चों को शारीरिक क्रियाओं के लिए अवसर की आवश्यकता होता है जो उनके बढ़ने व विकास का मूल आधार है किन्तु जिस वातावरण में व रहते हैं, उनमें ऐसी सुविधाएं सरलता से प्राप्त नहीं होती।

एक अपार्टमेन्ट में रहने वाला बच्चा घर के भीतर भागने, कूदने व चढ़ने जैसे काम नहीं कर सकता। यहाँ तक कि, उसके पास अलग कमरा होने पर भी यह संभव नहीं क्योंकि इनमें बहुत शोर होता है। खतरनाक ट्रैफिक के कारण वह खेलने बाहर नहीं जा सकता। भागने, दौड़ने कूदने व चढ़ने के स्थान पर वह एक स्थान पर बैठकर टी॰वी॰ देखता है।

बच्चा अपने चारों ओर के संसार से, कई तरीकों से सीखता है किन्तु सबसे अधिक वह सूंघने, सुनने, देखने, अनुभव करने, भागने, कूद ने खींचने व मुड़ने से सीखता हे।

खेल क्रियाऐ बच्चे की सिद्धांत बनाने में सहायक होती है। कई शब्द जैसे अन्दर, बाहर, ऊपर, समतल, गोल चौड़ा, बड़ा, दूर आदि का अर्थ वह खेलने के समय समझता है। खेल से वह दिशा, दूरी और सिद्धांत इस खोज से समझता है कि उसका शरीर क्या-क्या कर सकता है-वह बिना गिरे कितना झुक सकता है और वह शरीर के विभिन्न भागों को कैसे संतुलित कर सकता है। फेंकी गई गेंद के वापस आने से वह गति व शक्ति को पहचानना सीखता है, और बाल को पकड़ने वह सीखता है कि गति व शक्ति गेंद पकड़ने के लिए क्या करना चाहिए।

जब बच्चे को ऊपर वर्णित क्रियाओं में भाग लेने के सीमित अवसर

मिलते हैं तो उसका विकास व सीखने की प्रक्रिया बाधित होती है।

इस कारण, हमारे विद्यालय में प्राथमिक स्तर पर शारीरिक शिक्षा कार्यक्रम को क्रियाओं पर आधारित कौशल पर ध्यान केन्द्रित करने की आवश्यकता है जिससे प्रत्येक बच्चे की संपूर्ण बढ़ोतरी व विकास हो सकेगा। यह कार्यक्रम ज्ञानेन्द्रियों द्वारा चालित व्यक्तिगत आवश्यकताऐं पूरी करता है।

बच्चों से पूछा गया, तुम कितने प्रकार से झुक सकते हैं? क्यों ऐसा होता है कि शरीर के कुछ भाग झुकते हैं, कुछ नहीं? उन्हें निर्देश दिए गए। थोड़ा झुकाओं। दायी तरफ झुको। झुको............और किस खेल में तुम इस प्रकार झुकते हो।

इन दिशा निर्देशों व शक्ति के द्वारा कुछ क्रियाएं करवाकर, विभिन्न कौशलों व सिद्धांतों का विकास किया गया। एक बड़ी गेंद ले और उसे उछालने का अभ्यास करे। आप कितने तरीके से गेंद उछाल सकते है। गेंद को ऊँचा गेंद उछालो। किस प्रकार आप गेंद को उछालकर उछलते रहने दे सकते है। क्या आप गेंद के चारों ओर सभी के साथ बिना किसी को छुए घूम सकते है? क्या आप फर्श पर खिंची एक लाइन पर खड़े रहकर पैर से गेंद को नियंत्रित कर सकते है?

ये क्रियाएं अधिक चुनौतीपूर्ण बन जाती है। तुम गेंद को उछालते समय और क्या क्रियाएँ कर सकते हैं? दो क्रियाएँ एक साथ करे......चार क्रियाएँ एक साथ करे। क्रियाओं को साथ जोड़ने का कार्य करके एक आदर्श ढांचा तैयार करे। क्या तुम अपनी गेंद किसी दूसरे की तरफ उछाल सकते हो, जबकि वह अपनी गेंद तुम्हारी तरफ उछाल रहा हो? और गेंद कितनी दूर फेंक सकते हो और फर्श को छूने से पहले उसे पकड़ सकते हैं?

अन्य क्रियाएँ अनुकरण करने योग्य कार्य से युक्त होनी चाहिए, बंधी गेंद के साथ कार्य करना, गते के डिब्बे की खोज करना और जिम्नास्टिक के साधन में बाधक तत्वों का भी प्रयोग करना।

ज्ञानेन्द्रियों पर आधारित कार्यक्रम निदान रूप से महत्वपूर्ण है। ऐसे कार्यक्रमों में अध्यापक तनावपूर्ण, अत्यधिक ऊर्जा से भरी क्रिया, विस्फोटक गतिविधि ध्यान केन्द्रित करने व समस्याएँ सुलझाने में असमर्थता तथा अपने बच्चों में गतिविधि का आदर्श ढांचा स्थापित करने के अभाव का निदान इस कार्यक्रम के द्वारा किया जा सकता है। बचाव के साधन चिकित्सकीय आवश्यकता को निर्धारित करने में सहायक होते हैं।

ज्ञानेन्द्रियों द्वारा चालित कार्यक्रम की सफलता विद्यालय में विभिन्न प्रकार के विकास के रूप में दिखाई देती है।

प्रोजेक्ट हैड स्टार्ट, में एक शारीरिक शिक्षा के अध्यापक को बच्चों को इस कार्यक्रम के विशिष्ट स्वरूप की शिक्षा देने का कार्य सौंपा जाता है। इसके लिए उन्हें साधन उपलब्ध कराकर अध्यापक, अभिभावक और विद्यार्थी को साथ काम करने दिया जाता है।

ज्ञानेन्द्रियों द्वारा चालित क्रियाओं की जानकारी देने वाली एक छोटी पुस्तक तैयार की गई है ताकि शारीरिक शिक्षा के अध्यापकों व कक्षा अध्यापकों को उनसे परिचित करवारया जा सके जिससे समस्या सुलझाने उनके निदान व क्रियाओं पर आधारित कार्यक्रम बनाने में उन्हें सहायता मिल सके।

शिक्षाकाल के दौरान जो अध्यापक ज्ञानेन्द्रियों द्वारा चालित कार्यक्रम में क्षमता व रूचि दिखाते हैं, उनके लिए अवसर उपलब्ध है। इन शैक्षिक क्रियाओं में समीप के ज्ञानेन्द्रियों द्वारा चालित कार्यक्रम अपनाने वाले समुदायों में जाना इस कार्यक्रम में अनुभवी शिक्षकों के साि पढ़ाना और उनका निरीक्षण करना, कार्यशाला में भाग लेना, निरीक्षण यात्रा करना जिससे सभी केन्द्रों विद्यालयों विश्वविद्यालयों का विकास–शामिल है।

शरीर की योग्यता को प्रभावित करने वाले कारण

आयु बढ़ने के साथ–साथ प्रदर्शन में कुछ कमी आ जाती है। इसमें आयु बढ़ने के मनोवैज्ञानिक प्रभाव व अपनाई गई पद्धति का कितना हाथ

है। यह अभी बताना कठिन है। पहले के समाज में आयु के कारण प्रदर्शन में अंतर आज के समाज की तुलना में कम था, इस प्रकार यह संकेत करता है कि सोच विचार कर व्यायाम पद्धति अपनाने से कभी सुधारना संभव है। 60 से 70 वर्ष के खिलाड़ियों का प्रदर्शन सदा आयु के कारण, कठोर काट-छांट के बाद, छूट के विचार को अपनाता है। इस प्रकार प्रशिक्षण के बाद भी मंद जवाब आने का संबंध आयु से होता है। जैसे-जैसे व्यक्ति बड़ा होता है उसे पूर्व आकार प्राप्त करने में अधिक समय लगता है। इस प्रकार यदि निर्धारित केन्द्र लख्य तक पहुंचने में कठिनाई का सामना करना पड़ रहा हो तो 16 सप्ताह के प्रशिक्षण के स्थान पर उसे 32 सप्ताह तक प्रशिक्षण पाने की अनुमति दे देनी चाहिए।

किसी खिलाड़ी का किशोरावस्था में प्रतियोगिता में भाग लेना उसकी सहनशीलता व वयस्क होने पर प्रशिक्षण का प्रत्युतर दोनों को प्रभावित करता है। कई वयस्कों में विशिष्ट खिलाड़ी कौशल होते ही नहीं और कुछ को भागने की कला, कुछ विशेष कक्षाओं द्वारा सीखने का लाभ प्राप्त होता है। यदि शारीरिक शिक्षक प्रभावशाली ढंग से विद्यार्थियों को विभिन्न प्रकार की शारीरिक क्रियाओं के मूलाधार कौशल सिखाए तो वयस्क के रूप में वे एक सुदृढ़ आधार के साथ खड़े होगें, जिसका प्रभाव शारीरिक अवस्था कार्यक्रम पर दिखाई देगा। प्राथमिक व माध्यमिक विद्यालयों में दिये जाने वाले परीक्षण व सैनिक शिक्षा कार्यक्रम में शारीरिक योग्यता के स्तर को शामिल करके उसी बनाए रखना चाहिए।

मोटापा आयु के बिना सहनशीलता में सुधार को सीमित करता है। कद व सहनशीलता में परस्पर कोई संबंध नही है। किन्तु भार का इसके साथ संबंध है। शारीरिक अवस्था कार्यक्रम के आंरभ होने से लेकर अंत तक यह संबंध और अधिक सार्थक हो जाता है, यह मांसपेशियों और मोटापे के अनुपात में सुधार दर्शाता है।

सिगरेट पीने का सहनशीलता सुधारने पर पूरा प्रभाव दिखाई देता है। अमरीका की वायु सेना के 419 वायु सैनिक जो मूल प्रशिक्षण प्राप्त करके

विशेष अध्ययन में प्रवेश करते हैं, उन पर सिगरेट पीने का हानिकारक प्रभाव दिखाई देता है। जब इन वायुसैनिकों को सिगरेट पीने के इतिहास के आधार पर पांच वर्गों में बांटा गया तो देखा कि कभी सिगरेट न पीने वालों में सहनशीलता अधिक है। सिगरेट पीने वालों में कम इस अध्याय के आध ार पर यह स्पष्ट है कि दिन में कम से कम 10 सिगरेट पीना निश्चित रूप से सहनशीलता में सुधार को प्रभावित करता है। यदि कोई विद्यार्थी व्यायाम करने वाला वयस्क अधिकतम सहनशीलता सुधार तक पहुंचना चाहता है, तो वह दिन में 1 सिगरेट भी नहीं पी सकता। इस जांच पर विचार किया गया कि एक विद्यार्थी और वयस्क शारीरिक अवस्था कार्यक्रम में कब शामिल किये जा सकते हैं।

नियमित व्यायाम का कई गंभीर बीमारियों से सुरक्षा व सुधार के रूप में महत्वपूर्ण स्थान है। इन बीमारियों में वयस्कों की मधुमेह, उच्च रक्त चाप, हृदय संबंधी बीमारी व फेफड़ें संबंधी बीमारियाँ शामिल है। कई अध्ययन इन बीमारियों के कारण व प्रभाव का संबंध स्पष्ट करते है, किन्तु अभी और अधिक खोज व अनुसंधान की आवश्यकता हैं।

शारीरिक शिक्षक इन अध्ययनों में मुख्य रूप से सहायक सिद्ध हो सकता है, किन्तु ऐसा तभी संभव है, जब उनके निष्कर्ष ऐतिहासिक सिद्धांतों पर केन्द्रित न होकर वैज्ञानिक तथ्यों पर आधारित हो। उन्हें यह नहीं भूलना चाहिए, तब तक शिक्षा देना कठिन है, जब तक तुम दिये जाने वाले उपदेश का स्वयं अभ्यास न करो। रातोरात यह चेतावनी, निष्क्रिय शिक्षक को यथार्थवादी बना देती है। जब शिक्षक किसी से जीवन में शारीरिक रूप से सक्रिय होने के विषय में चर्चा करे तो विद्यार्थी पूछ बैठे, आप क्या करना चाहते हैं।

अमरीका का भविष्य अपने युवाओं की शक्ति के साथ-साथ उनकी बौद्धिक क्षमता पर निर्भर है। सभी आयु वर्ग के लोगों को दृढ़ शरीर निर्माण हमारे देश में एकता, अखंडता में सहायक होता है तथा देश के सभी शिक्षकों पर इसका उत्तरदायित्व है।

क्या विद्यालय में शारीरिक योग्यता होना अनिवार्य है?

शारीरिक योग्यता अध्ययन नहीं प्रशिक्षण है, इसलिए शिक्षा पद्धति का इससे कोई संबंध नहीं है। कई शिक्षकों विशेष रूप से शारीरिक शिक्षकों का यह विचार है। ये लोग विवाद करते हैं कि यह सिद्ध हो चुका है कि शारीरिक योग्यता में इसे शामिल करना चाहिए। यह दावा किया जाता है कि एक शिक्षक की अपेक्षा एक घोड़ों का प्रशिक्षक बेहतर तरीके से प्रशिक्षण के दौरान शक्ति संपन्न व सहनशक्ति गुणों का विकास करता है। इसके अतिरिक्त वे यह भी कहते हैं कि शारीरिक योग्यता अस्थायी प्रवृति की भांति है जैसे प्रशिक्षण होता है, उसकी तरह लाभ दिखाई देते हैं। अंतिम प्रभाव के रूप में शैक्षिक लाभ दिखाई देते है।

क्या विद्यालय और महाविद्यालय को संपूर्ण क्षमता के विकास का उत्तरदायित्व उठाना चाहिए? क्या उसे शक्ति सहनशीलता व गति के क्षेत्र में संपूर्ण विकास का भार अपने ऊपर लेना चाहिए? क्या शारीरिक शिक्षा कार्यक्रम के स्तर को बढ़ाने के लिए उस पर अधिक ध्यान दिया जाना चाहिए जिसे शारीरिक योग्यता के नाम से जाना जाता है?

पृष्ठभूमि

अधिकांश लोग सोचते हैं कि शारीरिक योग्यता प्रशिक्षण ही शारीरिक शिक्षा है इसलिए वे विद्यालय में शारीरिक शिक्षा देने के पक्षधर हैं। इस कार्यक्रम में शारीरिक योग्यता को कितना महत्व दिया जाए, इस प्रश्न पर शारीरिक शिक्षकों के एकसमान विचार नहीं है। जब तक इस देश के नेता और अधिकांश लोग शारीरिक योग्यता कार्यक्रम को प्रोत्साहित करते रहेंगे तब तक शारीरिक शिक्षा व्यवसाय के लिए एक आधार विकसित करने के लिए निर्णय लेना तथा भविष्य में शारीरिक शिक्षा कार्यक्रम की प्रकृति निर्धारित करना आवश्यक है।

11

मोटापा-परिभाषा, अर्थ तथा मोटापे के प्रकार
(Obesity — Definition, Meaning and Types of Obesity)

मोटापा-परिभाषा तथा अर्थ
(Obesity—Definition and Meaning)

मोटापा स्वास्थ्य की प्रमुख समस्या बन गया है। आहार की ग़लत अभिरचना (पैटर्न) तथा गतिविधि के अभाव में स्कूली बच्चों तक को मोटों की श्रेणी में रखा जा रहा है। मोटापे को वसा के ऊतकों की असामान्य बढ़त के रूप में परिभाषित किया जा सकता है जो चर्बी की कोशिका के आकार (अतिपुष्टियुक्त/हाईपरट्रॉफिक) या संख्या में बढ़त (हाइपर प्लास्टिक/ अतिवृद्धि) या दोनों के मिश्रण से उपजा परिणाम होता है।

मोटे लोगों की त्वचा के नीचे तथा अंदरूनी अवयवों के इर्दगिर्द बड़ी मात्रा में चर्बी जमा होती है। मोटापे को प्राय: बॉडी मास इंडेक्स (बी॰एम॰आई॰) की शब्दावली में व्यक्त किया जाता है। वज़न का ज़्यादा होना प्राय: मोटापे के कारण होता है लेकिन इसके अन्य कारण भी होते हैं जैसे पेशी का असामान्य विकास या शरीर में पानी का जमा होना आदि।

मोटापे को सामान्य अर्थ में हम इस प्रकार समझ सकते हैं कि हर स्थिति में हमारे शरीर पर आवश्यक वजन से 25 पौण्ड अतिरिक्त वजन होता है। यह शरीर में सामान्य से अधिक मात्रा में चर्बी के जमाव होने से देखा जाता है।

आज यह समस्या अमेरिका में सर्वाधिक दिखाई देती है। सामान्यत: धनिक वर्ग में यह बीमारी अधिक दिखाई देती है। अगर इसका कारण खोजें तो वह अधिक भोजन एवं कम परिश्रम से होता है।

इस प्रकार शरीर में वसा के अधिक जमा होने से हृदय संबंधी बीमारी की संभावना अधिक हो जाती है, व्यक्ति के रक्त संचारण पर अधिक भार पड़ता है, साथ ही पैर पीठ एवं कमर पर प्रभाव अधिक पड़ता है। मोटापे के रोगियों को हर प्रकार के सामान्य वजन की तुलना में 20% अधिक होता है तो उसे मोटापा कहते हैं, इसी प्रकार स्त्रियों का वजन सामान्य से 10% अधिक हो, तो मोटापा कहलाता है।

मोटापे के प्रकार
(Types of Obesity)

शोधकर्ताओं ने छः प्रकार के मोटे व्यक्तियों को अनुमोदित किया है। इस विषय पर मतभेद है कि प्रत्येक प्रकार के मोटापे को मोटापे के लिए लक्षित उपचार कार्यक्रम से लाभ मिलेगा, बजाए इसके कि एक आकार सभी दृष्टिकोणों पर फिट बैठता है।

इस अध्ययन ने यॉकशायर स्वास्थ्य अध्ययन में हिस्सा लेने आए 4000 से भी अधिक मोटापे से ग्रस्त व्यस्कों के आंकड़ों का अवलोकन किया। इस अध्ययन ने यह सुनिश्चित किया कि क्या यह संभव है कि मोटे व्यक्तियों को उनके सामान्य स्वास्थ्य और जीवनशैली विशेषताओं के अनुसार श्रेणीबद्ध किया जा सकता है।

यह अध्ययन मोटापे से ग्रस्त व्यक्तियों के 6 समूहों की सिफारिश करता है। ये समूह निम्नलिखित है:-

- **स्वस्थ युवा महिलाएं**- महिलाएं जो कि मोटापे से ग्रस्त है परन्तु सामान्य तौर पर उन्हे मोटापे से सम्बन्धित कम जटिलताएं है जैसे कि टाइप 2 मधुमेह।

- **अत्यधिक शराब पीने वाले पुरुष** - इस श्रेणी में आने वाले वयस्कों में अत्यधिक शराब पीने की प्रवृत्ति होती है यद्यपि उन्हें मोटापे से सम्बन्धित कम जटिलताएं होती है परन्तु ये व्यक्ति अधिक शराब का सेवन करते हैं।

- **दुःखी और चिंतित मध्यम आयु वर्ग** – इस श्रेणी में मुख्य रूप से कमजोर मानसिक स्वास्थ्य तथा सुस्वास्थ्य से ग्रस्त महिलाएं आती हैं।

- **धनवान् तथा स्वस्थ बुजुर्ग** – इस श्रेणी के अंतर्गत आने वाले व्यक्तियों का सामान्य तौर पर सकारात्मक स्वास्थ्य होता है परन्तु इनमें अधिक मदिरापान का सेवन और उच्च रक्तचाप की विशेषताएं पायी जाती है।

- **शारीरिक रूप से बीमार परन्तु स्वस्थ बुजुर्ग** – इस श्रेणी के अंतर्गत बेहद पुराने रोगों जैसे – ऑस्टियोआर्थराइटिस से ग्रस्त बुजुर्ग व्यक्ति आते है जिनका मानसिक स्वास्थ्य अच्छा होता है।

- **खराब स्वास्थ्य** – इस श्रेणी के अन्तर्गत आने वाले व्यक्ति आर्थिक रूप से वंचित होते है तथा ये बेहद पुराने रोगों से भी ग्रस्त होते हैं।

इस शोध से हमें यह पता चलता है कि यह बेहतर होगा कि हम मोटापे के उपसमूहों को पहचाने, बजाए इसके कि हम सभी मोटे व्यक्तियों को एक ही श्रेणी में रख दें। मोटापे की इस श्रेणीबद्धता से हम बहुत-ही प्रभावी ढंग से मोटापे से ग्रस्त व्यक्तियों का उपचार कर सकते है।

12

मोटापे से उत्पन्न स्वास्थ्य जोखिम, मोटापा-कारण तथा मोटापे पर काबू पाने के लिए समाधान

(Health Risks Associated with Obesity, Obesity – Causes and Solutions for Overcoming Obesity)

मोटापे से उत्पन्न स्वास्थ्य जोखिम

(Health Risks Associated with Obesity)

– मोटे लोग कई तरह की बीमारियों को आमंत्रित करते हैं जैसे उच्च रक्त-चाप, मधुमेह, ईस्टोआर्थराइट्सि (जोड़ों के आसपास की गठिया), फुप्फुसीय तथा गुर्दे की समस्याएँ, निद्रा-श्वास अवरोध (स्लीप एपनोइया) पित्ताशय की पथरी, शल्य चिकित्सा के खतरे, गर्भावस्था की पेचीदगियाँ और आमाशय, स्तन, पित्ताशय एवं गर्भाशय के कैंसर। चालीस वर्षीय पुरूषों में बढ़ा वज़न पहली बार दिल के दौरे के खतरों को बढ़ा देता है।

– मोटापा मनोवैज्ञानिक समस्याओं को भी जन्म देता है, यांत्रिक अक्षमताओं की ओर ले जाता है तथा आयु को घटा देता है। मोटे लोग अक्सर अपमानित, उपेक्षित और दुखी महसूस करते हैं। इसकी वज़ह से सांत्वना के लिये ये लोग खाने का सहारा ले सकते हैं जो उनकी समस्या को और विकट बना देता है।

– शरीर के अतिरिक्त बोझ के कारण पैर चपटे हो सकते हैं, गठिया भी हो सकती है जो नितम्ब, घुटने और रीढ़ की हड्डी में दर्द का कारण बनती है।

– उदर और पैर की शिरायें जिनके संकुचन के द्वारा रक्त वापस हृदय में जाता है, उनमें चर्बी का प्रवेश हो जाता है तथा इसके परिणाम असामान्य यांत्रिक क्रियायें, स्फीत शिरायें (वैरीकोज़ वेन्स) और उदरीय हर्निया होते हैं।

– सीने और उदर को वक्षस्थल से अलग करने वाली पेशी के नीचे, चर्बी के ऊतक, सामान्य श्वसन में अटकाव पैदा करके गलशोध (ब्रांकाइटिस) की संभावना पैदा कर देते हैं। इससे शरीर में कॉर्बनडाइऑक्साइड बची रह जाती है और औंघाई आने लगती है।

– मोटे लोगों के लिये चलना धीमी गति से होता है तथा चलना मुश्किल भी लगता है। जिसकी वज़ह से चलते समय दुर्घटनाओं की संभावना बनी रहती है।

मोटापा और आहार विवेक

मोटापा आजकल आम समस्या बन गई है। इससे छुटकारा पाने के लिए आवश्यक है आहार नियंत्रण। देखा जाए तो हमारे पूर्वजों का स्वास्थ्य हमसे कफ़ी अच्छा था क्योंकि अब अधिकांश खाद्य सामग्री तैयार रूप में बाजार आदि में प्राप्त की जाती है। जिसमें से मूल्यवान विटामिन निष्कासित कर दिये जाते हैं और उनमें मिलाए गये रसायन शरीर के लिए हानिकारक होते हैं। हमारे पूर्वज प्राकृतिक चीजों पर अधिक विश्वास रखते थे। वह शर्करा बहुत कम लेते थे लेकिन उसकी पूर्ति ऊल आदि से कर लेते थे। परन्तु आज कल तो दाने दार चीनी का भोजन में प्रयोग आना एक आम बात हो गई है। जिससे एथरोस्कलेरोसिस नामक बीमारी को बढ़ावा मिल रहा है। इस बीमारी में वसा युक्त पदार्थ धमनियों की भित्ति में इकट्ठे हो जाते हैं। जो हमारे शरीर के लिये हानिकारक सिद्ध होते हैं।

कई लोग अपना मोटापा कम करने के लिए एक साथ ही अपने भोजन में कमी कर लेते हैं। जिससे पेट अस्त-व्यस्त हो जाता है और भोजन में एक साथ कमी करने से व्यक्ति विटामिन, खनिज लवण और जल जैसी आवश्यक वस्तुओं से वंचित हो जाता है। इसके लिए जरुरी है कि हम

अपनी केलोरी की मात्रा की तरु ध्यान दें। अत्याधिक केलोरी कम करने से पहले-पहले तो इसका परिणाम अच्छा सामने आता है कि आपका वजन कम हो रहा है। परन्तु कुछ समय पश्चात् वजन कम होना बन्द हो जाता है और व्यक्ति चिड़चिड़ा हो जाता है या एकदम ऊब सा जाता है। जब एक अल्प भोजी व्यक्ति अपनी इस कम खाने की प्रतिज्ञा को तोड़ता है तो पुनः उसका वजन बढ़ने लगता है।

कई बार हम अपाच्य भोजन अधिक मात्रा में ले लेते हैं। जो कि हमारे शरीर के लिए हानिकारक होते हैं। इसके लिए जरुरी है कि हमें अपनी भोजन संबंधी आदतों को सुधारना चाहिए और खाने-पीने संबंधी कुछ नियमों का पालन करना चाहिए।

मोटापा कम करने के लिये एक सरल उपाय है कि ज्यादा परिश्रम करके हमें अपने ऊर्जा के व्यय को बढ़ाना चाहिए। हमें सरल व्यायाम करने चाहिए जिससे हृदय के दौरे पड़ने का खतरा कम हो सके। पत्तीवाली हरी सब्जियों का सेवन करना चाहिए क्योंकि इसमें विटामिन और खनिज लवण ज्यादा मात्रा में उपलब्ध होते हैं और केलोरी की मात्रा कफी कम होती है।

खाने-पीने के नियम

1. हमें खाना चबा-चबा कर खाना चाहिए जिससे वह गले से आसानी से नीचे चला जाए।

2. भोजन के समय अपना ध्यान भोजन में ही रखें।

3. भोजन में सभी पोषक तत्त्व हैं या नहीं इस बात का ध्यान रखना जरुरी है।

4. पेट भर कर भोजन ना करें। एक चौथाई हिस्से को खाली रखें।

क्रमिक परिवर्तन द्वारा पश्य आहार योजना

1. रोटी बनाने के लिए चौकर वाले आटे का प्रयोग करें।

2. मैदे की चीजों का कम प्रयोग करें।

3. तली हुई चीजों का सेवन न करें।

4. परिरक्षक पदार्थों एवं रंग युक्त खाद्य पदार्थों का त्याग करें।

5. स्फ़ेद दाने दार चीनी का प्रयोग ना करें। मीठा बनाने के लिए शक्कर, गुड़ या शहद का प्रयोग कम हानिकारक होता है।

6. रसायनिक नमक की जगह समुद्र से प्राप्त नमक अधिक लाभकारी है।

7. भोजन में पौष्टिक तत्त्व जैसे अन्न, सूखा मेवा, सब्जी, सलाद, दूध, गिरिदार फल आदि पर्याप्त मात्रा में होना चाहिए।

8. मिर्च एवं गर्म मसालों का सेवन कम करें।

9. चाय या कॉफी को बन्द करें।

10. प्राकृतिक चीजों का उपयोग ज्यादा करें।

मोटापे के कारण
(Causes of Obesity)

पूर्व में ऐसा माना जाता था, कि जो व्यक्ति अधिक भोजन करते हैं उनमें मोटापा देखा जाता है, परन्तु यह आवश्यक नहीं है क्योंकि बहुत-से ऐसे व्यक्ति जो सामान्य भोजन लेते हैं उनमें भी मोटापा देखा जाता है। इस उदाहरण से पता चलता है कि सिर्फ शरीर की आवश्यकता से अधिक ऊर्जा लेने पर मोटापा नहीं बढ़ता, अपितु जितनी ऊर्जा व्यक्ति ले रहा है उसकी तुलना में ऊर्जा का खर्च अगर कम करें तो मोटापा देखा जाता है। परन्तु सिर्फ यही एक कारण नहीं है, मोटापा अन्य कारणों से भी देखा जाता है। इनका वर्णन आगे किया जा रहा है।

(क) मानसिकता

एक प्रचलित कहावत है-"आदमी जीने के लिए खाता है" जब कि कुछ लोग खाने के लिए जीते हैं" इस वर्ग के लोग आत्म संतुष्टि के लिए खाते हैं साथ ही हमारे देश में यह भी मानसिकता देखी जाती है कि

थोड़ा-सा खाना बचा है, खत्म कर दो।

इस प्रवृत्ति के परिणामस्वरूप व्यक्ति में मोटापा दिखता है क्योंकि वे आत्म तुष्टि के लिए अधिक भोजन लेते हैं।

(ख) अधिक भोजन

अधिक भोजन भी मोटापे का कारण होता है, क्योंकि जब व्यक्ति खाने के लिए बैठता है, तो इस बात को भूल जाता है कि वह खा रहा है और उससे कितनी ऊर्जा मिल रही है। यहाँ पर महत्वपूर्ण बात यह है कि व्यक्ति को भोजन से कितनी ऊर्जा मिल रही है, न कि यह कि वह कितना खा रहा है।

उदाहरण के लिए व्यक्ति कहने के लिए फलों का सलाद या उबली हुई सब्जी खा रहा हैं पर उसमें अगर मलाई या मक्खन मिलाकर खा रहा है, तो उसे थोड़े-से फलों से सलाद या उबली सब्जी से भी बहुत ऊर्जा मिलेगी।

(ग) हार्मोन

45 वर्ष की आयु तक पुरुषों में महिलाओं की अपेक्षा मोटापा अधिक दिखाई देता है। जबकि 45 वर्ष के बाद महिलाओं में पुरुषों की अपेक्षा मोटापा अधिक दिखाई देता है। क्योंकि 45 वर्ष के बाद मीनोपास के पश्चात् सेक्स हार्मोन का स्राव ठीक न होने से यह देखा जाता है।

(घ) क्रियाशीलता

मोटापे का व्यक्ति की क्रियाशीलता से भी संबंध रहता है कोई व्यक्ति तभी स्वस्थ रहता है जब वह किसी भी कार्य के माध्यम से ऊर्जा नष्ट करता है अत: ऐसे व्यक्ति जो दिनभर में कम कार्य करते हैं या ऊर्जा नष्ट नहीं करते उनमें मोटापा दिखता है।

व्यक्तियों में क्रियाशीलता व्यवसाय के कारण कम होती है, परिणामस्वरूप ऐसे व्यक्तियों में मोटापा देखा जाता है।

उदाहरण–दिन भर बैठकर काम करने वाले वयस्क में मोटापा देखा जाता है। अधिक उम्र के कारण व्यक्ति सामान्य क्रियाएँ चलना, घूमना नहीं कर पाता या अधिक उम्र में जोड़ों की तकलीफ के कारण क्रियाशीलता कम होने से कम लिया भोजन भी मोटापे का कारण होता है।

(ङ) धूम्रपान

जो व्यक्ति अधिक धूम्रपान करते हैं उनमें भी मोटापा अधिक दिखता है क्योंकि ऑक्सीजन का उपभोग कम होता है।

(च) आनुवांशिकता

प्राय: यह देखा गया है कि जिस परिवार में तली हुई चीजें, मीठा या उच्च कैलोरी युक्त भोजन लेते हैं, वहाँ बच्चे भी मोटापे का शिकार होते हैं।

मोटापे को विकसित राष्ट्रों में महामारी के सादृश्य माना गया है। पतले होने की प्रक्रिया प्राप्त करने के लिए विशाल मात्रा में धन खर्च किया जाता है। आयुर्वेद हमें सचेता करता है कि कृत्रिम रूप से पतले होने का प्रयास करना हानिकारक हो सकता है और वातदोष को कुपित कर सकते हैं। आयुर्वेद के अनुसार कफ प्रवृत्ति के व्यक्तियों के पित्त प्रवृत्ति के व्यक्तियों की तुलना में मोटे होनेकी अधिक सम्भावना होती है एवं वात प्रवृत्ति के व्यक्तियों के मोटे होने की सबसे कम सम्भावना होती है। इसलिए वजन घटाने के प्रयास व्यक्ति की संरचना को ध्यान में रखते हुए करने चाहिए।

स्थूल की परिभाषा

एक व्यक्ति स्थूल है जिसके शरीर पर वसा और मांस की बढ़ी हुई मात्रा है और लटकते हुए नितम्ब, उदर और स्तन है और जिनका बढ़ा हुआ परिमाण शरीर के सम्बन्धित मानकों के अनुकूल नहीं है।

कारण

आवश्यकता से अधिक खाना, भारी, भोजन, ठण्डा भोजन, अत्यधिक निद्रा, दिन में सोना और हार्मोन सम्बन्धी असन्तुलन। आयुर्वेद का

विश्वास है कि शरीर का अत्यधिक भार पाचक अग्नि के अत्यधिक निर्बल हो जाने के कारण होता है।

लक्षण

- भेद- मांस में वृद्धि।
- उदरा का चलत्व।

तन्द्रा

आयुद्दाम (जीवन में कमी)

- अति स्वेद और दुर्गन्ध।
- अति क्षुधाा और पिपासा।

जटिलताएं

प्रमेहपीड़ा, ज्वर, भगंदर, विद्रधि, वातरोग, उदररोग, कुष्ठ, विसर्प, अतिसार, अर्थ आदि।

पूर्वानुमान

प्राचीन विद्वानों ने उपचारकी सफलता की दर को ध्यान में रखते हुए साध्य-असाध्य की अवधारणा की व्याख्या की है। रोग का पूर्वानुमान अनेक कारकों जैसे निदान, काल, देश, बल, आश्रय और लक्षण आदि पर आधारित होता है। यदि ऋतु और दोष (ऋतु स्वभाव दोष और व्याधि उत्पीड़क दोष) समान हो तब रोग का निम्न पूर्वानुमार होगा।

(कुछ अपवाद जैसे ज्वर)। यदि दोष और दुष्य समान प्रवृत्ति के हैं। तब रोग असाध्य होगा। कुछ अपवाद जैसे कब्ज प्रमेह।

मोटापे पर काबू पाने के लिए समाधान
(Solutions for Overcoming Obesity)

मोटापे का इलाज करते समय इस बात का ध्यान रखा जाना चाहिए कि व्यक्ति को उसकी आवश्यकता के अनुसार कम कैलोरी युक्त भोजन दें।

साथ ही यह भी कि व्यक्ति का वजन एकदम कम न हो एवं आवश्यक वजन प्राप्ति के पश्चात् वजन वैसा ही रहे।

मोटापे का उपचार करते समय व्यक्ति की जांच की जानी चाहिए। कुछ व्यक्तियों का मोटापा शरीर में अधिक पानी के जमाव से भी होता है।

मोटे व्यक्ति जैसा कि पूर्व में कहा जा चुका है कि मानसिक रूप से रोग ग्रस्त रहते हैं। अतः उपचार भी मनोवैज्ञानिक माध्यम से ही किया जाना चाहिए, उन्हें प्रोत्साहन देना चाहिए क्योंकि आशावादी विचार होने पर उपचार जल्दी हो सकता है।

मोटापे का उपचार निम्न पद्धति से किया जा सकता है–

1. व्यायाम

मोटापे का सर्वोत्तम उपाय व्यायाम है, परन्तु व्यायाम की अवधि एवं सीमा धीरे-धीरे बढ़ानी चाहिए। इसके लिए चिकित्सक का परामर्श लेना चाहिए। पैदल चलना, सांयकाल चलना, दौड़ना ये ऐसे व्यायाम हैं जिन्हें नियमित करने से वजन में कमी आती है क्योंकि इन्हें करने से ऊर्जा का क्षय अधिक होता है। इन व्यायामों में ऊर्जा का क्षय होने पर भी व्यक्ति को अधिक भूख नहीं लगती परिणामस्वरूप व्यक्ति का मोटापा कम होता है।

2. आहार चिकित्सा

(क) खनिज लवण– सोडियम तथा पोटाशियम कम मात्रा में देने से जल्दी उपचार होता है, क्योकि इससे शरीर में पानी का संग्रह अधिक नहीं होता है वसा में घुलनशील विटामिन ऊपर से मिलाकर देने चाहिए।

(ख) प्रोटीन– कार्बोज एवं वसा के अभाव में इसे अधिक 1 ग्राम/किलो वजन के आधार पर देना चाहिए। सिर्फ गंभीर अवस्था में यह काम करना चाहिए।

(ग) कैलोरी– मोटे व्यक्ति को कम कैलोरी मूल्य का आहार देना चाहिए, परतु कैलोरी अत्यल्प न हों व्यक्ति को करीब 20 कैलोरी/किलो के

आधार पर देना चाहिए। सिर्फ गंभीर अवस्था में यह काम करना चाहिए।

(घ) जल– पेय पदार्थ की सामान्य मात्रा रोगी को देनी चाहिए ताकि मूत्रीय संस्थान के कार्य ठीक से हो सकें।

(ङ) कार्बोज– चूंकि कार्बोज ऊर्जा के उत्तम स्रोत हैं, अतः इन्हें कम परन्तु रेशेदार सब्जियाँ देनी चाहिए।

(च) वसा– सभी पोषक तत्वों में वसा उच्च कैलोरी प्रदान करता है, अतः वसा रहित भोजन देना चाहिए।

3. व्रत

मोटापा दूर करने के लिए व्यक्ति उपवास भी करते हैं, परन्तु बहुत अधिक उपवास करने से शरीर को नुकसान होता है। पाचन-प्रक्रिया भी खराब हो जाती है। प्रारंभ में व्यक्ति पर उपवास का प्रभाव पड़ता है, परन्तु बाद में शरीर पर उपवास का कोई प्रभाव नहीं पड़ता तथा मोटापा बना रहता है। अतः थोड़ी-थोड़ी मात्रा में, उचित अंतराल रखते हुए, कम कैलोरियुक्त भोजन लेना श्रेयस्कर होता है।

5. दवाईयाँ

आंज बाजारों में मोटापा कम करने की बहुत-सी दवाइयां मिलती हैं इनमें थायरॉइड एवं फनफ्लूमिन प्रमुख हैं, परन्तु इसका सेवन डॉक्टर के मार्गदर्शन से ही करना चाहिए।

मोटापे पर काबू पाने के लिए निम्नलिखित उपाय हैं:-

- भोजन में संतुलित पोषण को ध्यान में रखते हुये कैलोरी को घटाना या बढ़ाना चाहिए

- कार्बोहाइड्रेटस से भरपूर तथा वसा में कम वाला आहार कैलोरी का एक वांछनीय नकारात्मक संतुलन बनायेगा। कुल कैलोरी में चर्बी से 30% से कम की कैलोरी, दैनिक चर्बी के चपापचय से चर्बी के कम अंतर्ग्रहण को सुनिश्चित करेगी।

- आहार की कोई भी योजना जो समुचित पोषण के साथ समझौता करती है, सही योजना नहीं हो सकती है। इस बात का ध्यान रखना चाहिये कि आहार में कैलोरी के घटने के बाद भी आवश्यक पोषण सुरक्षित रहे।
- आहार ऐसा होना चाहिये जिसे जीवन पर्यंत चलाया जा सके। यह वजन को स्थायी रूप से स्थिर रखेगा।
- खाने में रूचि बनाये रखने के लिये और भूख को शांत करने के लिये आहार में खाद्यान्नों की विविधता होनी चाहिये।
- आहार जीवनशैली से मेल खाता होना चाहिये तथा आसानी से उपलब्ध होना चाहिये।
- आहार स्वस्थ भोजन के सिद्धांतों के अनुसार होना चाहिये।
- ऊर्जा का 500 कैलोरी का नकारात्मक दैनिक संतुलन प्रति सप्ताह 0.45 किलो या एक पाउंड वज़न कम करेगा। कैलोरी की सही सही गणना तथा भोजनों का ध्यानपूर्वक आयोजन महत्त्वपूर्ण है।
- परितृप्ति महसूस करने के लिये अधिक कार्बोहाइड्रेट तथा कम वसा का ग्रहण करना चाहिए।
- जिन खाद्यान्नों में पोषक तत्त्व कम और कैलोरी ज़्यादा हैं उनसे परहेज़ करना चाहिये - जैसे चीनी। कम कैलोरी वाले खाद्यान्नों को लेने की सलाह देनी चाहिये, जैसे फल, सब्जी, साबुत अनाज आदि।
- मक्खन कम खाइये तथा कम चर्बी वाले मांस का चयन कीजिये जैसे मुर्गा, मछली, चर्बी रहित मांस। तली हुई चीज़ों से बचिये। उबली, बेक या माईक्रोवेव में पकाई हुई चीज़ों को खाइये। यदि आपको तेलों का इस्तेमाल करना ही है तो मोनोअनसैचुरेटेड तेलों का इस्तेमाल करिये जैसे मूंगफली का तेल या जैतून का तेल।
- कम वसा वाला दूध और पनीर बेहतर है।
- नमक का इस्तेमाल सीमित होना चाहिये। नमक की जगह मसाले वाले तड़कों को अपनाइये।
- मदिरा के पेयों से बचिये।

• आहार (डाइट) से परितृप्ति का स्तर अत्यंत महत्वपूर्ण है। इससे संतुष्टि तथा भला चंगा होने की अनुभूति होती है। समुचित मात्रा में रेशे वाले फल और सब्जियां, साबुत अन्न तथा दालें संतुष्टि प्रदान करती है और ग्रहण किये जाने वाले आहार की मात्रा घटाती हैं।

• मोटापे के साथ अगर सूजन (इडीमा), उच्च रक्त-चाप तथा रक्तसंयुक्त हृदय रोग (कनजेस्टिव हार्ट) न जुड़ा हो तो तरल द्रव्यों और नमक पर रोक लगाने की कोई आवश्यकता नहीं है।

• पेय में मीठा मत मिलाइये।

• राशि बढ़ाने वाले तत्त्वों का इस्तेमाल कर सकते हैं जैसे मैथिलसेल्यूलोज़ और इसबगोल। इनसे कोई नुकसान नहीं पहुंचता और पचाये जा सकने वाले ऐसे पदार्थ हैं जिनसे भोजन की राशि बढ़ जाती है। कुल ग्रहण किये जाने वाले भोजन की मात्रा घटाकर ये वज़न घटाने में मदद कर सकते हैं।

• परिवार के भोजनों से अनुकूलित तथा दामों में वाजिब होना चाहिए।

• जो भी आहार आप अपनाते हैं उसकी सामग्री आसानी से आसपास से ही उपलब्ध होनी चाहिये और जेब पर भी भारी नहीं पड़नी चाहिये। एक लंबे समय तक असाधारण व महँगी सामग्री को खरीदना मुश्किल पड़ेगा। इसका परिणाम डाइट के अंत में हो सकता है।

• आहार ऐसा होना चाहिये जिसका अनुकरण बाहर खाते वक्त भी हो सके।

• वज़न को स्थिर बनाये रखने के लिये बाहर खाना खाना बिल्कुल बंद कर देने से आपकी रणनीति असफल हो जायेगी। किसी एक विशेष वस्तु को खाने के लिये लालायित होना प्रायः एक डाइट योजना के अंत का आरंभ होता है। डाइट में कार्बोहाइड्रेट्स तथा कम चर्बी वाली वस्तुओं को चुनने के लिये पर्याप्त विकल्प होने चाहियें।

• कैलोरी के व्यय को बढ़ाने के लिये, पेशी समूह की राशि में वृद्धि

करने के लिये या स्थिर रखने के लिये व्यायाम का एक कार्यक्रम होना चाहिए।

• वज़न प्रबंधन में व्यायाम की भूमिका अत्यंत महत्त्वपूर्ण है। गतिविधि में वृद्धि होने से कैलोरी का व्यय बढ़ जाता है जिसके कारण एक नकारात्मक कैलोरी संतुलन हासिल किया जा सकता है। व्यायाम की तीव्रता, अवधि तथा बारंबारता के बढ़ाने से कैलोरी का खर्च बढ़ जाता है। पौषणीय सिद्धांतों पर आधारित डाइट के नुस्खे या कैलोरी पर रोक जिनका जिक्र पीछे किया जा चुका है, उन्हें ज़्यादा फायदे के लिये जोड़ा जा सकता है। नियमित एरोबिक व्यायाम (दौड़ना, तैरना, लंबी अवधि का ऐरोबिक्स) के साथ भारोत्तोलन के व्यायामों (ताकत या प्रतिरोध प्रशिक्षण जैसे वज़न उठाना, जिम के अनेक व्यायाम) के जुड़ने से अस्थि-पंजर की पेशियों के लिये चर्बी भस्म करना संभव हो जाता है क्योंकि ऊर्जा पेशियों के क्षय को कम करेगी जो निश्चित रूप से कैलोरी पर रोक लगाने से संभव है।

भार को नियंत्रित करने के उपाय

वर्तमान में यह स्पष्ट रूप से देखा जा सकता है कि आज न केवल भारत में ही वरन् विश्व के अधिकतर देशों में रहने वाले बालकों, वयस्कों तथा वृद्धों के द्वारा भार की समस्या का सामना करना पड़ रहा है। यह अधिक खाने तथा निष्क्रिय रहने का दुष्परिणाम हो सकता है अथवा किसी बीमारी के परिणामस्वरूप भी यह उत्पन्न हो सकता है। परन्तु भार के परिणामस्वरूप व्यक्ति के द्वारा बहुत अधिक समस्याओं का समाना करना पड़ता है। यह उसे अपने व्यक्तित्व का पूर्ण विकास न करने हेतु भी प्रभावित करता है।

एक भारी व्यक्ति के द्वारा दौड़ में अच्छा प्रदर्शन प्रदान नहीं किया जा सकता। इसके साथ ही साथ ऊंची कूद तथा लंबी कूद में भी उसके द्वारा अच्छा प्रदर्शन प्रदान नहीं किया जा सकता। इस प्रकार यह कहा जा सकता है कि अधिक भार विभिन्न प्रकार की समस्याओं को अपने साथ लेकर आता है। जिसके परिणामस्वरूप व्यक्ति के द्वारा भली भांति अपने व्यक्तित्व का विकास नहीं किया जाता है। इसलिए आज भार को दूर करने की ओर

विशेष रूप से बल दिया जा रहा है। भार को नियंत्रित किया जा सकता है। इसके लिए निम्नलिखित उपयों को अपनाया जाना लाभदायक माना जाता है:-

(क) इसके लिए भार तालिका में दी जाने वाली ऊंचाई तथा भार से सम्बन्धित जानकारी के आधार पर देखा जाना आवश्यक माना जाता है। जिसके आधार पर इस बात का पता लगाया जा सकता है कि कहीं भार ऊंचाई से अधिक तो नहीं है। इसी प्रकार यदि भार ऊंचाई से कम होता है तो निश्चय ही इसके परिणामस्वरूप भी समस्याओं का सामना करना पड़ सकता है। इसलिए यह अति आवश्यक माना जाता है कि व्यक्ति के द्वारा अपने शरीर की ऊंचाई के अनुरूप ही अपने भार को नियंत्रित किया जाना चाहिए। ऐसा करने के लिए उसके द्वारा तालिका का उपयोग किया जाना चाहिए।

(ख) समय-समय पर व्यक्ति के द्वारा अपनी कमर का माप लिया जाना चाहिए। जिससे इस बात का पता लगाया जा सकता है कि कमर में कितनी वृद्धि हुई है। यह देखा जाता है कि जिस समय व्यक्ति के शरीर में मोटापा विकसित होता है। उसका सबसे अधिक प्रभाव उसकी कमर पर देखा जाता है। इसलिए व्यक्ति को समय-समय पर अपनी कमर की जांच की जानी चाहिए। इसके साथ ही साथ कमर से सम्बन्धित विभिन्न प्रकार की क्रियाओं को किया जाना भी उसके लिए लाभदायक माना जाता है।

(ग) यह देखा जाता है कि वंश का प्रभाव भी व्यक्ति के शारीरिक विकास पर पड़ता है। यदि व्यक्ति के माता-पिता में मोटापा विकसित है तो निश्चय ही इसका प्रभाव बालक पर भी देखा जा सकता है। इस प्रकार यह कहा जा सकता है कि वंशानुगत प्रभाव भी बालक के मोटापे पर पड़ता है।

(घ) यह देखा जाता है कि आज लोगों के द्वारा अनियमित रूप से विभिन्न प्रकार के पदार्थों का सेवन करने की ओर अग्रसित हुआ जा रहा है। जिसके परिणामस्वरूप उनके द्वारा विशेष रूप से अपने शरीर में मोटापे को विकसित कियास जाता है। इसलिए यह अति आवश्यक माना जाता है कि अनियमित रूप से लिए जाने वाले भोजन को कम किया जाना चाहिए। ऐसा

करके ही व्यक्ति के द्वारा विशेष रूप से मोटापे से दूर हुआ जा सकता है तथा अपना शारीरिक विकास करने की ओर अग्रसित हुआ जा सकता है।

(ङ) यह देखा जाता है कि आज लोगों के द्वारा कार तथा अन्य वाहनों का अत्यधिक उपयोग करने की ओर अग्रसित हुआ जा रहा है। इनका उपयोग करके व्यक्ति के द्वारा भली भांति अपने शरीर में स्थूलता को विकसित किया जाता है। इसलिए यह अति आवश्यक माना जाता है कि लोगों के द्वारा पैदल यात्रा की ओर उन्मुख हुआ जाए।

(च) आज युवाओं के द्वारा शारीरिक श्रम से भागा जा रहा है। यह देखा जाता है कि उनके द्वारा अत्यधिक शारीरिक श्रम की ओर भली भांति अग्रसित नहीं हुआ जा रहा है। जिसका प्रभाव उनके शरीर पर देखा जा सकता है। इसके परिणामस्वरूप उनके द्वारा अपने शरीर में मोटापे को विकसित किया जाता है। इस प्रकार यह कहा जा सकता है कि जब तक युवाओं के द्वारा अपने शरीर में व्याप्त स्थूलता को दूर करने के लिए स्वयं श्रम नहीं किया जाएगा। तब तक उनके द्वारा पूर्णता की ओर अग्रसित नहीं हुआ जा सकता।

(छ) वर्तमान में चिकना भोजन तथा मांस आदि का भोजन किया जाना एक फैशन बन गया है। जो शरीर में स्थूलता बनाए रखने के लिए बहुत ही असरदार माना जाता है।

इस प्रकार उपरोक्त विवेचन के आधार पर यह कहा जा सकता है कि भार को नियंत्रित करने हेतु जब तक व्यक्ति के द्वारा स्वयं ही विभिन्न प्रकार के उपायों को नहीं अपनाया जाता है। तब तक उनके द्वारा इस क्षेत्र में उन्नति प्राप्त नहीं की जा सकती। इसलिए आज इस ओर विशेष रूप से बल दिया जा रहा है कि व्यक्ति को स्थूलता कम करने हेतु व्यायाम की ओर अग्रसित किया जाए। व्यायामों के आधारपर ही शरीर में व्याप्त कैलोरी को कम किया जा सकता है। जिसके परिणामस्वरूप व्यक्ति के द्वारा पूर्ण रूप से उन्नति की ओर अग्रसित हुआ जा सकता है तथा अपने समक्ष उपस्थित होने वाली विभिन्न प्रकार की समस्याओं को दूर किया जा सकता है।

इकाई-4
भार प्रबन्धन की योजना के चरण
(Steps of Planning of Weight Management)

13

पोषण–दैनिक कैलोरी मात्रा तथा व्यय, वांछनीय शारीरिक वज़न का निर्धारण (Nutrition – Daily Calorie Intake and Expenditure, Determination of Desirable Body Weight)

पोषण–दैनिक कैलोरी मात्रा तथा व्यय (Nutrition – Daily Calorie Intake and Expenditure)

पोषण समस्त जीवन का आधार है। एक संतुलित पोषक आहार सभी जीवित प्राणियों को एक स्वस्थ जीवन जीने के लिये समर्थ बनाता है। बचपन में हम सभी लोगों ने सुना है कि जैसा हम खाते हैं वैसा हम सोचते हैं। जिस तरह हम दिखते हैं, क्रियाशील होते हैं, यहाँ तक कि जिस तरह हम जीते हैं, सभी हमारे द्वारा उपयोग किये भोजन के प्रकार और तरीक़े पर निर्भर करता है। अच्छा पोषण अच्छे स्वास्थ्य का लाभ देने के अतिरिक्त हमारे शरीर की उचित बढ़त को सुनिश्चित करता है। आम लोगों में उपयुक्त पोषक आहार के बारे में अनेक ग़लतफहमियां तथा भ्रांतियां हैं। अतः यहाँ पोषण के आहार की यथा संभव सरल व्याख्या की जा रही है।

ब्रहत्तर स्तर पर पोषण को आहार तथा शरीर द्वारा ऊर्जा उत्पन्न करने एवं शरीर के ऊतकों के निर्माण या मरम्मत में उसके इस्तेमाल के अध्ययन के रूप में परिभाषित किया जा सकता है। यह आहार का विज्ञान है और स्वास्थ्य से इसका संबंध मुख्यतः शरीर की बढ़त, विकास और रख रखाव में पोषक तत्त्वों की भूमिका से है। अच्छे पोषण का अर्थ एक पौषणिक स्तर को बराबर रखना है, ताकि शरीर उचित रूप से विकसित हो सके तथा स्वास्थ्य अच्छा बना रहे।

पोषण मूल रूप से स्वास्थ्य के साथ जुड़ा है। यदि एक व्यक्ति आवश्यक मात्रा में सही आहार लेता है, तो उसका स्वास्थ्य अच्छा बना रहता है बशर्ते अन्य कारक हस्तक्षेप न करें। दूसरी ओर, ग़लत तरीक़े से खाने से या बहुत कम अथवा बहुत ज़्यादा खाना खाने का परिणाम ख़राब स्वास्थ्य होगा। फिर भी, इस बात पर ध्यान देना जरूरी है कि अच्छे स्वास्थ्य को सुनिश्चित करने में आहार एक निर्णायक कारक है, किंतु एकमात्र कारक नहीं है। कुपोषण स्वास्थ्य की क्षति है जो पोषकों की कमी, अधिकता या असंतुलन का परिणाम है। दूसरे शब्दों में, कुपोषण का तात्पर्य पोषकों की कमी तथा पोषकों की अधिकता दोनों ही है। अल्प पोषण का अर्थ एक या एक से अधिक पोषकों की कमी या अभाव है, अति पोषण का अर्थ एक या एक से अधिक पोषकों की अधिकता है। अल्प पोषण तथा अति पोषण दोनों का ही परिणाम अस्वास्थ्य है।

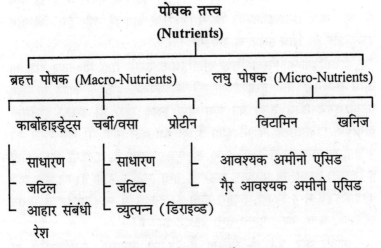

पोषक तत्त्व
(Nutrients)

- ब्रहत्त पोषक (Macro-Nutrients)
  - कार्बोहाइड्रेट्स
    - साधारण
    - जटिल
    - आहार संबंधी रेश
  - चर्बी/वसा
    - साधारण
    - जटिल
    - व्युत्पन्न (डिराइव्ड)
  - प्रोटीन
    - आवश्यक अमीनो एसिड
    - ग़ैर आवश्यक अमीनो एसिड
- लघु पोषक (Micro-Nutrients)
  - विटामिन
  - खनिज

पोषक तत्त्वों का वर्गीकरण

ब्रहत्त पोषक

एक अच्छे संतुलित आहार में कम से कम 58% कार्बोहाइड्रेट, 30% वसा तथा 12% प्रोटीन होता है। भारतीय आहार में कुल ऊर्जा इस अनुपात

में होती है- कार्बोहाइड्रेट 65% से 80%, वसा 10% से 30% और प्रोटीन 7% से 15%। कार्बोहाइड्रेट तथा वसा ईंधन हैं जिन्हें शरीर हमारी गतिविधियों के लिये ऊर्जा उत्पन्न करने के लिये भस्म करता है। इन्हें 'ईंधन-पोषक' के रूप में जाना जाता है। प्रोटीन 'बिल्डिंग ब्लॉक' हैं जो शरीर के ऊतकों का विकास एवं मरम्मत करते हैं। विशेष स्थितियों में, जैसे कार्बोहाइड्रेट तथा संग्रहित वसा की कमी में, प्रोटीन भी ऊर्जा प्रदान करने के लिये ईंधन का काम कर सकते हैं।

नीचे दी गई इबारत में ब्रहत्त पोषकों का विस्तृत विवरण दिया गया है।

कार्बोज (कार्बोहाइड्रेट) - जैसा कि नाम में निहित है, कार्बोहाइड्रेट, कॉर्बन और पानी से मिलकर बनते हैं। कार्बन, हाइड्रोजन तथा ऑक्सीजन के अणु मिलकर कार्बोहाइड्रेट यौगिक बनाते हैं। ये सीमित मात्रा में जिगर तथा मांस-पेशियों में संग्रहित रहते हैं तथा निम्न काम करते हैं- (क) ऊर्जा के एक मुख्य स्त्रोत के रूप में, (ख) प्रोटीन को घुलने से बचाने में, (ग) चर्बी के चपापचय (मेटाबोलिज़्म) के प्रारंभक के रूप में, और (घ) केन्द्रीय स्नायु-तंत्र के लिये ईंधन के रुप में।

ऐनारोबिक या ग़ैरवायविक गतिविधियों जैसे- 100 मी० तेज दौड़ या ऊँची छलांग- जिन्हें तुरंत प्रेरणा की आवश्यकता होती है आदि के लिए कार्बोहाइड्रेट ऊँची ऊर्जा का एक बड़ा स्त्रोत होता है। इसका इस्तेमाल वायविक गतिविधियों में भी होता है, लेकिन कम मात्रा में। जब शरीर को पेशियों के संकुचन के लिये ऊर्जा की ज़रूरत होती है, ए.टी.पी. भस्म होती है जिसका तत्कालीन परिणाम ए.डी.पी. तथा ऊर्जा में होता है। हर एक ग्राम कार्बोहाइड्रेट में 4 किलो कैलोरी होती है। आहार में कार्बोहाइड्रेट के स्त्रोत सब्जियां, फल, रोटी, पास्ता तथा अनाज होते हैं।

कार्बोहाइड्रेट की दो श्रेणियां है- (क) साधारण कार्बोहाइड्रेट या शर्करा, (ख) जटिल कार्बोहाइड्रेटस या शर्करा, स्टार्च (मांड) तथा रेशे।

आम शर्करा/ साधारण कार्बोहाइड्रेट्स

ग्लूकोज़ बहुत आम शर्करा है। यह एकमात्र कार्बोहाइड्रेट है जिसका उपयोग शरीर प्राकृतिक रूप में कर सकता है।

■ शारीरिक प्रक्रियाओं के द्वारा सभी कार्बोहाइड्रेट्स घुलकर ग्लूकोज़ बन जाते हैं। ग्लूकोज़ के मोलेक्यूल की एक श्रृंखला 'ग्लाईकोजन' बनती है जो अस्थिपंजर पेशियों तथा जिगर में संग्रहित हो जाते हैं तथा आवश्यकता पड़ने पर इस्तेमाल किये जाते हैं।

■ रक्त प्रवाह में बाकी बचा हुआ ग्लूकोज़ ज़्यादातर वसा में बदल कर चर्बी की कोशिकाओं में संग्रहित हो जाता है। यह भविष्य के लिये ऊर्जा का स्त्रोत होता है।

■ ऊर्जा के लिये केन्द्रिय स्नायु-तंत्र लगभग एकमात्र रूप से ग्लूकोज़ का ही इस्तेमाल करता है।

■ इसीलिये आहार में पर्याप्त मात्रा में कार्बोहाइड्रेट्स का होना आवश्यक है वरना शरीर ऊर्जा के लिये प्रोटीन का इस्तेमाल कर लेगा जिसके परिणाम स्वरूप बढ़त के लिये प्रोटीन की मात्रा में कमी आयेगी।

■ चूंकि ग्लूकोज़ मुख्य शर्करा है जिसका संचरण पूरे शरीर में होता है, रक्त में शर्करा का स्तर इसी के द्वारा तय होता है।

दूसरे प्रकार की शर्कराओं में फ्रक्टोज़ (फल शर्करा), गैलैक्टोज़ (क्षीर शर्करा), लैक्टोज (दुग्ध शर्करा), मॉलटोज़ (द्रव्य/ जौ शर्करा) तथा सुक्रोज शामिल है।

■ फ्रक्टोज़ या फल शर्करा प्राकृतिक रूप से फलों तथा शहद में मिलती है।

■ गैलेक्टोज़ वह शर्करा है जो मानव तथा स्तनधारी जीवों के स्तनों के दूध में मिलती है।

■ लैक्टोज़ या दुग्ध शर्करा गैलैक्टोज़ तथा ग्लूकोज़ से मिल कर बनती है।

■ मॉल्टोज़ या जौ की शर्करा, ग्लूकोज़ के दो साथ जुड़े मोलेक्यूल से मिलकर बनती है और यह अंकुरित अनाजों तथा जौ में पाई जाती है।

■ सुक्रोज या मेज़ वाली चीनी/ ब्राउन चीनी/ पिसी हुई चीनी, ग्लूकोज़ तथा फल की शर्करा से मिलकर बनती है और गाजर, अन्नानास तथा

शलगम (बाजरा, गन्ना आदि) में पाई जाती है।

▪ इस बात को याद रखना आवश्यक है कि शरीर इनका उपयोग ऊर्जा की आवश्यकता के लिये कर सके, इसके लिये इन शर्कराओं का ग्लूकोज़ में परिवर्तित होना अनिवार्य है।

जटिल कार्बोहाइड्रेट्स

▪ जटिल कार्बोहाइड्रेटस स्टार्च और रेशे हैं जो आवश्यक लघु पोषक हैं तथा ऊंर्जा के उत्पादन में आवश्यक लघु पोषक तथा ग्लूकोज उपलब्ध कराते हैं।

▪ स्टार्च, ग्लूकोज़ की लंबी श्रृंखलायें हैं जो बीन्स, आलू, गेहूँ, चावल, मक्का और मटर जैसे आहारों में पाई जाती है। ये ग्लूकोज़ की श्रृंखलायें पकने के बाद अपनी अलग इकाइयों में बदल जाती हैं तथा उपयोग के बाद पाचक रस (एन्ज़ाईम) में इन्हें आसानी से घुला देती है। छोटी आंत से ग्लूकोज़ रक्त में प्रवाहित हो जाता है। स्टार्च, शरीर में ग्लायकोजन के रूप में संग्रहित होता है तथा शारीरिक गतिविधियों के दौरान अचानक ऊर्जा के विस्फोट के लिये प्रयुक्त होता है।

▪ आहार संबंधी रेशे जटिल कार्बोहाइड्रेट्स का अंग हैं। इनकी रासायनिक संरचना इतनी जटिल है कि शरीर इनका चपापचय नहीं कर पाता है। इसे घुलाकर ग्लूकोज़ या किसी अन्य पोषक में परिवर्तित नहीं किया जा सकता है। इसका अधिकांश भाग बिना पचे ही शरीर के बाहर निकल जाता है। सेलूलोज़ रेशे आहार में अनिवार्य हैं क्योंकि–

• यह पाचन-पथ को सक्रिय बनाता है तथा उसे स्वच्छ एवं स्वस्थ रखता है।

• शरीर के अपविष्ट का भली प्रकार से शोधन करता है।

• हमें अपना पेट बहुत देर तक भरा महसूस होता है।

• विभिन्न प्रकार के कैंसरों समेत अनेक गंभीर बीमारियों से हमारी हिफाजत करता है।

कार्बोज (कार्बोहाइड्रेट) के प्रकार– इन कार्बोहाइड्रेट की अलग

पहचान उससे समाहित साधारण शर्कराओं की संख्या तथा उनके मोलेक्यूल से बनती है। वे हैं–

- मोनोसैकराइड में एक यूनिट शर्करा होती है (उदाहरण के लिये, ग्लूकोज़, फल शर्करा तथा क्षीर शर्करा)।
- एक डाईसैकराइड में दो यूनिट शर्करा होती है (उदाहरण के लिये साधारण चीनी = ग्लूकोज़+फल शर्करा (फ्रक्टोज़), दुग्ध-शर्करा (लैक्टोज़) = ग्लूकोज़+क्षीर शर्करा (गैलेक्टोज़), जौ-शर्करा (मालटोज़) = ग्लूकोज़+ग्लूकोज़।
- ऑलिगोसैकराइड में 3 से 10 यूनिट तक शर्करा होती है और प्राय: पोलीसैकराइड का धुला हुआ उत्पाद होती हैं। ऑलिगोसैकराइड जैसे रैफिनोज़ और स्टैकीयोज़ छोटी मात्रा में फलियों में पाए जाते हैं।
- पोलीसैकराइड्स में 10 यूनिट से ज़्यादा शर्करा होती है। पोलीसैकराइड्स के उदाहरणों में स्टार्च और ग्लायकोजन की गिनती होती है। ये कार्बोहाइड्रेट के संग्रहित रूप में हैं।

चर्बी या वसा

चर्बी के मोलेक्यूल के संरचनात्मक तत्त्व वही होते हैं जो कार्बोहाइड्रेट के मोलेक्यूल के होते हैं, अंतर उनके अणुओं के जुड़ने के तरीक़ों में होता है। विशेषकर, चर्बी के कम्पाउन्ड में हाइड्रोजन का अनुपात ऑक्सीजन से ज़्यादा होता है।

चर्बी तीन ब्रहत्त पोषकों में से एक है, शरीर को इसकी आवश्यकता ऊर्जा की आपूर्ति के लिये होती है। यह ऊर्जा का एक समृद्ध स्त्रोत है। कार्बोहाइड्रेट या प्रोटीन की तुलना में एक ग्राम चर्बी में इनसे दुगनी ऊर्जा होती है। चर्बी में ग्लिसेरिन मोलेक्यूल होता है। इसके साथ तीन फैटी एसिड जुड़े होते हैं। फैटी एसिड शाखा रहित हाइड्रोकार्बन श्रृंखलायें है जो केवल एकल बॉण्ड से (सैचुरेटेड फैटी एसिड) या दुहरे और एकल दोनों बॉन्डस से (अनसैचुरेटेड फैटी एसिड)। जुड़ी है चर्बी हर एक ग्राम में 9 कैलोरी ऊर्जा का उत्पादन करती है।

चर्बी का संग्रह, चर्बी की कोशिकाओं या त्वचा के नीचे पायी जाने

वाले चर्बी के ऊतकों तथा आंतरिक अवयवों के आसपास होता है। शरीर में चर्बी का संश्लेषण अतिरिक्त कार्बोहाइड्रेट्स और प्रोटीन के अलावा आहार में वसा के द्वारा हो सकता है।

शरीर में चर्बी/वसा के निम्नलिखित कार्य हैं-

- यह झटकों में, आतंरिक अवयवों की रक्षा में मदद करती है।
- चर्बी वसा में घुलने वाले विटामिन 'ए', 'डी', 'ई' तथा 'के' को समाहित, वाहित तथा संग्रहित करने में मदद करती है।
- कोशिकाओं की झिल्लियों से उचित तरीक़े से काम करवाती है।
- शरीर के तापमान को स्थिर रखती है।
- त्वचा तथा बालों को स्वस्थ रखती है।

चर्बी/वसा के प्रकार- आम वर्गीकरण के अनुसार चर्बी को तीन श्रेणियों में विभाजित किया जा सकता है- साधारण, कम्पाउन्ड तथा व्युत्पन्न। चर्बी, वनस्पति तथा पशुओं दोनों ही में मिलती है। यह छूने में चिकनी तथा पानी में अघुलनशील होती है।

साधारण चर्बी- ट्राईग्लिसेराइड सबसे आम चर्बी है, जो शरीर में संग्रहित होती है। हमारे आहार में लगभग 95% चर्बी ट्राईग्लिसेराइड के रूप में है। फैटी एसिड्स से बनी ट्राईग्लिसेराइड शरीर की प्रक्रियाओं के द्वारा घुलकर, व्यायाम के दौरान, पेशियों को संकुचन के लिये ऊर्जा प्रदान करती हैं। इस चर्बी का और वर्गीकरण सैचुरेटेड (जमने वाली/ जमी हुई) तथा अनसैचुरेटेड (पिघली हुई - जैसे तेल) फैटी एसिड्स के रूप में किया जा सकता है।

- सैचुरेटेड चर्बी मुख्यतः पशु उत्पाद से मिलती है (डेयरी तथा मांस के उत्पाद) तथा कमरे के तापमान में यह ठोस बनी रहती है। कुछ सैचुरेटेड चर्बियां वनस्पतियों से भी मिलती हैं जैसे नारियल का तेल। सैचुरेटेड चर्बी रक्त में कोलेस्टेरॉल का स्तर बढ़ा देती है तथा हृदय की धमनियों में एक तह जमा देती है। जिसकी वजह से रक्त-चाप बढ़ जाता है और हृद-धमनियों की बीमारियां (सी.एच.डी.-कोरोनरी हार्ट डिजीज़) हो जाती है। अनसैचुरेटेड चर्बी वनस्पतियों से आती है। कमरे के तापमान में ये तरल बनी

रहती है जैसे वनस्पति तेल आदि।

- अनसैचुरेटेड चर्बी को और भी विभाजित किया गया है– मोनो-अनसैचुरेटेड तथा पोली- अनसैचुरेटेड। पोली-अनसैचुरेटेड चर्बी हाई डेनसिटी लिपोप्रोटीन (एच.डी.एल.) या अच्छा कोलेस्टेरॉल का स्तर गिराती हैं, अतः यह नुकसानदायक है। मोनो-अनसैचुरेटेड चर्बी लो डेन्सिटी लिपोप्रोटीन (एल.डी.एल.) या ख़राब कोलेस्टेरॉल का स्तर घटाती है। इन्हें चर्बियों में सबसे कम नुकसानदायक माना जाता है।

- ओमेगा-3 फैटी एसिडस अन-सैचुरेटेड चर्बियां हैं जो एल.डी.एल. तथा ट्राइग्लिसराइड दोनों के स्तरों को घटाने में लाभदायक समझी जाती है। इन्हें ताजी या जमी हुई टूना, सलमन, मैकरेल तथा हेरिंग जैसी मछलियों से प्राप्त किया जा सकता है।

यौगिक चर्बी/वसा- लिपोप्रोटीन, एच.डी.एल. और एल.डी.एल. दोनों, अत्यंत महत्वपूर्ण कम्पाउन्ड चर्बियां हैं। ये ट्राईग़्लिसेराइड, प्रोटीन्स, तथा कोलेस्ट्रॉल से मिलकर बनती हैं। एच.डी.एल. में बहुत थोड़ा सा कोलेस्ट्रॉल होता है, इन्हें अच्छा कोलेस्ट्रॉल कहा जाता है। एल.डी.एल. में कोलेस्ट्रॉल की मात्रा अत्यंत अधिक होती है इसीलिये इन्हें बुरा कोलेस्ट्रॉल कहा जाता है।

व्युत्पन्न (डिराइव्ड) चर्बी/वसा- कोलेस्टरॉल व्युत्पन्न की हुई चर्बी है जो पानी में घुलती नहीं है। इसमें फैटी एसिड्स नहीं होते है किन्तु शरीर के सामान्य रूप से कार्य करने के लिये ये महत्वपूर्ण हैं। ये शरीर की कोशिकाओं की घटक हैं। मांस तथा डेरी के उत्पादों में कोलेस्टेरॉल होता है। इनका ज़्यादा उपभोग हृदय के रोगों को जन्म देता है।

मक्खन, घी, तेल और माँस की चर्बी आहार में दिखाई देने वाली चर्बियां है। अंडे की जर्दी, दूध, दही, साबुत अनाज और गिरियों की चर्बियां अदृश्य रहती है। आहार में पाई जाने वाली चर्बियां मोनो-अनसैचुरेटेड, पोली-अनसैचुरेटेड तथा सैचुरेटेड चर्बियों का मिश्रण होती है। सामान्यतः वृद्धि और त्वचा के स्वास्थ्य के लिये आवश्यक चर्बियों का एकमात्र स्त्रोत आहार में पाई जाने वाली चर्बियां होती हैं। शरीर को बहुत कम मात्रा में

चर्बी की आवश्यकता होती है। चर्बी का ज्यादा उपभोग, विशेषकर सैचुरेटेड चर्बी का, हृदय के रोगों तथा पक्षाघात के खतरों को बढ़ा देता है।

■ अधिकांश चर्बियां सैचुरेटेड तथा अनुसैचुरेटेड चर्बियों का मिश्रण होती हैं।

■ सैचुरेटेड चर्बियाँ ठोस होती है और अनसैचुरेटेड चर्बियां कमरे के तापमान में तरल बनी रहती है।

■ सैचुरेटेड चर्बी प्रायः पशु उत्पादों में ज़्यादा तथा वनस्पति उत्पादों में कम होती है।

■ सैचुरेटेड चर्बियां शरीर में कोलेस्टेरॉल की मात्रा को बढ़ा देती हैं।

कोलेस्टेरॉल चर्बी से संबंधित तत्त्व है। यह सभी पशु-चर्बियों तथा कुछ वनस्पतिं की चर्बियों में पाया जाता है। शरीर को महत्त्पूर्ण तत्त्वों के निर्माण के लिये इसकी आवश्यकता होती है जैसे हार्मोन (ये शरीर के अवयवों को रासायनिक संदेश पहुंचाते हैं) और पित्त (छोटी आंत में आहार को घोलने का काम करता है)। कोशिकाओं की सभी झिल्लियों के लिये कोलेस्टेरॉल बिल्डिंग ब्लॉकों का काम करता है। यद्यपि लोगों को अपने आहार में कुछ कोलेस्टेरॉल की आवश्यकता होती है और यह तथ्य है कि व्यक्ति के खाये गये आहार के द्वारा अगर शरीर को कोलेस्टेरॉल नहीं मिलता है तो वह उसे स्वयं पैदा कर लेता है किंतु आहार में कोलेस्टेरॉल की अधिकता कुछ लोगों के लिये अस्वस्थकर हो सकती है। यह देखा गया है कि रक्त-वाहिकाओं में परतों के जमने में कोलेस्टेराल का बड़ा हाथ है, इससे रक्त-वाहिकायें संकरी हो सकती हैं। उनमें सख्ती भी आ जाती है जो अथेरोस्क्लरोसिस से होने वाली एक बीमारी को जन्म देती है (जिसमें धमनियों की अंदरूनी परत में चर्बी के तत्त्वों का जमाव हो जाता है)। अथेरोस्क्लरोसिस, व्यक्ति के लिये उच्च रक्त-चाप तथा हृदय रोगों का खतरा बढ़ा देती है।

प्रोटीन

प्रोटीन एक आवश्यक पोषक तत्त्व है। इसकी आवश्यकता ऊतकों की संरचना और बढ़त के लिये होती है। प्रोटीन हर कोशिका का एक अंग है। सूखी हुई एक मांसपेशी की कोशिका के वजन में तीन चौथाई प्रोटीन होता

है। कुल मिलाकर शरीर के वज़न का 20% वज़न प्रोटीन का होता है। जब तक शरीर में पर्याप्त कार्बोहाइड्रेट्स तथा चर्बियां होती हैं तब तक प्रोटीन ऊर्जा के एक मुख्य आपूर्ति का स्त्रोत नहीं बनता है। ऐसा तभी होता है जब ग्लायकोजन की आपूर्त्ति में कमी आती है (उदाहरण के लिये, डाइटिंग के दौरान)। ऐसी स्थिति में प्रोटीन घुलकर ऊर्जा में परिवर्तित हो जाता है। उससे चर्बी रहित शरीर की सघनता घट जाती है। हर एक ग्राम में प्रोटीन चार कैलोरी ऊर्जा देता है। मुर्गा, मछली, मांस, अंडा, दालें, गिरियां, अनाज आदि प्रोटीन के आम स्त्रोत हैं।

प्रोटीन एक जटिल रासायनिक सरंचना है जिसमें कॉर्बन, हाइड्रोजन तथा ऑक्सीजन होते हैं वैसे ही जैसे कार्बोहाइड्रेट तथा चर्बी में होते हैं। इसके अतिरिक्त, प्रोटीन में नाईट्रोजन भी होता है जो मोलेक्यूल का लगभग 16% अंश होता है। इसके साथ इसमे गंधक, लोहा और फास्फोरस भी होता है। प्रोटीन के बुनियादी 'बिल्डिंग ब्लॉक' नाईट्रोजन वाले एमिनो एसिड्स होते हैं।

भिन्न भिन्न प्रकार के 20 एमिनो एसिड्स के विभिन्न संयोजनों से आवश्यकता तथा कार्य के अनुसार सैकड़ों प्रोटीनों की रचना होती है। हर प्रोटीन में एक दूसरे से जुड़े हज़ारों एमिनो एसिड्स होते हैं।

प्रोटीन के प्रकार– एमिनो एसिड दो प्रकार के होते हैं– जरूरी तथा गैर–जरुरी।

जरूरी एमिनो एसिड– 8 एमिनो एसिड (बच्चों तथा तनावग्रस्त बड़ी उम्र के वयस्कों में नौ) हैं। एमिनो एसिड शरीर द्वारा संश्लेषित नहीं किये जा सकते। शरीर उनका उत्पादन भी नहीं कर सकता है, अतः उनकी आपूर्ति केवल आहार द्वारा ही हो सकती है। इसलिये इन्हें जरूरी एमिनो एसिड कहा जाता है।

गैर–जरूरी एमिनो एसिडस– शेष 12 एमिनो एसिड शरीर द्वारा उत्पादित होते हैं तथा आहार में इनकी आवश्यकता नहीं होती है। इसीलिये इन्हें गैर ज़रूरी एमिनो एसिड कहा गया है।

विटामिन (Vitamins)

विटामिन छोटे मोलेक्यूल हैं जो आहारों में पाये जाते हैं। सिवाय विटामिन 'ए' 'डी' और 'के' के इनका उत्पादन हमारा शरीर नहीं कर सकता है। हमारे आहारों को विविध तथा प्रचुर होना चाहिये ताकि विटामिनों की आपूर्ति हो सके।

पाचक रसों के अंग की तरह विभिन्न विटामिन इस प्रकार की प्रक्रियाओं में संलग्न रहते हैं-

- ऊर्जा उत्पादन
- व्यायाम कार्य
- रोग-प्रतिरोधक तंत्र (इम्यून सिस्टम) का नियमन
- हार्मोनों का उत्पादन
- स्नायु-तंत्र का नियमन

इन्हें जल-घुलनशील तथा चर्बी-घुलनशील की श्रेणियों में विभाजित किया गया है। बी-काम्पलेक्स तथा विटामिन 'सी' जैसे जल-घुलनशील विटामिन शरीर के पानी में विलीन हो जाते है तथा गुर्दों के द्वारा निष्कासित किये जा सकते हैं। किंतु 'ए', 'डी', 'ई', 'के' जैसे विटामिन केवल चर्बी-घुलनशील हैं। ये चर्बी की कोशिकाओं में संग्रहित हो जाते हैं।

सब्जियों को कच्चा या भाप देकर खाना चाहिये, क्योंकि पकाने की प्रक्रिया में उनके विटामिन नष्ट हो जाते हैं। दालों को भी पानी से जल्दी से धोकर निकाल लेना चाहिये। यदि उन्हें पानी में भिगो के रखा जायेगा तो विटामिन घुलकर बह जाएंगे। विभिन्न विटामिनों की जानकारी तालिका-4 में दी गई है।

खनिज (Minerals)

खनिज रासायनिक या अजैव तत्त्व हैं जो खाद्य पदार्थों में अणु मात्रा में पाये जाते हैं। इनकी आवश्यकता केवल शरीर की प्रक्रियाओं के लिये होती है, जैसे-

- ऊतकों में तरलता का संतुलन बनाये रखने में
- माँस-पेशियों के संकुचन में

- तंत्रिका की कार्यशीलता में
- पाचन रसों के स्राव में
- लाल रूधिर कोशिकाओं के उत्पादन में
- कैल्शियम, फास्फोरस और फ्लोराइड जैसे खनिज अस्थियों

और दांतों का हिस्सा होते हैं।

कैलोरी मात्रा तथा व्यय

(Daily Calorie Intake and Expenditure)

कैलोरी अंतर्ग्रहण

कैलोरी अंतर्ग्रहण की गणना तीन दिन तक लिये गये सभी आहारों तथा कैलोरी तालिका से मेल खाती, हर परोसे गए आहार की कैलोरी की संख्या का लेखा रखकर आसानी से की जा सकती है। गणना ध्यान से करनी चाहिये ताकि कैलोरी का कोई भी स्रोत- चाय या काफी, दूध और चीनी, नाश्ते की चीज़ें या बड़ी खुराक उपेक्षित न रह जाये। उपभोग किये गये भोजन में अंतर्ग्रहण की गई कैलोरी की गणना, ऊर्जा का प्रतिशत तथा विटामिन और खनिज की मात्रा जानने के लिये एक आहार विशेषज्ञ से कम्प्यूटर द्वारा विश्लेषण कराया जा सकता है।

प्राय: कहा जाता है कि प्रतिदिन 365 दिनों तक अतिरिक्त 100 कैलोरी ग्रहण करने से हर साल लगभग 5 किलो वज़न बढ़ जाता है।

- 100 कैलोरी ग 365 ＞ 36500 कैलोरी
- 7000 केलोरी प्रति 1 किलोग्राम चर्बी ＞ 5.2 किलो ग्राम

यदि प्रतिदिन 500 कैलोरी की कमी है तो कोई भी व्यक्ति सप्ताह में ॠ किलो और हर महीने में 2 किलो वज़न घटा सकता है। यह कमी किसी भी हालत में 1000 कैलोरी प्रतिदिन से आगे नहीं जानी चाहिये। यदि यह सीमा नियमित रूप से पार की जाती रही तो इसका नतीजा थकान, बेचैनी तथा रोग-प्रतिरोध की क्षमता में गिरावट में होगा।

निष्क्रिय या कम सक्रिय लोगों की तुलना में भारी शारीरिक गतिविधि में संलग्न खिलाड़ियों को ज़्यादा आहार की आवश्यकता होती है (लेमन, 1998)। एक स्थानबद्ध वयस्क स्त्री या पुरूष का कैलोरी का व्यय लगभग 1800 से 2800 कैलोरी प्रतिदिन होता है। प्रशिक्षण या प्रतियोगिता के माध्यम से की गई शारीरिक गतिविधि दैनिक ऊर्जा के व्यय को 500 से

झ1000 कि. कैलोरी/ घंटा के हिसाब से शारीरिक फिटनेस, अवधि तथा खेल की तीव्रता के अनुसार बढ़ा देती है। अतः खिलाड़ियों को अपने आहार की मात्रा अपनी ऊर्जा के दैनिक व्यय के अनुसार बढ़ा लेनी चाहिये। इससे उनकी ऊर्जा की मांग की आपूर्ति हो जायेगी। यह बढ़ी हुई आहार की मात्रा ब्रहत्त पोषकों (कार्बोहाइड्रेट, प्रोटीन तथा चर्बी) और लघु पोषकों (विटामिन, खनिज तथा द्रव्य पदार्थों) की दृष्टि से संतुलित होनी चाहिये।

कैलोरी व्यय

जब हम कोई गतिविधि करते हैं तो हम कैलोरी को भस्म या खर्च करते हैं। कैलोरी के व्यय का अनुमान शारीरिक गतिविधि तथा बी.एम.आर. के आधार पर किया जा सकता है। उदाहरण के लिये, एक कॉलेज जाने वाली लड़की जिसके शरीर का वज़न 55 किलो है तथा वह मध्यम स्तर की शारीरिक गतिविधि में व्यस्त है तो उसका बी.एम.आर. 1290 होगा जिसके परिणाम स्वरूप वह प्रतिदिन 1935 कैलोरी भस्म करेगी। कैलोरी व्यय की गणना तालिका में प्रस्तुत की गई है।

तालिकाः - दैनिक कैलोरी व्यय की गणना

निष्क्रिय	हल्के रूप से सक्रिय	सक्रिय
अत्यंत निष्क्रिय व्यवसाय, लगभग सारे दिन बैठे रहना	घर में हल्की गतिविधि, यदाकदा व्यायाम	सक्रिय व्यायाम, नियमित श्रमसाध्य व्यायाम
1.3 × बी॰एम॰आर॰	1.5 × बी॰एम॰आर॰	1.7 × बी॰एम॰आर॰

कोई चाहे तो कैलोरी अंतर्ग्रहण और व्यय की गणना इंडियन काउन्सिल ऑफ मेडिकल रिसर्च द्वारा दी गई व्याख्या के अनुसार भी कर सकता है।

वांछनीय शारीरिक वज़न का निर्धारण
(Determination of Desirable Body Weight)

सामान्य वजन बिना उपकरण के शरीर के वज़न को जानने का एक और नुस्खा है। कद को सेंटीमीटर में नापें और उसमें से 100 को घटा दे। यह सामान्य वजन कहलाता है। स्त्रियों का आदर्श वजन सामान्य वज़न से 15 प्रतिशत कम होना चाहिये तथा पुरुषों का आदर्श वजन सामान्य वज़न से 10 प्रतिशत कम होना चाहिये।

शरीर-चर्बी का प्रतिशत

शरीर के वज़न के अनुपात में चर्बी ही शरीर की चर्बी का प्रतिशत है। यह केवल शरीर के कुल वज़न की तुलना चर्बी की माप से करता है। इस वज़न में अस्थियां तथा अवयव भी शामिल होते हैं।

• **हाईड्रोस्टैटिक तौल (जल-स्थैनिक तौल)** शरीर की चर्बी का प्रतिशत नापने की एक विश्वसनीय प्रविधि है। चूंकि इसमें महंगे उपकरण की आवश्यकता होती है तथा पूरी कार्यविधि लंबे समय की मांग करती है इसलिये इसका व्यापक इस्तेमाल प्रयोगशालाओं के बाहर नहीं होता है। यह शरीर का वज़न ज़मीन तथा पानी के हौज़ दोनो में ही लेता है। फिर दोनों वज़नों से एक सरल फार्मूले द्वारा शरीर की चर्बी का प्रतिशत निकाल लिया जाता है।

• **स्किनफोल्ड द्वारा** (त्वचा की तह द्वारा शरीर की चर्बी का प्रतिशत) नापना एक सस्ती प्रविधि है। त्वचा की तह को तर्जनी और अंगूठे से पकड़कर व्यास मापक परकार से शरीर के विभिन्न स्थानों की माप ली जाती है। ये स्थल ट्राईसेप्स (तीन शाखाओं वाली पेशी), उदर, श्रोणीय के ऊपर वाला भाग (सुपराइलियक), सीना, जाँघ, पिण्डली और स्केपुला (कंधे की हड्डी) हैं। अध्ययन के उद्देश्य के अनुसार इन स्थानों का विभिन्न संयोजनों में चयन किया जा सकता है। सब मापों को जोड़कर विशेष तालिकाओं के माध्यम से शरीर की चर्बी के प्रतिशत की गणना की जाती है।

बॉडी मॉस इन्डेक्स (बी॰एम॰आई॰)

लोगों को श्रेणियों में विभाजित करने की एक उपयोगी युक्ति है-मोटे न होने से अत्यंत मोटे होने तक। यह उन लोगों की पहचान कराती है जो प्राण घातकता ओर रूग्णता के उन संकटों के निकट है जिनका संबंध मोटापे से है। बॉडी मॉस इंडेक्स मूलरूप से क्वेटलेट द्वारा 1971 में विकसित किया गया था। इसमें शरीर का वज़न लंबाई के अनुपात में नापा जाता है जिसमें किलोग्राम वजन (कि॰ग्रा॰) को लंबाई (मी॰) से भाग देकर अभिव्यक्त किया जाता है।

ऊर्जा की आवश्यकता- एक व्यक्ति की ऊर्जा की आवश्यकता को

आहार से ग्रहण की गई ऊर्जा के स्तर के रूप में परिभाषित किया गया है। यह तब ऊर्जा को संतुलित करेगा जब व्यक्ति के शरीर का आकार और संयोजन तथा उसकी शारीरिक गतिविधि का स्तर, दीर्घकालीन अच्छे स्वास्थ्य के साथ सामंजस्य रखेगा और वह उसे आर्थिक रूप से आवश्यक एवं सामाजिक रूप से वांछनीय गतिविधि को कायम रखने की अनुमति देगा।

ऊर्जा संतुलन समीकरण

ऊर्जा संतुलन समीकरण बतलाता है कि जब ग्रहण की गई कैलोरी की मात्रा व्यय की गई कैलोरी के समान होती है तो शरीर का वज़न स्थिर रहता है। यह एक अत्यंत महत्वपूर्ण संकल्पना है जो ग्रहण की गई कैलोरी, व्यय की गई कैलोरी तथा शरीर के वज़न के बीच के सूक्ष्म संतुलन की व्याख्या करता है। यदि संतुलन इस तरफ या उस तरफ झुक जाता है तो उसका परिणाम वज़न के असंतुलन में होगा।

14

भारतीय स्कूली बच्चों के लिए संतुलित आहार, एक स्वस्थ्य जीवन शैली को बनाए रखना (Balanced Diet for Indian School Children, Maintaining a Healthy Lifestyle)

संतुलित आहार (Balanced Diet)

संतुलित आहार सभी अनिवार्य पोषकों को समुचित मात्रा में प्रदान करने के साथ ही शरीर की ऊर्जा की आवश्यकता की आपूर्ति के लिये पर्याप्त कैलोरी भी प्रदान करता है।

जिस भोजन में अच्छे स्वास्थ्य के लिये चार भिन्न समूहों के आहार संतुलित रूप से शामिल हों उसे संतुलित आहार की तरह परिभाषित किया जा सकता है, जैसे-

1. **मांस तथा मांस के विकल्प समूह-** मांस और मांस के विकल्प समूह में मांस, मुर्गा, मछली, गिरियां, फलियां जैसे मटर एवं बीन्स शामिल हैं। इस समूह का मुख्य पोषक तत्त्व प्रोटीन है। इस समूह के आहारों में कुछ चर्बी/वसा तथा कार्बोहाइड्रेट हो सकते हैं। यह लौह तथा अन्य खनिजों के साथ विटामिनों का अच्छा स्त्रोत है। मांस तथा उनके विकल्प समूह के आहार हमें ऊर्जा देते हैं और रक्त, पेशियां तथा शरीर के अन्य ऊतकों को बनाने में सहायता करते हैं।

2. **दूध तथा दूध के उत्पाद समूह-** दूध तथा दूध के उत्पादों में दूध किसी भी रूप में शामिल है- वसा रहित, कम वसा वाला, दही, ग़ैर वसा का सूखा दूध। आईसक्रीम, चीज़, पनीर भी इसी समूह में आते हैं। इस समूह के उत्पाद मज़बूत अस्थियां, दांत तथा पेशियां बनाने में मदद करते हैं। यह समूह कैल्शियम का मुख्य स्रोत है तथा प्रोटीन एवं विटामिनों का भी अच्छा स्त्रोत है। इस समूह द्वारा चर्बी और जल की आपूर्ति भी होती है।

3. **फल तथा सब्जियों का समूह-** फल और सब्जियों का समूह

कॉर्बोहाइड्रेट प्रदान करता है तथा अनेक विटामिनों और खनिजों का अच्छा स्त्रोत है। यह हमारे भोजन में पानी भी जोड़ता है। इस समूह के आहारों में अत्यंत अधिक कॉर्बोहाइड्रेट तथा बहुत कम चर्बी होती है, अतः अपने नाश्ते (स्नैक्स) आप इस सबसे अधिक स्वास्थ्य वाले समूह से चुनिये।

4. ब्रेड तथा अन्न समूह- ब्रेड तथा अन्न समूह में अनाजों जैसे गेहूँ, चावल और ओट के बने हुये उत्पाद आते है। इन उत्पादों में ब्रेड, बिस्कुट, कॉर्नमील, जई, मेकरोनी, नूडल्स तथा चावल शामिल हैं। साबुत अनाज या समृद्ध किये अनाज के उत्पाद भी विटामिनों, लौह तथा अन्य खनिजों के अच्छे स्त्रोत हैं। ये उत्पाद हमारे आहार में कॉर्बोहाइड्रेट तथा प्रोटीन भी जोड़ते हैं।

5. चर्बी तथा मिष्ठान्न समूह- अच्छे स्वास्थ्य के लिये चर्बी और मिष्ठान्न समूह की मात्रा को सीमित रखना चाहिये। चर्बी तथा मिष्ठान्न समूह में मक्खन, मार्जरीन, सलाद ड्रेसिंग तथा अन्य चर्बियां और तेल, केन्डी, चीनी, जैम, जेली, शर्बत, अन्य मीठे पेय, मिठाईयाँ आदि आहार शामिल हैं। इसी समूह में मैदे से बनी ब्रेड और पेस्ट्री भी शामिल हैं। चर्बी तथा मिष्ठान्न समूह अधिकांशतः रिक्त कैलोरी ही देता है- इस समूह के आहारों में पोषक तत्त्वों की मात्रा कम होती है। किंतु इस समूह के कई आहारों में कैलोरी की मात्रा काफी अधिक होती है।

सभी समूहों के पोषक तत्त्वों का प्रतिनिधित्व इस अनुपात में होना चाहिये कि सभी पोषकों की आवश्यकताओं की आपूर्ति समुचित प्रकार से हो जाये। कुछ अतिरिक्त पोषक हिफाजत से तनाव की स्थितियों में प्रयोग में आने चाहिये अर्थात् संतुलित आहार के घटकों में प्रोटीन, कॉर्बोहाइड्रेट, चर्बी, खनिज, विटामिन तथा तरल पदार्थ शामिल होंगे।

एक संतुलित आहार में रेशे भी होने चाहिये। यह आँतों के काम को नियंत्रित करते हैं, पेट भरा होने की अनुभूति पैदा करते हैं तथा कोलोन के कैंसर का प्रतिरोध करते हैं। पोषकों और रेशों के कार्य तथा महत्त्व की व्याख्या पिछले अध्यायों में की जा चुकी है।

बड़ी मात्रा में चीनी, नमक तथा सैचुरेटेड वसा से परहेज़ करना

चाहिये। संतुलित आहार की कुंजी हमारे आहार की विविधता तथा जो भी हम खाते हैं उसमें संयम है। संतुलित आहार शारीरिक तथा मानसिक-भावात्मक फिटनेस तथा उसके रख रखाव का एक महत्वपूर्ण अंग हैं। खाना न खाना या अधिक कैलोरी वाले खाने को उसका स्थानापन्न बनाना, एक समझदारी वाले खाने की जगह कम पौष्टिक स्नैक की चीज़े खाना, हमें कम ऊर्जा या धैर्य का एहसास करायेगा।

भोजन के कार्य

मानव शरीर के लिए भोजन बहुत ही आवश्यक होता है जो इसी तथ्य से सिद्ध होता है कि भोजन के बिना मनुष्य अधिक दिनों तक जीवित नहीं रह सकता। थोड़े-थोड़े समय में मानव को भूख लग जाती है और वह भोजन ग्रहण करता है। भोजन विभिन्न प्रकार के कार्य मानव शरीर के लिए करता है जो बहुत ही महत्त्वपूर्ण होते हैं जिसके बगैर मानव का जीवन व्यतीत करना कठिन हो जाता है, जिनमें से मुख्य निम्न हैं-

(1) **मरम्मत** - मानव का शरीर भी एक मशीन की भांति होता है जिसमें कार्य करते समय कई प्रकार की टूट-फूट हो जाती है। शरीर में उपस्थित तंतुओं की टूट-फूट को सही करके उन्हें दुबारा निर्मित करने का कार्य शरीर द्वारा प्राप्त ऊष्मा द्वारा ही किया जाता है।

(2) **शारीरिक प्रक्रियाओं की नियमितता**- मानव शरीर बहुत ही जटिल होता है जिसमें विभिन्न प्रकार की प्रक्रियाएँ निरन्तर होती रहती हैं। इस प्रकार की प्रक्रियाओं को विभिन्न प्रकार के पोषक तत्त्व नियमित करने में सहायक होते हैं। छ: आवश्यक तत्त्वों में से कार्बोहाइड्रेट को छोड़ कर बाकी सभी यह कार्य करते हैं।

(3) **निर्माण कार्य**- मनुष्य का शरीर एक पेड़ की भांति होता है जिसे जब तक आवश्यक तत्त्व प्राप्त न हो तब तक वह विकसित नहीं होगा। यह आवश्यक तत्त्व मानव को केवल भोजन के द्वारा ही प्राप्त होते हैं। यदि भोजन में इन तत्त्वों का अभाव होगा तो मानव कभी भी पूर्ण रूप से विकसित नहीं हो पाएगा।

(4) **भोजन का मनोवैज्ञानिक कार्य** - मानव की कुछ भावनात्मक

आवश्यकताएँ होती हैं जिन्हें काफी हद तक भोजन पूरा करता है। कई व्यक्ति ऐसे होते हैं जिन्हें नए-नए स्थानों पर जाने का शौक होता है। इस प्रकार के लोगों को प्रायः विभिन्न प्रकार का भोजन खाने की आदत भी पड़ जाती है और इन लोगों की भावनाओं को उनका भोजन भली प्रकार से प्रकट करता है।

(5) भोजन का सामाजिक कार्य- प्राचीन काल से ही भोजन को सामाजिक संबंध स्थापित करने के लिए प्रयोग किया जाता रहा है और आज तो इसका महत्त्व और भी बढ़ गया है। आज सामाजिक आदान-प्रदान के लिए भोजन बहुत ही महत्त्वपूर्ण भूमिका निभा रहा है। विभिन्न प्रकार के सामाजिक अवसरों पर विभिन्न प्रकार के खाद्य व्यंजनों का आयोजन इस बात का प्रमाण है।

संतुलित आहार का महत्व

एक स्वास्थ्यपूर्ण जीवन के लिये कोई एक एकल आहार हमें सभी आवश्यक पोषक तत्त्व नहीं दे सकता है। हमें एक संतुलित आहार के लिये चार बुनियादी समूहों में से हर एक से विविध आहार लेने चाहिये तथा चर्बी और मिष्ठान्न को सीमित मात्रा में ग्रहण करना चाहिये। ऐसा आहार हमें स्वस्थ रहने के लिये सभी है तथा शरीर की चर्बी बढ़ाये बिना हमारी ऊर्जा की आवश्यकताओं के लिये पर्याप्त कैलोरी प्रदान करता है। एक संतुलित भोजन साबुत अनाजों, फलों, सब्जियों और गिरियों के रूप में हमारी रेशों की आपूर्ति को भी समुचित रूप से पूरा करता है। आहारीय रेशे या राशि वनस्पतियों के वे रेशे हैं जिन्हें हमारा शरीर पचा नहीं सकता है। पाचन तंत्र से गुज़रने के दौरान रेशों की वृत्ति पानी को जज़्ब करने की होती है। इससे पेट भरा भरा लगता है और हम कम खाते हैं। यह आँतों के कार्य का नियमन है तथा कोलोन के कैंसर से बचने में भी मदद करता है।

ऊर्जा की आवश्यकता- एक व्यक्ति की ऊर्जा की आवश्यकता को आहार से ग्रहण की गई ऊर्जा के स्तर के रूप में परिभाषित किया गया है। यह तब ऊर्जा को संतुलित करेगा जब व्यक्ति के शरीर का आकार और संयोजन तथा उसकी शारीरिक गतिविधि का स्तर, दीर्घकालीन अच्छे स्वास्थ्य के साथ सामंजस्य रखेगा और वह उसे आर्थिक रूप से आवश्यक

एवं सामाजिक रूप से वांछनीय गतिविधि को कायम रखने की अनुमति देगा।

ऊर्जा संतुलन समीकरण

ऊर्जा संतुलन समीकरण बतलाता है कि जब ग्रहण की गई कैलोरी की मात्रा व्यय की गई कैलोरी के समान होती है तो शरीर का वज़न स्थिर रहता है। यह एक अत्यंत महत्वपूर्ण संकल्पना है जो ग्रहण की गई कैलोरी, व्यय की गई कैलोरी तथा शरीर के वज़न के बीच के सूक्ष्म संतुलन की व्याख्या करता है। यदि संतुलन इस तरफ या उस तरफ झुक जाता है तो उसका परिणाम वज़न के असंतुलन में होगा।

ऊर्जा संतुलन के समीकरण

• ऊर्जा आगत (इन पुट) < ऊर्जा निर्गत (आउट पुट) → शरीर के वज़न का घटना = नकारात्मक कैलोरी संतुलन

• ऊर्जा आगत = ऊर्जा निर्गत → स्थिर वज़न/ सम कैलोरी (आईसो कैलोरिक) संतुलन

• ऊर्जा आगत झ ऊर्जा निर्गत → शरीर का बढ़ा वज़न = सकारात्मक

कैलोरी संतुलन

जब कैलोरी का आगत निर्गत से कम होता है तब शरीर का वज़न घट जाता है उसे नकारात्मक कैलोरी संतुलन कहा जाता है। जब कैलोरी का आगत व्यय की गई कैलोरी से ज़्यादा होता है तो उसका परिणाम शरीर के वज़न के बढ़ने में होता है जो एक सकारात्मक कैलोरी संतुलन की सूचना देता है। एक सम-कैलोरी संतुलन (आईसो कैलोरी) तब कायम रहता है जब ग्रहण की गई कैलोरी की मात्रा व्यय की गई कैलोरी के समान होती है।

• प्रतिदिन ऊर्जा का आगत प्रतिदिन पचाये गये आहार की कैलोरी के समान होता है।

• ऊर्जा का निर्गत कुल चपापचय की गति के समान होता है (गणितीय शब्दावली में ऊर्जा की मात्रा) जो किलो कैलोरी में अभिव्यक्त किया जाता है।

• की जा रही शारीरिक गतिविधि की मात्रा से आवश्यक ऊर्जा की

मात्रा तय होगी जो बढ़त और रखाव की प्रक्रियाओं के लिये आवश्यक ऊर्जा के अतिरिक्त होगी।

- अतः वज़न नियंत्रण के मुद्दों को समझने के लिये ऊर्जा संतुलन अत्यंत महत्वपूर्ण हो जाता है।

वज़न घटाने के एक कार्यक्रम की योजना बनाने के लिये ऊर्जा के दैनिक व्यय की गणना जानना जरूरी है। इसके लिये आपको बुनियादी चपापचय की गति- औसत मेटाबोलिक रेट (बी.एम.आर.), रेस्टिंग मेटाबोलिक रेट (आर.एम.आर.) तथा एक्सरसाईज़ मेटाबोलिक रेट (ई.एम.आर.) जानना जरूरी है।

बेसल मेटाबोलिक रेट (BMR या बुनियादी चपापचय) शरीर की बुनियादी प्रक्रियाओं में व्यय की गई ऊर्जा है जैसे श्वसन, आहार का पाचन, निद्रा इत्यादि। इसका झुकाव शरीर के कुल वज़न के अनुपात की ओर होता है। दूसरे शब्दों में, आप जितने भारी हैं आपका BMR उतना ही ऊंचा होगा। शरीर के वज़न से मानक समीकरणों की भविष्यवाणी करने के लिये विश्व स्वास्थ्य संगठन ने एक तालिका प्रकाशित की है। निम्नलिखित तालिका में पुरूष तथा स्त्रियों के भिन्न शरीर-वज़नों के बी.एम.आर. को दिखाया गया है।

तालिका:- बी.एम.आर. का आकलन

पुरूष		स्त्री	
वज़न (कि.ग्रा.)	बी.एम.आर. (किलो कैलोरी/दिन)	वज़न (कि.ग्रा.)	बी.एम.आर. (किलो कैलोरी/दिन)
70	1680	50	1250
75	1730	55	1290
80	1790	60	1330
85	1850	65	1370
90	1910	70	1410
95	1960	75	1450
100	2020	80	1500

एक स्वस्थ्य जीवन शैली को बनाए रखना
(Maintaining a Healthy Lifestyle)

आज मशीनी युग है। हम मशीनों का सहारा लेकर श्रम बचाते और दिन पर दिन आलसी बनते जाते हैं। कहीं जाना होता है, तो बहुत कुछ टेलीफोन से काम चला लेते हैं। यदि जाना ही आवश्यक होता है, तो स्कूटर, कार, बस, ट्रेन आदि से जाते हैं। सीढ़ियों पर चलने के बजाए लिफ्ट का प्रयोग करते हैं। कपड़े धाने के काम में श्रम लगता है। आज वाशिंग मशीन द्वारा यह काम बहुत आसान हो गया है। चूल्हा फूंकने की जरूरत नहीं रह गई है। गैस के चूल्हें से यह काम आसानी से होने लगा है। इस तरह की जीवनचर्या से समय व श्रम दोनों की बचत होने लगी है, लेकिन इससे क्रियाशीलता भी कम होती जा रही है। आज इस तरह के जीवन की यदि अनिवार्यता हो गई, तो श्रम की दृष्टि से जीवन निष्क्रिय होता जा रहा है तो इसका एक मात्र उपाय है कि हम अपने जीवन में व्यायाम को स्थान दें।

यदि व्यायाम को जीवनचर्या का हिस्सा बना कर उसे एक आदत की तरह अपना लिया जाए, तो कुछ दिनों में पूरा शरीर कसा हुआ, स्फूर्तिवान एवं आकर्षक हो जायेगा, चेहरे पर चमक रहने लगती है। नियमित व्यायाम का प्रभाव न केवल शरीर पर बल्कि मस्तिष्क पर भी पड़ता है।

एक आयु के बाद भले ही खेल-कूद से शरीर न बढ़े मगर इतना तो जरूर है कि खेल-कूद व भाग-दौड़ से शरीर चुस्त बना रहता है और अंग-अग में सक्रियता रहती है। पुराने लोग जानते हैं कि ब्रिटिश युग में अंग्रेज अधिकारी शाम को नियमपूर्वक टेनिस, बिलियर्ड, बैडमिन्टन जैसे खेल खेला करते थे, जिससे उनका स्वास्थ्य अच्छा बना रहता था। इससे दिन भर की थकान दूर हो जाती थी, साथ में मनोरंजन भी होता था। आज हम उनसे दूर होकर उत्तम स्वास्थ्य से भी दूर होते जा रहे है। टेलीविजन हमारे स्वास्थ्य को धीरे-धीरे बिगाड़ने लगता है। ऐसी परिस्थिति में आवश्यक है कि हम नित्य प्रातः खुली हवा में टहलें, दौड़ें, व्यायाम करें, ऐसा करने से सजीवता व स्फूर्ति उत्पन्न होती है, जो घंटों बनी रहती है। इससे थकावट सुस्ती आलस्य नहीं रहता।

रूस, आस्ट्रेलिया व अन्य देशों में बहुत से स्वास्थ्य केन्द्र व खेल क्लब खुल गए हैं जहाँ लोग अपनी-अपनी रुचि के अनुसार, खेल-खेल कर अपने को चुस्त-दुरुस्त बनाए रखते हैं। इंग्लैण्ड के लोग अब बड़ी संख्या में सुबह-सवेरे सड़कों पर दौड़ लगाते दिखाई देने लगे हैं। चीन में भी बड़ी संख्या में युवक-युवतियों को पार्कों में व्यायाम करते हुए देखा जा सकता है। पोलैण्ड व अन्य यूरोपीय देशों की महिलाएँ टेलीविजन पर ऐरोबिक के प्रदर्शन देख-देख कर अपने घरों में स्वयं ही विभिन्न व्यायामों को करने में रुचि लेने लगी हैं।

जापान में शरीर को स्वस्थ और सुन्दर बनाने के लिए कसरत कार्यक्रम एक लाभकारी धन्धा बन गया है। वहाँ खेलकूद की एक से एक नई वस्तुएँ बनने लगी हैं। अब जापान तथा अमरीका की अनेक प्रसाधन बनाने वाली कम्पनियाँ खेल-कूद का सामान तथा नए विटामिन युक्त पेय पदार्थ बनाने में लग गई हैं। वहां फैशन और नशे में डूबी हुई नई पीढ़ी में स्वास्थ्य के प्रति बढ़ी हुई इस 'नई फिटनेस क्रेज' को एक अच्छी दृष्टि से देखा जा रहा है। आशा है, इससे न केवल नशीली वस्तुओं की चाह कम होगी, बल्कि अधिक संख्या में लोग निरोगी भी रहने लगेंगे।

इन विकासशील देशों में स्वास्थ्य के प्रति बढ़ती हुई यह नई ललक, चाह, उत्कंठा कैंसर, मधुमेह, उच्च रक्तचाप, एड्स आदि से बचाव पाने का सर्वोत्तम उपाय सादा भोजन, संतुलित जीवन और नियमित व्यायाम है।

अब वहाँ के लोगों का ध्यान स्वास्थ्यप्रद चीजों व क्रियाओं पर ज्यादा जाने लगा हैं वे समझने लगे हैं कि इन चीजों को अपना कर वे अधिक स्वस्थ और रोगों से बचाव कर सकते हैं। चूंकि लोगों की रुचि बढ़ रही हैं इसलिए विभिन्न पत्रों व पत्रिकाओं में समय-समय पर तरह-तरह के शीर्षकों के अन्तर्गत स्वास्थ्य पर अच्छे-अच्छे लेख छपने लगे हैं।

अब विश्व का ध्यान स्वास्थ्यप्रद चीजों की ओर ज्यादा जाने लगा है। जापानी विशेषज्ञों में उत्तम स्वास्थ्य के लिए एक नारा दिया है, प्रतिदिन दस हजार डग चलना। यदि एक डग आधे मीटर का मान लिया जाए तो एक किलोमीटर चलने के लिए दो हजार डग और पांच किलोमीटर चलने के लिए दस हजार डग चाहिए जिसका अर्थ है कि प्रतिदिन पांच किलोमीटर

आना-जाना मिलाकर चलना।

अनेक शोध अनवेषणों से भी इसकी पुष्टि हुई है कि जो व्यक्ति नियमित रूप से सही ढंग से पांच-छः किलोमीटर टहल लें, ताजी और खुली हवा का नित्य सेवन करें, तो उसके जीर्ण रोगों से मरने के खतरे काफी कम हो जाते हैं। ऐसे लोगों में लम्बी आयु तक स्वस्थ्य बने रहने की संभावना बढ़ जाती है।

शरीर का आदर्श वज़न बनाये रखना जीवन को आनंदपूर्ण तथा स्वस्थ बनाता है। आज के भूमंडलीकरण के ज़माने में खाने पर जुटने के अनेक विकल्प मौजूद होने के कारण आदर्श वज़न बनाये रखना बहुतों के लिये एक कठिन काम हो गया है। जीवनशैली के परिवर्तन, समय के अभाव और जीवन की व्यस्तताओं से उपजे तनाव, बाजार से खाना लाने तथा अस्वास्थ्यकर खाने की आदतों को बढ़ावा दे रहे हैं। हिंदुस्तानी घरों में स्वस्थ आहार के नाम पर उस भोजन पर जोर दिया जाता है जो चिकनाई एवं वसा युक्त होता है। आम तौर पर शारीरिक गतिविधि को कम महत्त्व दिया जाता है। इन सब की वज़ह से वज़न में गड़बड़ियां पैदा हो जाती हैं।

वज़न के असंतुलित होने से स्वास्थ्य सम्बन्धी अनेक समस्यायें खड़ी हो जाती हैं।

15

शारीरिक गतिविधि व खेलकूद में भाग लेने वाले बच्चे के लिए भार प्रबन्धन कार्यक्रम, भार प्रबन्धन में भोजन और व्यायाम की भूमिका, वज़न बढ़ाने व वज़न घटाने के लिए भोजन योजना तथा व्यायाम कार्यक्रम का रूपांकन

(Weight Management Program for Sporty Child, Role of Diet and Exercise in Weight Management, Design Diet Plan and Exercise Schedule for Weight Gain and Loss)

शारीरिक गतिविधि व खेलकूद में भाग लेने वाले बच्चे के लिए भार प्रबन्धन कार्यक्रम (Weight Management Program for Sporty Child)

वजन प्रबंधन के कार्यक्रम वैज्ञानिक, विस्तृत तथा अपनाने में आसान होते हैं। ये एक व्यक्ति को पोषण, ऊर्जा तथा फिटनेस के साथ बिना किसी तरह का भी समझौता किये हुये, एक आदर्श बी.एम.आई. हासिल करना संभव बनाते हैं। भले ही व्यक्ति का लक्ष्य वज़न को बढ़ाना या घटाना ही क्यों न हो। ऊर्जा के अंतग्रर्हण करने के बुनियादी सिद्धातों, संतुलन और कैलोरी व्यय की चर्चा पिछले प्रसंग में की जा चुकी है।

एक वजन प्रबंधन कार्यक्रम के बुनियादी उद्देश्य निम्न होने चाहियें-

- खाने की गलत आदतों को सुधारना

- जीवन शैली में परिवर्तन लाना
- क्रमश: वजन को घटाना
- एक वांछित वजन को बनाये रखना
- एक अच्छे पौषणिक स्तर को हासिल करना तथा उसे बनाये रखना

वजन नियंत्रण कार्यक्रम

1. वजन घटाने के लिये यथार्थवादी लक्ष्यों का चुनाव करना चाहिए

कार्यक्रम अपनी पटरी पर चलता रहे इसलिये लक्ष्यों को पहले से तय कर लेना महत्वपूर्ण है। लक्ष्य दीर्घ अवधि या लघु अवधि के हो सकते हैं। दीर्घ कालीन लक्ष्य शरीर की चर्बी के वांछित प्रतिशत को पाना है (10% से 20% पुरूषों के लिये तथा 15% से 25% स्त्रियों के लिये)। शरीर की चर्बी का एक बीच का प्रतिशत वांछनीय है। लघु अवधि के वजन घटाने के लक्ष्यों को प्रति सप्ताह किलोग्राम वजन घटाने पर एकाग्र होना चाहिये।

2. भोजन में संतुलित पोषण को ध्यान में रखते हुये कैलोरी को घटाना या बढ़ाना चाहिए

■ कार्बोहाइड्रेटस से भरपूर तथा वसा में कम वाला आहार कैलोरी का एक वांछनीय नकारात्मक संतुलन बनायेगा। कुल कैलोरी में चर्बी से 30% से कम की कैलोरी, दैनिक चर्बी के चपापचय से चर्बी के कम अंतर्ग्रहण को सुनिश्चित करेगी।

3. परितृप्ति महसूस करने के लिये अधिक कार्बोहाइड्रेट तथा कम वसा का ग्रहण करना चाहिए।

■ जिन खाद्यान्नों में पोषक तत्त्व कम और कैलोरी ज़्यादा हैं उनसे परहेज़ करना चाहिये – जैसे चीनी। कम कैलोरी वाले खाद्यान्नों को लेने की सलाह देनी चाहिये, जैसे फल, सब्जी, साबुत अनाज आदि।

■ मक्खन कम खाइये तथा कम चर्बी वाले मांस का चयन कीजिये

जैसे मुर्गा, मछली, चर्बी रहित मांस। तली हुई चीज़ों से बचिये। उबली, बेक या माईक्रोवेव में पकाई हुई चीज़ों को खाइये। यदि आपको तेलों का इस्तेमाल करना ही है तो मोनोअनसैचुरेटेड तेलों का इस्तेमाल करिये जैसे मूंगफली का तेल या जैतून का तेल।

■ कम वसा वाला दूध और पनीर बेहतर है।

■ नमक का इस्तेमाल सीमित होना चाहिये। नमक की जगह मसाले वाले तड़कों को अपनाइये।

■ मदिरा के पेयों से बचिये।

■ मोटापे के साथ अगर सूजन (इडीमा), उच्च रक्त-चाप तथा रक्तसंयुक्त हृदय रोग (कनजेस्टिव हार्ट) न जुड़ा हो तो तरल द्रव्यों और नमक पर रोक लगाने की कोई आवश्यकता नहीं है।

■ पेय में मीठा मत मिलाइये।

■ राशि बढ़ाने वाले तत्त्वों का इस्तेमाल कर सकते हैं जैसे मैथिलसेल्यूलोज़ और इसबगोल। इनसे कोई नुकसान नहीं पहुंचता और पचाये जा सकने वाले ऐसे पदार्थ हैं जिनसे भोजन की राशि बढ़ जाती है। कुल ग्रहण किये जाने वाले भोजन की मात्रा घटाकर ये वज़न घटाने में मदद कर सकते हैं।

4. परिवार के भोजनों से अनुकूलित तथा दामों में वाजिब होना चाहिए।

जो भी आहार आप अपनाते हैं उसकी सामग्री आसानी से आसपास से ही उपलब्ध होनी चाहिये और जेब पर भी भारी नहीं पड़नी चाहिये। एक लंबे समय तक असाधारण व महँगी सामग्री को खरीदना मुश्किल पड़ेगा। इसका परिणाम डाइट के अंत में हो सकता है।

5. आहार ऐसा होना चाहिये जिसका अनुकरण बाहर खाते वक्त भी हो सके।

वज़न को स्थिर बनाये रखने के लिये बाहर खाना खाना बिल्कुल बंद

कर देने से आपकी रणनीति असफल हो जायेगी। किसी एक विशेष वस्तु को खाने के लिये लालायित होना प्रायः एक डाइट योजना के अंत का आरंभ होता है। डाइट में कार्बोहाइड्रेट्स तथा कम चर्बी वाली वस्तुओं को चुनने के लिये पर्याप्त विकल्प होने चाहियें।

6. कैलोरी के व्यय को बढ़ाने के लिये, पेशी समूह की राशि में वृद्धि करने के लिये या स्थिर रखने के लिये व्यायाम का एक कार्यक्रम होना चाहिए।

7. व्यायाम का एक कार्यक्रम बनाना चाहिए जिसका लक्ष्य पेशी को बनाये रखना या उसके समूह की वृद्धि करना हो।

पेशीय फिटनेस का लक्ष्य शरीर के चर्बी रहित वज़न को बढ़ाना है। मध्यम स्तर के प्रतिरोध वाले 8 से 10 व्यायामों की 15 से 25 की बारंबारता के एक समुच्चय (सेट) की सलाह दी जाती है। इस तरीके से एक व्यक्ति अपनी पेशी समूह को बनाये रख पायेगा तथा चपापचय की गति को विश्राम दे पायेगा जो वजन प्रबंधन की सफलता के लिये बहुत जरूरी है।

8. खाने की अभिरचना (पैटर्न) को बदलने के लिये व्यवहार में संशोधन करना चाहिए।

ज़्यादा खाना/खाने से रोकने के लिये पहले उस व्यवहार को पहचानना होगा जो एक लंबे समय में परिवार या परिवेश के प्रभावों द्वारा सीखा गया है। शरीर को गठन देने के लिये इस व्यवहार को अलग करके उसे बदली हुई परिस्थितियों के अनुसार संशोधित करना चाहिये। इस लक्ष्य को प्राप्त करने के लिये निम्न के अनुसार चलना होगा -

- एक या दो सप्ताह तक दैनिक गतिविधियों का एक ब्यौरा रखिये।
- अपने को वजन की मशीन पर तौलने के बाद कुछ प्रेरक योजनायें बनाइये।
- आहार संबंधी अभिरचना की जांच बहुत गौर से करनी चाहिये।

■ वास्तविक क्षुधा और समय बिताने के लिये लगी भूख में अंतर करना चाहिये और उनसे उसी के अनुसार निपटना चाहिये। जब भूख न लगी हो तब खाने से बचना चाहिये। कैलोरी निर्देश के अनुसार भोजन को छोटी मात्राओं में लेना चाहिये। एक और तरकीब अपनाईये- छोटी प्लेट का इस्तेमाल कीजिये।

■ विश्लेषण कीजिये कि क्या आपके आवश्यकता से ज़्यादा खाने और गतिविधियों के बीच कोई संबंध है, उदाहरण के लिये टीवी देखना और स्नैक (नाश्ता) खाना।

■ विश्लेषण कीजिये कि क्या कोई विशेष कमरा नाश्ता (स्नैक्स) खाने के साथ जुड़ा है। उस विशेष कमरे में (रसोई या डाइनिंग कमरा) जब बैठे हों तो धीमी गति से खाना सीखिये।

■ दिन के उस समय तथा भूख के उस स्तर के प्रति सतर्क रहिये जब आप आवश्यकता से अधिक खाते हैं।

■ उन लोगों को पहचानिये जिनकी संगत में आप जरूरत से ज़्यादा खाते हैं, उनसे खाने के समय बचिये।

■ कैलोरी घटाने के लिये परिवार के लिये बनाये गये भोजन को पकाने की प्रविधियों को बदलिये। कम वसा तथा स्टार्च का प्रयोग कीजिये। लगभग 40% कैलोरी वसा से आती है।

■ किसी पार्टी या उत्सव में जाने के पहले कम कैलोरी वाला आहार ले लें, ताकि उस विशेष सामाजिक परिवेश में ज़्यादा खाना खाने से बच सकें।

■ घर से बाहर खाते समय सरलता से तैयार की हुई चीज़ों को चुनिये। तले-भुने खाने से बचिये। डेज़र्ट के लिये हलवा, खीर, पेस्ट्री या पुडिंग की जगह फल चुनिये।

■ एक स्वस्थ तथा कम कैलोरी वाले खाने की आदत को विकसित

करना सीखिए। कैलोरी की मात्रा को सीमित रखने का तात्पर्य है कि यह कमी कभी 1000 कैलोरी प्रतिदिन से ज़्यादा नहीं होनी चाहिये।

- वज़न घटाने की उचित गति ½-1 किलोग्राम प्रति सप्ताह है।

- समझदारी के व्यायाम कार्यक्रम के साथ उच्च स्तर की कार्बोहाइड्रेट डाइट सर्वोत्तम ऊर्जा आहार है।

- जब वज़न घटना बंद हो जाता है, तब निरुत्साहित मत होइये। यह चर्बी घटने से संग्रहित पानी के कारण होता है। व्यायाम को बढ़ाकर फिर से आरंभ कीजिये।

- चर्बीयुक्त खाने पर ताबड़तोड़ टूटने से बचिये। दिन के अन्य भोजनों तथा अगले दिन के भोजन को इसी के अनुसार अनुकूलित कीजिये, अर्थात् एक बार अगर कुछ ज़्यादा ही जमकर खा लिया है तो अगले भोजनों को घटाकर इस गलती की भरपाई कीजिये।

- खाते वक्त टी.वी. मत देखिये। फालतू बातचीत भी मत करिये।

- उन डाइट योजनाओं से बचिये जो आनन-फानन में आपके वजन को घटाने का वायदा करते हैं या 'जो चाहते हैं सभी खाईये'', 'पानी की डाइट', 'मदिरापान करने वालों की डाइट', 'ऊंचे स्तर की प्रोटीन डाइट', इत्यादि। वास्तव में आलोचनात्मक संपादकीय तथा मेडिकल पत्रिकाओं की चेतावनियों की तुलना में इस तरह के लुभावने शीर्षक तथा चटक पंक्तियां ज़्यादा लोगों का ध्यान आकर्षित करती हैं। जो लोग तुरंत परिणाम का वायदा करते हैं उनसे सतर्क रहिये। ऐसी जगहों पर खाने से बचिये जो विज्ञापित करते हैं, 'आप जितना चाहें खाइये, वरना अपना पैसा वापस ले जाईये' या बुफे (स्वाहार – जिसमें खाना अपने आप लिया जाता है)।

भार प्रबन्धन में भोजन और व्यायाम की भूमिका
(Role of Diet and Exercise in Weight Management)

आहार (डाइट) से परितृप्ति का स्तर अत्यंत महत्वपूर्ण है। इससे

संतुष्टि तथा भला चंगा होने की अनुभूति होती है। समुचित मात्रा में रेशे वाले फल और सब्जियां, साबुत अन्न तथा दालें संतुष्टि प्रदान करती है और ग्रहण किये जाने वाले आहार की मात्रा घटाती हैं।

आहार की कोई भी योजना जो समुचित पोषण के साथ समझौता करती है, सही योजना नहीं हो सकती है। इस बात का ध्यान रखना चाहिये कि आहार में कैलोरी के घटने के बाद भी आवश्यक पोषण सुरक्षित रहे।

आहार ऐसा होना चाहिये जिसे जीवन पर्यंत चलाया जा सके। यह वजन को स्थायी रूप से स्थिर रखेगा। खाने में रूचि बनाये रखने के लिये और भूख को शांत करने के लिये आहार में खाद्यान्नों की विविधता होनी चाहिये। आहार जीवनशैली से मेल खाता होना चाहिये तथा आसानी से उपलब्ध होना चाहिये। आहार स्वस्थ भोजन के सिद्धांतों के अनुसार होना चाहिये।

ऊर्जा का 500 कैलोरी का नकारात्मक दैनिक संतुलन प्रति सप्ताह 0. 45 किलो या एक पाउंड वज़न कम करेगा। कैलोरी की सही सही गणना तथा भोजनों का ध्यानपूर्वक आयोजन महत्त्वपूर्ण है।

वज़न प्रबंधन में व्यायाम की भूमिका अत्यंत महत्त्वपूर्ण है। गतिविधि में वृद्धि होने से कैलोरी का व्यय बढ़ जाता है जिसके कारण एक नकारात्मक कैलोरी संतुलन हासिल किया जा सकता है। व्यायाम की तीव्रता, अवधि तथा बारंबारता के बढ़ाने से कैलोरी का खर्च बढ़ जाता है। पौषणीय सिद्धांतों पर आधारित डाइट के नुस्खे या कैलोरी पर रोक जिनका जिक्र पीछे किया जा चुका है, उन्हें ज़्यादा फायदे के लिये जोड़ा जा सकता है। नियमित एरोबिक व्यायाम (दौड़ना, तैरना, लंबी अवधि का ऐरोबिक्स) के साथ भारोत्तोलन के व्यायामों (ताकत या प्रतिरोध प्रशिक्षण जैसे वज़न उठाना, जिम के अनेक व्यायाम) के जुड़ने से अस्थि-पंजर का पेशियों के लिये चर्बी भस्म करना संभव हो जाता है क्योंकि ऊर्जा पेशियों के क्षय को कम करेगी जो निश्चित रूप से कैलोरी पर रोक लगाने से संभव है।

व्यायाम के दैनिक सत्रों के अतिरिक्त कैलोरी को व्यय करने के और

भी अनेक रास्ते हैं। काम पर चलकर या साइकिल से जाना, लंच, कॉफी ब्रेक या डिनर के बाद टहलना या साइकिल चलाना कुछ ऐसी गतिविधियां है जो कैलोरी के खर्च को बढ़ा सकती हैं। दिन के दौरान थोड़ा समय निकाल कर थोड़े थोड़े समय के लिये जीने चढ़ने या रस्सी कूदने के व्यायाम किये जा सकते हैं। इस विधि से वजन घटाने की प्रक्रिया को 25 से 50% तक तेज किया जा सकता है। इस प्रकार व्यक्ति अधिक चुस्त हो जाता है और 500 कैलोरी आसानी से भस्म करके 15 दिनों में एक किलो तक वजन घटा सकता है।

1 ग्राम वसा	=	9.3 कैलोरी
1 ग्राम कार्बोहाइड्रेट	=	4.1 कैलोरी
1 ग्राम प्रोटीन	=	4.3 कैलोरी

वज़न बढ़ाने व वज़न घटाने के लिए भोजन योजना तथा व्यायाम कार्यक्रम का रूपांकन
(Design Diet Plan and Exercise Schedule for Weight Gain and Loss)

वज़न को घटाने के लिए भोजन योजना तथा व्यायाम कार्यक्रम

वज़न घटाने के लक्ष्यों को प्राप्त करने के लिये प्रतिदिन ऊर्जा के अंतर्ग्रहण करने के लिये निम्न सलाह दी जाती है-

- 80 प्रतिशत कार्बोहाइड्रेटस (जटिल) से
- 10 प्रतिशत चर्बी से
- 10 प्रतिशत प्रोटीन से

एक संयमित डाइट निम्न पर आधारित की जा सकती है-

- 60 प्रतिशत कार्बोहाइड्रेस से
- 25 प्रतिशत चर्बी से
- 15 प्रतिशत प्रोटीन से उपयुक्त मात्रा में विटामिन, खनिज तथा जल के साथ।

- व्यायाम का एक कार्यक्रम बनाना चाहिए जिसका लक्ष्य पेशी को बनाये रखना या उसके समूह की वृद्धि करना हो।

- पेशीय फिटनेस का लक्ष्य शरीर के चर्बी रहित वज़न को बढ़ाना है। मध्यम स्तर के प्रतिरोध वाले 8 से 10 व्यायामों की 15 से 25 की बारंबारता के एक समुच्चय (सेट) की सलाह दी जाती है। इस तरीके से एक व्यक्ति अपनी पेशी समूह को बनाये रख पायेगा तथा चपापचय की गति को विश्राम दे पायेगा जो वजन प्रबंधन की सफलता के लिये बहुत जरूरी है।

- खाने की अभिरचना (पैटर्न) को बदलने के लिये व्यवहार में संशोधन करना चाहिए।

अधिक खाना खाने से रोकने के लिये पहले उस व्यवहार को पहचानना होगा जो एक लंबे समय में परिवार या परिवेश के प्रभावों द्वारा सीखा गया है। शरीर को गठन देने के लिये इस व्यवहार को अलग करके उसे बदली हुई परिस्थितियों के अनुसार संशोधित करना चाहिये। इस लक्ष्य को प्राप्त करने के लिये निम्न के अनुसार चलना होगा –

- एक या दो सप्ताह तक दैनिक गतिविधियों का एक ब्यौरा रखिये।

- अपने को वजन की मशीन पर तौलने के बाद कुछ प्रेरक योजनायें बनाइये।

- आहार संबंधी अभिरचना की जांच बहुत गौर से करनी चाहिये।

- वास्तविक क्षुधा और समय बिताने के लिये लगी भूख में अंतर करना चाहिये और उनसे उसी के अनुसार निपटना चाहिये। जब भूख न लगी हो तब खाने से बचना चाहिये। कैलोरी निर्देश के अनुसार भोजन को छोटी मात्राओं में लेना चाहिये। एक और तरकीब अपनाईये- छोटी प्लेट का इस्तेमाल कीजिये।

नियमित व्यायाम करने से बहुत से लाभ मिलते हैं। इससे वज़न प्रबन्धन के साथ-साथ कई रोगों पर नियंत्रण प्राप्त करने में मदद मिलती है। जैसे हृदय रोग, उच्च रक्त-चाप, श्वास व रक्त-संचार के कष्ट, कैंसर, अवसाद, मोटापा आदि। इससे शरीर चपल व युवा बना रहता है। इससे शरीर

के विषैले तत्व के बाहर निकलने में मदद मिलती है और रक्त का संचरण सुधरता है, जिससे त्वचा, आंखें, सिर आदि सभी अंग स्वस्थ बने रहते हैं। नियमित व्यायाम के चैतन्यता बनी रहती है।, जिससे जीवन के मानसिक और भावात्मक दृष्टि के प्रति विश्वास बढ़ता और जीवन को संवारने में मदद मिलती है।

यह आवश्यक है कि किसी भी व्यायाम कार्यक्रम को आरम्भ करने के पूर्व अपने को मानिसक रूप से तैयार कर लिया जाय। कार्यक्रम आरम्भ करना तो आसान होता है मगर उसे नियमित बनाए रखना कठिन।

अधिकांश व्यक्ति जो बिना उपयुक्त मानसिक तैयारी के इसे शुरू कर देते हैं, शीघ्र ही इसे छोड़ देते हैं। यह उल्लेखनीय है कि जो कार्यक्रम जल्दी छोड़ दिए जाते हैं उनसे कोई लाभ नही होता। अत: कार्यक्रम तभी शुरू करना चाहिए, जब व्यक्ति इसके लिए मानसिक रूप से तैयार हो और प्रतिदिन कर सकने की स्थिति में हो। इतना ही पर्याप्त नहीं है। इसके लिए कम से कम तीन बातें अवश्य चाहिए-

(क) प्रेरणा।

(ख) दृढ़ इरादा।

(ग) अनुशासन

प्रेरणा भले ही स्वयं अन्दर से मिली हो, अपनी किसी समस्या को देखकर उपजी हो, या किसी को देखकर या किसी के समझाने-बुझाने से मिली हो, प्रभावी होनी चाहिए। सभी जानते हैं कि प्रात: उषा काल में उठना स्वास्थ्य के लिए बहुत लाभकारी है परन्तु वास्तविक जीवन में कितने लोग ऐसा करते हैं? इसका मूल कारण है, प्रेरणा का अभाव जिसके बिना कोई कार्यक्रम स्थायित्व लिए नहीं होता है। आम तौर से कार्यक्रम आरम्भ करने वाले के पास पर्याप्त प्रेरणा नहीं होती।

सबसे उत्तम प्रेरणा वह है, जो स्वयं की समस्याओं से उपजी हो। किसी का मन बड़ा अशान्त रहता है। उसमें एकाग्रता का अभाव होता है। मन को विभिन्न प्रकार की चिन्ताएं घेरे रहती हैं। कोई शरीर से बहुत मोटा और कोई

बहुत दुबला होता है। किसी का पेट बहुत निकला हो और किसी में ऊर्जा का अभाव रहता है। कोई अपने को सर्वश्रेष्ठ धावक के रूप में प्रस्तुत करने के लिए लालायित है, कोई अधिक बलिष्ट बनने की इच्छा रखता है, कोई वृद्धावस्था में देर तक स्वस्थ रहने अथवा किसी रोग से छुटकारा पाने के लिए आतुर होता है।

किसी का कोई अंग विशेष अधिक मोटा, भद्दा या कमजोर है, जिसे ठीक करने के लिए व्यायाम की आवश्यकता होती है। अत: हर व्यक्ति को स्वयं निश्चय करना होता है कि वह क्यों व्यायाम कार्यक्रम अपनाना चाहता है? जब तक उद्देश्य स्थिर नहीं होता, तब तक कार्यक्रम टिकाऊ नहीं बनता है। अपनी आवश्यकता के अनुरूप यदि व्यायाम किया जाय, तो उद्देश्य की पूर्ति होती है, मन प्रसन्न रहता है और आगे बढ़ने के लिए ऊर्जा, स्फूर्ति, और उत्साह मिलता रहता है। यदि आवश्यकता के विपरीत व्यायाम कार्यक्रम और उसका प्रकार चुना जाता है, तो मन में खिन्नता व तन में थकान रहती और उत्साह का अभाव रहता है।

अत: सर्वप्रथम यह निश्चित करना आवश्यक है कि व्यक्ति चाहता क्या है, हो सकता है कि वह तुरन्त न निश्चित कर सके। कुछ सोचने, समझने या झकझोरने के बाद जान सके। वह भी ठीक है। अपने लिए जो कुछ निश्चित करें, सही ढंग से सोच समझ कर रखना चाहिए।

व्यायाम का चुनाव करते समय अपनी आयु, स्वास्थ्य की स्थिति, जीवन शैली और प्रकृति का अवश्य ध्यान रखें। इसके अनकूल व्यायाम करने से लाभ पहुंचता है, अन्यथा नहीं। व्यायाम वही उपयुक्त है जिसको करने का मन करे और मन प्रसन्न हो। मन की प्रसन्नता हर कार्यक्रम की सफलता के लिए आवश्यक है।

वज़न को बढ़ाने के लिए भोजन योजना तथा व्यायाम कार्यक्रम

वज़न घटाने वाले कार्यक्रमों की मांग काफी ज़्यादा है। इनके बारे में जानकारी भी कुछ आसानी से ही मिल जाती है। लेकिन वज़न बढ़ाने के बारे में जानना भी कम महत्वपूर्ण नहीं है। ऐसे कई लोग हैं जिनका वज़न

अपनी लंबाई के अनुपात में काफी कम होता है। अपनी क्षीण काया को लेकर ये लोग त्रस्त भी रहते हैं, वैसे ही जैसे मोटे लोग अपने मोटे शरीर को लेकर। जैसा कि पहले कहा जा चुका है, कि कुछ लोगों का चयापचय इतना कुशल होता है कि वह उनका वज़न बढ़ने ही नहीं देता है। वे खाने पीने के बाद भी दुबले बने रहते हैं। ऐसे लोगों के लिये वज़न बढ़ाने के दो रास्ते हैं-

1. शरीर के चर्बी रहित मांस में वृद्धि।
2. चर्बी के संग्रह में वृद्धि ।

दिखने में अच्छा और अच्छा महसूस करने के लिये पहला रास्ता चुनना चाहिये। वज़न को केवल भार प्रशिक्षण (प्रतिरोध प्रशिक्षण) तथा संतुलित आहार के अंतर्ग्रहण के मिले जुले तरीक़ों से ही बढ़ाया जा सकता है। ताक़त के लिये किया गया प्रशिक्षण चर्बी रहित पेशी-समूह (लीन मसल्र मांस) में वृद्धि करता है। उसके लिये संतुलित आहार आवश्यक कैलोरी प्रदान करता है। आकार और ताक़त को अपेक्षित रूप से ज़्यादा भारी वज़न उठाकर ही हासिल किया जा सकता है। भारी वज़न को 6 से 10 बार के एक समुच्चय (सेट) में उठाना चाहिये। यदि एक ही वज़न को बार बार दुहराया गया तो आकार में कम वृद्धि होगी, लेकिन पेशीय ताक़त, सहनशक्ति तथा ताक़त अवश्य बढ़ जायेगी।

पेशी-समूह को जल्दी बढ़ाने के लिये मिश्रित व्यायाम करने चाहिये जैसे बेंच प्रेस, स्क्वाट, शोल्डर प्रेस। ये व्यायाम बड़ी पेशी समूहों द्वारा पास की सहायक पेशियों की मदद से किये जाते हैं। जिन व्यायामों में केवल छोटी पेशियों का ही इस्तेमाल होता है उन्हें यदा कदा ही करना चाहिये।

वज़न का बढ़ना आनुवांशिकता, शरीर के प्रकार तथा हार्मोनों के संतुलन पर निर्भर करता है। आनुवांशिकता विभिन्न प्रकार के रेशों का अनुपात तय करती है। 'फास्ट ट्विच रेशे (टाइप ⅠⅠ) ताकत उत्पन्न करते हैं तथा आकार में जल्दी बढ़ते हैं जबकि स्लो ट्विच (टाइप Ⅰ या सहनशक्ति) रेशे बढ़ने में समय लगाते हैं। अतः फास्ट ट्विच रेशे वाले

व्यक्ति का वज़न जल्दी बढ़ता है।

वज़न कितनी जल्दी बढ़ेगा यह शरीर के आकार से तय होता है। एक एक्टोमॉर्फ (दुबली काया वाला) की अपेक्षा एक मेसोमॉर्फ (पेशीय शरीर वाला) अपना वज़न जल्दी बढ़ा सकता है। इन दोनों की तुलना में इंडोमार्फ (नाटा, गठीला तथा चर्बी वाला) वाले का वज़न और चर्बी दोनों ही एक स़ाथ बढ़ते हैं। पुरूषों में सेक्स हार्मोन, टेस्टोस्टेरॉन ज़्यादा होता है इसीलिये स्त्रियों की अपेक्षा इनकी पेशियाँ ज्यादा तेज गति से बनती हैं।

प्रतिमाह केवल 0.5 से 1 किलोग्राम ही चर्बी रहित वज़न में वृद्धि की अपेक्षा की जा सकती है। आरंभ में वज़न-वृद्धि की गति तेज होगी लेकिन बाद में घट जायेगी। केवल वजन नापने के बजाय शरीर के संघटन को नापना चाहिये। एक माह में एक किलो से ज्यादा वज़न बढ़ने का मतलब चर्बी में वृद्धि है।

पेशीय शक्ति और आकार को हासिल करने के लिये थोड़े ज्यादा सकारात्मक संतुलन की आवश्यकता होती है। ग्रहण की गई कैलोरी की गणना करने के लिये कुछ दिनों के लिये एक डायरी को रखना चाहिये। चूंकि 0.5 किलो वज़न हासिल करने के लिये 2500 कैलोरी की आवश्यकता होती है इसलिये ग्रहण किये जाने वाले आहार की मात्रा को बढ़ा देना चाहिये। जिनका वज़न जल्दी बढ़ सकता है उन्हें 300 से 500 कैलोरी ज्यादा लेनी चाहिये और जिनका वज़न बढ़ने में समय लगता है उन्हें 500 कैलोरी अपने आहार में जोड़नी चाहिये। एक संतुलित आहार का उद्देश्य शरीर के वज़न के अनुसार प्रोटीन का अंतर्ग्रहण 1.4-1.7 ग्रा./कि.ग्रा. होना चाहिये।

निश्चित समयों पर अनेक बार आहार लेना पेशियों को पुनः शक्ति प्राप्त करने का अवसर देता है। प्रशिक्षण के बाद हर दो घंटे में 50 ग्राम कार्बोहाइड्रेट्स लेने की सलाह दी जाती है। छोटी राशि के पोषणीय आहारों से अतिरिक्त कैलोरी प्राप्त की जा सकती है जैसे दूध से बने पेय, दही, फलों के रस और गिरियां। बिस्कुट, चॉकलेट या केक से बचना चाहिये।